CAFEÍNA

MAURÍCIO TORRES ASSUMPÇÃO

CAFEÍNA

Copyright © 2020 Maurício Torres Assumpção
© 2020 Casa dos Mundos/LeYa Brasil

Todos os direitos reservados e protegidos pela Lei 9.610, de 19.02.1998.
É proibida a reprodução total ou parcial sem a expressa anuência da editora.

Editoras executivas
Izabel Aleixo e Natalie Lima

Revisão
Carolina Vaz

Diagramação e projeto gráfico
Filigrana

Capa
Kelson Spalato

Imagens/crédito de capa
Composição a partir de detalhes das pinturas *Dance at The Moulin Rouge, Monsieur Delaporte at the Jardin de Paris* e *Monsieur Boleau in a Cafe*, de Henri de Toulouse-Lautrec, do pôster *The Victoria Arduino espresso coffee machine*, de Leonetto Cappiello, e da foto *État d'avancement des travaux de construction de la Tour Eiffel*. Paris, 16 juin 1888.

Embora se inspire em fatos e pessoas reais, esta é uma obra de ficção.

Dados Internacionais de Catalogação na Publicação (CIP)
Angélica Ilacqua CRB-8/7057

Assumpção, Maurício Torres
    Cafeína / Maurício Torres Assumpção. – São Paulo: LeYa, 2020.
    320 p.

ISBN 978-65-5643-005-8

1. Ficção brasileira 2. Ficção histórica I. Título

20-2440   CDD B869.3

Índices para catálogo sistemático:
1. Ficção brasileira

LeYa é um selo editorial da empresa Casa dos Mundos.
Todos os direitos reservados à
Casa dos Mundos Produção Editorial e Games Ltda.
Rua Avanhandava, 133 | Cj 21 – Bela Vista
01306-001 – São Paulo – SP
www.leya.com.br

Para Marie.

À Sophie, que não pôde esperar.

*Ah! que dulcíssimo este mel,
Que dessedenta os meus desejos!
É preferível a mil beijos
E ainda melhor que o moscatel!
Somente nele tenho fé.
A quantos me quiserem bem
Peço me deem, me deem, me deem
Café, café, café!*

Cantata do Café, 1732. Libreto de Picander;
música de Johann Sebastian Bach

Sumário

Foi mais ou menos assim 11

Capítulo 1 13
Capítulo 2 23
Capítulo 3 32
Capítulo 4 48
Capítulo 5 58
Capítulo 6 70
Capítulo 7 81
Capítulo 8 91
Capítulo 9 101
Capítulo 10 111
Capítulo 11 122
Capítulo 12 132
Capítulo 13 143
Capítulo 14 153
Capítulo 15 162
Capítulo 16 172
Capítulo 17 181

Capítulo 18 189
Capítulo 19 197
Capítulo 20 207
Capítulo 21 216
Capítulo 22 226
Capítulo 23 236
Capítulo 24 249
Capítulo 25 262
Capítulo 26 272
Capítulo 27 283
Capítulo 28 292
O ponto final 305

Nota do autor 309
Agradecimentos 311
E antes que o leitor duvide... 313

Foi mais ou menos assim

1853

Ano em que o singelo arraial de Pau Vermelho, no Vale do Paraíba, é elevado a vila de São Sebastião do Ibirapiranga, berço do poderoso clã Lopes Carvalho.

1886

Os escravos do Vale do Paraíba já produzem quase todo o café consumido no mundo. Seus senhores, os barões do café, colhem os lucros, reinvestindo-os em longas viagens a Paris.

1887

O imperador do Brasil embarca para a França em busca de tratamento médico. No mesmo navio, o *Gironde*, viajam a família do barão de Lopes Carvalho e o jovem Sebastião Constantino do Rosário.

1888

É o fim da escravidão! A Abolição liberta os cativos, levando à bancarrota os incautos cafeicultores escravagistas do Vale do Paraíba.

1889

Um marechal desavisado derruba a monarquia, forçando toda a família imperial brasileira a exilar-se na França.

Enquanto isso, em Paris, a Torre Eiffel é inaugurada com muita pompa, no centenário da Revolução Francesa.

1891

Em fevereiro, estoura a bolha do Encilhamento, a primeira grande quebra da bolsa de valores brasileira. Em novembro, o marechal golpista renuncia à Presidência, passando o balde para o vice, outro marechal.

Em dezembro, ainda exilado em Paris, o imperador morre de saudades do Brasil. Seu corpo é velado na igreja da Madalena.

1892

Na França, tempos sombrios, com a morte de seis pessoas em atentados anarquistas.

1893

Presidindo o país com a mão na espada, o segundo marechal provoca a fuga de políticos e empresários brasileiros. O barão de Lopes Carvalho e sua família exilam-se na França.

1894

Os militares, finalmente, voltam para o quartel. Os cafeicultores assumem o poder, elegendo um civil para a Presidência da República.

Em Paris, os anarquistas explodem uma bomba na igreja da Madalena. Pior: o presidente da França é assassinado por um anarquista italiano.

O brasileiro Sebastião Constantino do Rosário é condenado à morte na guilhotina.

Enquanto isso, no subúrbio de Paris, começa a construção da maior torrefação de café da Europa.

Capítulo 1

Dizem que segundos antes da morte uma pessoa pode se lembrar de toda a sua vida, como num filme acelerado, projetado interiormente. Das primeiras lembranças da infância até o momento da morte, as imagens se sucedem numa espécie de colagem emocional, feita de fragmentos simbólicos que se desdobram até o instante derradeiro, cena final e inevitável dessa sequência nem sempre lógica. Amarguras e decepções, entremeadas por breves momentos de alegria, sucedem-se nesse trem de sentimentos, arrastado por uma locomotiva irrefreável: o arrependimento. Daquilo que se fez e, mais provavelmente, do que não se fez.

No caso de Sebastião Constantino do Rosário, o Tino, há uma grande vantagem. Mais do que alguns segundos, ele dispõe de quase vinte e quatro horas para recapitular os seus vinte e três anos de vida, tão precocemente encerrados. Ironicamente, as circunstâncias não poderiam ser mais apropriadas: encarcerado numa cela de três metros de comprimento por dois de largura, com um colchão de palha, um cobertor e um penico, o condenado está livre das distrações do mundo exterior. Ali, naquele ambiente frio e sujo, mal iluminado por um postigo gradeado, bem acima do nível dos seus olhos, Tino anda em círculos, dando voltas e contravoltas até se cansar. Senta-se então no colchão, concentrando-se exclusivamente no que se passa dentro de sua cabeça, fixando o olhar no pouco que há para se ver fora dela – finas rachaduras no reboco da parede, que, com boa vontade, podem lembrar o mapa do Brasil, com sua cabeça bovina, enorme, saltando numa perna só, como ele viu, ainda pequeno, num mapa na Câmara Municipal de Ibirapiranga.

Há anos Tino deixou o Brasil, sem saber quando poderia para lá voltar. Foi antes da proclamação, ou do golpe, dependendo de quem o conte. Antes mesmo que os escravos fossem libertos, o imperador caísse do trono e o marechal subisse ao poder. Na época, porém, tinha pouca noção dessas coisas, que tornariam impossível a sua volta para o mesmo Brasil. Lá sua vida seguia tranquila, como o córrego de águas cristalinas, saltitando por entre pedras limosas, no qual se banhava nas manhãs da sua infância, após ajudar o padre Lalanne na horta.

Desde muito pequeno auxiliava o padre, tendo sido o mais novo coroinha na história do arraial. Dali vêm as suas mais remotas lembranças, imagens fragmentadas, desconexas, um pouco difusas, como num sonho fugidio. Lalanne aspergindo os fiéis com água benta, Tino balançando o incensório, um apertão na bochecha, a gorda banguela rindo, "que rapagão este miúdo vai ser!". E, virando-se para as comadres, "pena ser tão caolho".

Depois da missa, no pátio da igreja, os olhos estrábicos de Tino observavam Leocádia, a pequena Leo, de cabelos anelados, muito negros, amarrados por uma fita verde, no mesmo tom dos seus olhos. Leo, filha única do barão de Jaguaraçu, brincava com as primas, enquanto Tino tentava esconder sua própria existência atrás da batina de Lalanne. Não via espaço para si no meio daquela gente grande, rica e elegante. Gente dona de terras e de gentes, homens e mulheres. Centenas, milhares delas, como um dia fora Noca, criada do padre, batizada Noêmia de Jesus, que passava quase todo o dia na cozinha, matando galinhas, descascando milho, cozinhando feijão. Tino a ajudava, ouvindo histórias de assombração. Coisas verdadeiras, que ela mesma vira, ou que escutara na senzala. Espectros de escravos que, em noite de lua nova, arrastavam correntes pela casa do senhor. Sinhás que voltavam do mundo dos mortos para se vingar dos seus maridos. Sem falar da mula sem cabeça, cuspindo fogo pelo pescoço decepado. Tino escutava tudo, sem perder uma palavra da narrativa. Tarde da noite, lembrava-se delas, antes de correr para o quarto de Noca, onde dormia abraçado àquela mãe postiça, com a cabeça enfiada em seus generosos seios.

O carão de Lalanne era tão previsível quanto ineficaz. No café da manhã, o padre, homem robusto, com farta cabeleira grisalha sobre um rosto vincado pelo sol, olhos azuis opacos, diminuídos pelas grossas lentes dos óculos, começava o sermão, em francês, lembrando a Tino que um menino da sua idade já não podia dormir agarrado à mãe. Que, na França, os meninos do seu tamanho já trabalhavam, levando uma vida bem independente. Que ele começasse a pensar no seu futuro; que aquela vida de moleque, brincando nas fazendas, precisava acabar. Tino escutava calado, mastigando o pão, mirando a xícara de café ou buscando apoio nos olhos de Noca, que, distraída, não tinha a menor ideia do que Lalanne palreava naquela língua cheia de erres, bicos e muxoxos. Terminada a ladainha do padre, Tino pedia permissão para deixar a mesa, corria casa afora, mundo adentro, embalado pela certeza que se tem aos dez anos de que o futuro é um país muito distante.

Só não esperava que a viagem fosse tão curta, queixa-se, levantando-se do colchão para dar mais voltas e contravoltas na cela. Havia chegado ao futuro sem ter se dado conta do caminho. Agora, na estação terminal, conta as horas para o desembarque definitivo, inexorável. Olhando para trás, tem a sensação de que a estrada da sua vida desembocou numa encruzilhada. E nela, ele se perdeu. Sua trajetória se resume tão somente a um *antes* e um *depois* daquele desvio. Um *antes* na fazenda Santo Ovídio, onde, do nascente ao poente, o cafezal definia a linha do horizonte. Ali, Tino passou as horas infinitas da infância. Brincava com Chico, filho do feitor Abílio Fernandes, e Torresmo, filho de João Mataporcos, o escravo encarregado da criação mantida para alimentar empregados e cativos. Juntos, os moleques corriam pelas fileiras do cafezal, caçavam preás, apanhavam passarinhos em precários alçapões. No reino da infância, a Santo Ovídio era todo um império, habitado por um povo negro que produzia, sob a lei do chicote, a riqueza nacional.

No verão, Tino, Torresmo e Chico trocavam os cafezais e as capoeiras da fazenda pelas margens do rio Piabanha, farto no peixe que lhe emprestava o nome. Ali pescavam sonhos, mergulhavam em fantasias, nadavam nos recantos mais sossegados. Até que Abilinho Fernandes, moleque amarelo, mirrado e barrigudo, irmão caçula de Chico, juntou-se ao trio. Dizia que já era grande, sabia nadar, não tinha medo de nada, nem de ninguém. Num sábado, desapareceu. Estava ali, ao lado de Tino, brincando sobre as pedras, quando escorregou no limo. Caiu na água, sendo levado pela correnteza. Os meninos desabalaram pela margem tentando alcançá-lo. Em silêncio, Abilinho aparecia e sumia dentro da água, esbracejando, debatendo-se contra a corrente. Perdendo o irmão de vista, Chico correu de volta para o solar, seguido por Tino e Torresmo. Uma patrulha de homens foi convocada. Um grupo desceu o rio em canoa, enquanto outro cavalgava pela margem. Lá na foz, onde o Piabanha alimenta o Paraíba do Sul, encontraram o menino boiando, seu corpo ainda mais amarelo, sua cabeça dentro da água.

No dia seguinte, o padre Lalanne rezou a missa, encomendando o corpo de Abilinho. O fim do moleque, porém, não chegou a provocar comoção no arraial. Era o sétimo filho do feitor. Sétimo dos que vingaram das doze barrigadas da sua mulher. Tino então achou graça ao ver Abilinho vestido de anjo, sereno no seu pequeno caixão, forrado de tafetá azul-celeste. Já não era mais amarelo. Num tom fosco e frio, tornara-se um querubim azulado, a caminho do Céu.

Daquele verão em diante, Tino foi terminantemente proibido de se aproximar do rio. Que brincasse no córrego, nos fundos do terreno.

– Não tem nem peixe no córrego – respondeu, baixando os olhos, sem encarar Lalanne.

– Cala-te! O rio está, rigorosamente, fora dos limites – decretou o padre, martelando a mesa com o punho.

Proibindo-o de se aproximar do rio, o padre Lalanne acionou, sem o saber, a complexa engrenagem do destino, lamenta Tino, em vão erguendo a mão para tentar alcançar o postigo da sua cela, não podendo enxergar outro horizonte senão o seu próprio fim. De certo modo, foi aquele decreto de Lalanne que levou Tino ao desespero da situação em que agora, treze anos mais tarde, ele se encontra. Não está preso, contando suas últimas horas de vida, somente por causa do crime que cometeu. Entram na equação todos os seus atos anteriores, consequência e causa de outros atos, como numa carreira de dominós em que uma pedra derruba outra, que derruba outra, que derruba outra.

Bernard Lalanne, obviamente, não tinha como saber disso. E, mesmo que o soubesse, provavelmente teria desdenhado da teoria. Afinal, o destino está nas mãos de Deus. Um Deus único e verdadeiro que ama todas as suas criaturas e, seguramente, teria suas razões para uma ou outra tragédia, como aquela do pequeno Abilinho, chamado antecipadamente à presença do Senhor. Senhor magnânimo que, por veredas tortuosas, permitira a Tino, moleque destinado ao desamparo e à miséria, receber as atenções maternais de Noca e a severa educação de um missionário francês. Com Lalanne, Tino cedo aprendeu os mistérios do mundo. Que a Lua gira ao redor da Terra, e a Terra, ao redor do Sol. Que o Brasil é dez vezes maior que a França, e que a França é dez vezes mais rica que o Brasil. Que o Brasil era uma monarquia cercada de repúblicas, e a França, uma república cercada de monarquias. Que o Império do Brasil dependia do café, e o café dependia dos escravos. Que no Brasil um homem ainda podia comprar, vender ou alugar outro homem. Que um dia, em breve, se Deus assim o permitisse, a escravidão acabaria, como acabara na França havia muito tempo.

– Quanto custou a Noca? – perguntou certa vez Tino, arregalando os olhos vesgos.

– A Noêmia não foi comprada. Foi herdada – explicou Lalanne, fechando os livros, dando por encerrada a aula.

Na aparência, o aluno compensava o estrabismo com um sorriso tímido, que despertava um sentimento maternal nas mulheres da vila, conhecedoras da sua condição de órfão, quando não especulavam sobre a verdadeira paternidade daquele mulatinho criado pelo padre e sua empregada. Com Lalanne, Tino se alfabetizara em francês, lendo as fábulas de La Fontaine, enquanto aprendia o português crioulo na cozinha de Noêmia. Era como se o batente da porta da cozinha servisse-lhe de fronteira entre o mundo austero e ascético do padre e o universo de aromas, sabores e magia da mãe. Comia sentado numa esteira de palha, com o prato sobre as pernas cruzadas, amassando com a mão o feijão e a farinha que enfiava na boca em pequenos punhados. Na sala, sobretudo na presença de Lalanne, aprendeu a usar a colher e, mais tarde, o garfo, a faca e o guardanapo.

    Para quê? Para que toda aquela etiqueta à mesa, se agora, quando deveria viver os melhores dias da sua vida, come a ração dos condenados à morte, que nada mais esperam que afastar a dor da fome, um mal menor, irrelevante, diante da sentença anunciada? Um último desejo? Pão, queijo, vinho? Um cigarro? Não... Café! Sim, somente café. Mas não aquele de Paris, que ele mesmo ajudou a adulterar. Prestes a perder a vida, exige a chance de degustar pela última vez o sabor da sua infância, o sabor do café de Ibirapiranga.

    Foi numa tarde de verão, após lavar a louça do almoço, que Noêmia deu-se conta de que Tino desenvolvera uma estranha mania. Comia café. Não o pó de café coado e molhado, mas o grão de café recém-torrado, comido de mão cheia. Repreendido, passou a mastigar café às escondidas, metendo na boca um grão de cada vez, quando entrava em silêncio na cozinha, sem ser percebido por Noêmia, ocupada na sua luta interminável com o fogão a lenha. Tino chupava o grão, aromático e crocante, antes de triturá-lo e engoli-lo. Depois saía da cozinha, dizendo que ia à fazenda Santo Ovídio para ter com Chico e Torresmo. Mentira. Ia à Santo Ovídio para observar Leocádia, ou melhor, para tentar vê-la, forçando um encontro casual com a filha do barão de Jaguaraçu. Mas Leo, que não se misturava com pretos, nem com filhos de empregados, raramente saía do solar, onde passava as tardes à sombra, tomando aulas de bordado, piano e francês. Tino, todavia, não se dava por vencido. Se lhe faltava coragem para abordá-la, sobrava-lhe audácia para namorá-la a distância. Mesmo sem conseguir vê-la, sentava-se sob a janela do solar, ouvindo a menina praticar piano, criando sons que, aos seus ouvidos, soavam como música de uma terra distante e exótica.

    Arrepende-se da ousadia? Não, de modo algum. Até então não fizera mais do que obedecer ao seu coração de menino. Ademais, sua presença constante na Santo Ovídio não espantava ninguém. Era só mais um moleque, o filho do padre, enfiado nas reinações das poucas crianças que não trabalhavam no cafezal. Arrepende-se, no entanto, do bilhete. A sua caligrafia, em francês, incriminando-o de maneira irrefutável. "Que asneira!", censura-se em voz alta, percebendo, com o canto dos olhos, uma barata que surge por trás do penico em sua cela.

Mas anos antes do bilhete, lembra-se que, ocioso, sem poder nadar no rio nos dias quentes de verão, passou a frequentar o largo da Matriz, onde se habituou a ver Leo com mais frequência, sempre nos mesmos horários. Às terças-feiras à tarde, quando a menina visitava uma tia velha e doente, e às sextas pela manhã, quando Leocádia e sua mãe, Adelaide Fragoso do Amaral, frequentavam a costureira. De longe, do outro lado do largo, Tino espiava a menina, que chegava na caleça da família, acompanhada pela mãe e uma criada. Seu mundo então se transformava. Limitado pela convivência com o padre e Noca, quando não brincando com moleques, Tino vislumbrava em Leo a revelação de um universo superior e inalcançável. Transpirando nas mãos, com o coração disparado, via a pequena erguendo o vestido com a ponta dos dedos para saltar da caleça sem sujar a barra na lama da rua. Leo sorria para a mãe, antes de cumprimentar a costureira, dona Glicéria, uma mulher magra e dentuça que, por assinar revistas francesas, tornara-se a consultora de modas e costumes da sociedade local.

Foi dona Glicéria quem, naquele ano calorento de 1881, teve a ideia de organizar um baile para celebrar os quarenta anos da coroação do imperador. Depois da confissão na igreja, consultou Lalanne, que não viu nenhum inconveniente, desde que o baile fosse realizado após a festa de Santo Antônio, o santo português tão caro aos fazendeiros do Vale. Com o apoio do clero, só faltava a Glicéria o aval da nobreza, representada pelo barão de Jaguaraçu, um homem forte, diziam, na sua presença, ou gordo, pelas costas, com um largo cavanhaque, que lhe emprestava um ar de autoridade quando presidia as sessões da Câmara Municipal, cujo regimento incluía berros e pescoções sempre que um incauto fazia oposição à vontade do seu presidente.

O barão de Jaguaraçu... O homem que o perseguiu com a fúria de quem quer exterminar um verme, um inseto repugnante, amargura-se Tino, esmagando a barata sob a sola da sua bota. Para fazer frente a Jaguaraçu, somente o barão de Lopes Carvalho. Aliados, os dois barões fizeram a história de Ibirapiranga. Desde o dia em que o padre Lalanne assumira a paróquia, havia décadas, muita coisa mudou na região. O modesto arraial cresceu, enriqueceu, foi elevado a vila de São Sebastião do Ibirapiranga. Daquela época data a sua primeira esquina – quando uma picada passou a cortar a rota dos tropeiros, fazendo a ligação entre novos povoados. A elite da sociedade ibirapiranguense, no entanto, era cada vez menos vista. Boa parte dos barões e suas famílias mudara-se para a Corte, quando não para a Europa, delegando a administração das fazendas a feitores e capatazes. Jaguaraçu, mais agarrado às tradições do Vale, preferira permanecer na tranquilidade dos infinitos cafezais. Afinal, desde que a riqueza do café colocara a vila na rota dos caixeiros-viajantes, nada lhe faltava. Louças de Sèvres, cristais da Boêmia, tapetes persas, pianos franceses, penicos de porcelana, tudo aquilo que se comprava na rua do Ouvidor chegava ao Vale em tropas de mulas, guiadas por comerciantes alsacianos. Até mesmo as companhias líricas italianas, de passagem pela Corte, encontravam tempo para subir a serra e se apresentar nos teatros da região. E quando não houvesse companhias italianas, haveria sempre as bandas de pretos.

– E, modéstia à parte, dona Glicéria, a minha, organizada e regida pelo maestro Stolz, é a melhor banda de pretos num raio de muitas léguas – afirmou Jaguaraçu.

Disso dona Glicéria não duvidava. Saiu do encontro segura de que, com a bênção do padre e a banda de escravos do barão, a festa seria um sucesso. Já pensava nos pedidos de novos vestidos para umas e de remendos para outras. Precisava se organizar, encomendar tecidos, linhas e rendas. Onde havia posto a última edição de *La Mode Illustrée*?

Ali, no baile do imperador, começou sua desgraça, lastima-se Tino, secando as lágrimas com a manga puída do seu casaco. Depois da festa de Santo Antônio, a população não descansou. Entrou em novo rebuliço com os preparativos para o grande baile, no qual a banda de pretos da fazenda Santo Ovídio tocaria quadrilhas, valsas e mazurcas. Leo, fazendo planos, sem ter outro assunto que não fosse o baile, contava o número de convidados, incluindo as primas de Vassouras e os parentes que moravam na Corte. Só mais tarde Tino compreenderia a agitação da menina quando a viu sair da casa de dona Glicéria carregando um embrulho. Ali estavam o vestido novo, feito para o baile, e um pequeno colar de pérolas, importado de Veneza.

Quando a banda atacou a quadrilha, no salão nobre da nova sede da Câmara Municipal, não havia alma viva nas fazendas, fora os escravos. Toda a população da vila apinhara a Câmara para bailar ao som da melhor banda do Vale. Tino jamais vira tanta gente ataviada, tantas joias, tanto brilho. Sem desgrudar do padre, assistia ao baile calado, batendo um pé tímido sob a mesa ao ritmo da banda. Se na rua estava sempre tão distante de Leo, agora se sentia constrangido por estar tão perto dela, por ter invadido o seu domínio, pomposo e janota.

Encabulado, fingia admirar a banda, composta por mais de trinta músicos, todos pretos, todos escravos. Eram barbeiros, ferreiros, sapateiros da fazenda, que agora trocavam as ferramentas por clarins, clarinetes, trompetes, violas, rabecas e rabecões. Com solenidade e competência, interpretavam as músicas que faziam Leo rodopiar no salão. Tino, olhando de esguelha para a menina, pensou que seria bom tocar um instrumento. Já se via, senhor de si, tocando uma flauta, acompanhando Leo, que, ao piano, lhe sorriria emocionada. Que bobagem, irrita-se agora, acertando um chute no penico, que repica nas paredes da cela antes de tombar emborcado no chão.

Uma semana depois do baile, quando os comentários sobre a festa ainda permeavam o credo durante a missa, o padre Lalanne entrou na mercearia de Inácio Cordato, tirando o capelo, dando bom-dia e a bênção à clientela. Cordato, um sujeito esquálido e desbarbado, cumprimentou Lalanne e, sem dizer mais nada, enfiou-se pelos fundos do armazém. Na volta, trouxe uma caixa fechada, de pouco mais de um metro de comprimento, pousando-a sobre o balcão. Lalanne pegou a caixa, agradeceu e saiu da mercearia, deixando a clientela curiosa, querendo saber que diabos o padre encomendara da Corte. Curiosidade maior teria Tino quando, após o jantar, recebeu a caixa das mãos de Lalanne. Abriu-a com cuidado, olhando ora para o padre, ora para Noca, sem entender que surpresa era aquela que lhe haviam preparado.

Dentro da caixa, um estojo forrado a couro revelava parte da surpresa: um instrumento musical... Uma rabeca!

    Só agora, na cadeia, quando Ibirapiranga já faz parte do seu passado, Tino se dá conta do papel que a rabeca teve no efeito dominó da sua vida. Naquele dia, abriu o estojo tentando imaginar como Lalanne lera os seus pensamentos. O padre oferecia-lhe, involuntariamente, o instrumento com o qual poderia se aproximar de Leocádia Fragoso do Amaral, a filha única de Jaguaraçu, homem forte da vila. Jaguaraçu, a Grande Onça, feroz, insaciável, cuja sanha o perseguiria mundo afora, atormentando-lhe os pesadelos da noite e os devaneios do dia. Um martírio que, pensando melhor, apequenava-se perante tudo o que lhe aconteceu depois. Se pelo menos... Não. A poucas horas de se ajoelhar perante a guilhotina de Paris, Tino desespera-se, martelando com a testa a parede fria e úmida de sua cela: agora, é tarde demais.

Capítulo 2

Um pequeno grão oval, escuro, com uma fenda vertical, como o sexo de uma mulher. A vulva que pariu um império. Grão da fruta vermelha que, por falta de nome melhor, por casual semelhança, chama-se cereja. Como podia aquela semente tão pequena, envolta numa polpa fina e sem sabor, sustentar, há mais de meio século, toda uma nação?

Plantada em colinas férteis, recém-desmatadas, a planta leva anos para se desenvolver, fazendo rebentar a fruta, que será derriçada pelas mãos calejadas dos escravos. Despolpados, os grãos são lavados, secados, descascados. Ali já é verde o ouro brasileiro, ensacado e montado em mulas que o transportam até a estação. De lá, o trem o leva ao porto, onde é carregado por estivadores, embarcado em navios que atravessam o oceano. Do outro lado, é desembarcado, transportado, desensacado, torrado, vendido, moído, infundido, transformando-se naquele líquido negro e amargo que agora fumega na xícara de Antônio Lopes Carvalho, sentado à mesa de um café em Paris.

Líquido negro que viciou o mundo, reflete Carvalho, recusando o açúcar que lhe oferece o garçom. Jamais país algum lançou as bases do seu progresso com dois produtos tão irrelevantes, se levadas em conta as necessidades humanas. O brasão de armas do Império já o comprovava. Ramos de tabaco e café. Barão ou visconde algum, por maior que fosse a sua produção, poderia ter o ramo de café ou de tabaco no seu brasão. Eram exclusividades do imperador, cujo poder se sustentava na sofreguidão do mundo por um cigarro e um cafezinho.

Veja os franceses, por exemplo. Viciaram-se na bebida ainda no tempo da monarquia. Por incentivo do próprio rei! Aquele que após beber dez xícaras pela manhã, batia na mesa e bradava: "o Estado sou eu!". Mal sabia que seus descendentes perderiam a cabeça por conta daquela arrogância e daquele mesmo café. Com certeza! A revolução não foi coisa de arruaceiros bêbados, não, senhor. Foi coisa de homens inteligentes, intelectuais, excitados por muitas xícaras de café consumidas nas tabernas ao redor do palácio real. E antes mesmo da revolução, o tal de Iluminismo, o que foi? Aquelas ideias não seriam tão luminosas se rios de café não fossem consumidos por Rousseau e Voltaire. Pois, sim. Se a França era o que era, se Paris era o que era, deviam tudo ao café das colônias, produzido por pretos que falavam francês, mas não deixavam de ser escravos. Depois, os franceses reclamavam dos pretos brasileiros, como se a França não tivesse se beneficiado da mesma escravidão. Certo, as coisas agora, em 1893, são diferentes. Mas o café continua igual. Se Paris, como os franceses dizem, é o farol da humanidade, de onde vem toda essa luz? Do café, consumido pelos franceses em milhões de arrobas! E muitas delas importadas do Brasil, ou melhor, do Vale. Ah, o que teria sido de Paris sem Ibirapiranga?

O problema é que, como Narciso, o Vale definhou na obsessão pelo seu próprio esplendor. Orgulhoso, não teve olhos nem ouvidos para ninguém. Chegou ao auge da sua glória, produzindo café suficiente para atender toda a demanda mundial. Aquela mesma riqueza, aquele mesmo prodígio de produção agrícola, foi a causa da sua decadência. Café demais, compradores de menos, concorrência desleal de São Paulo, com máquinas e imigrantes. E, pior de tudo, a sombra ameaçadora da Abolição. A bonança tinha inevitavelmente os seus dias contados. Longe iam os anos auriverdes, quando o Vale venceu a Guerra do Paraguai. Sim, senhor! Quem você acha que pagou pela guerra? De onde o Império tirou tanto dinheiro para cinco anos de loucura na caça ao tirano paraguaio? E a contribuição não foi só financeira, não. A guerra custou aos cafeicultores sacrifícios imensos. Ele mesmo participou do conflito, cedendo escravos para formar os pelotões brasileiros na linha de frente. Pouco importa que, dos cinco pretos enviados como bucha de canhão, um fosse doido, dois, aleijados, e os outros, velhos demais para o trabalho na lavoura. Um escravo era uma peça cara, e mesmo um demente tinha o seu preço no mercado. Claro, foi bem gratificado com o título de barão, concedido pelo imperador. Passada a moda dos nomes indígenas, manteve o próprio nome: barão de Lopes Carvalho, em reconhecimento aos serviços prestados ao Estado. Só lhe faltou o ramo de café no brasão. Contentou-se com uma folha de carvalho, representando o nome da família, e uma arara, com penas verdes e vermelhas, ilustrando suas raízes luso-brasileiras. Depois, meteu embaixo a divisa já presente no brasão do pai, *Labor et Probitas in Via Victoriae* – o trabalho árduo e a reconhecida honestidade da família balizando o seu caminho rumo à vitória.

Se o velho estivesse vivo, teria agora muito orgulho desse filho. Sozinho tem dado continuidade à saga vitoriosa da família, cujas origens humildes ainda lhe arrancam lágrimas. Imagine: o pai, Joaquim Pombo Carvalho, chegou de Portugal sem um tostão. Sabia ler e escrever, embora viesse de uma família modesta, comerciantes de secos e molhados em Trás-os-Montes. Com o apoio de patrícios na Corte, o rapagão forte de olhos verdes, cabelos castanhos encaracolados, não teve dificuldades para encontrar ocupação. Trabalhou em padarias na rua da Quitanda, economizou dinheiro, comprou um burro, uma carroça e, mais tarde, um carro de praça com uma parelha de éguas velhas que por pouco ainda se aguentavam de pé. À noite, costumava esperar por passageiros na saída do teatro e, após uma apresentação de *A Cinderela* de Rossini, conheceu uma viúva, quinze anos mais velha, também transmontana. Passou a lhe dar preferência, rejeitando outros passageiros enquanto Amália Pontes de Azevedo não saísse pelas arcadas do teatro, quase sempre sozinha, quando não acompanhada por uma sobrinha adolescente, na casa de quem se hospedava. Do hábito surgiu a conversa, a familiaridade, a proposta, como num gracejo, de que ele a fosse visitar em São Sebastião do

Pau Vermelho, onde ela vivia em terras extensas, mas pouco produtivas, do comendador, seu falecido marido. De cocheiro na Corte a fazendeiro no Vale, tudo se passou num rompante de amor, cálculos e oportunidades, embalado pelo turbilhão da Independência. Casado, Joaquim hipotecou as terras da mulher, comprou escravos e plantou café. Milhares de mudas, em linhas infinitas, subindo as colinas e descendo até as terras baixas no fundo do Vale.

Quando Amália morreu, sem jamais realizar o sonho de ter filhos, o padre Lalanne descobriu, surpreso, que em seu testamento a mulher não deixara um centavo para a paróquia que ajudara a fundar, e que, com tanto fervor, frequentara. Legara todo o seu patrimônio ao marido, que então se tornava senhor absoluto das terras do falecido comendador.

Joaquim não precisou de muito tempo para se recuperar da morte de Amália. Sempre diligente e empreendedor, tratou de expandir seus negócios, contraindo matrimônio com Preciosa Teixeira Lopes, a filha adolescente e roliça de outro agricultor local. Anexou suas terras às recebidas como dote e, dando mostras de profunda reverência à primeira mulher, batizou a incorporação de todas as suas propriedades como fazenda Santa Amália.

Na época em que Antônio Lopes Carvalho veio ao mundo, aos berros, numa quinta-feira de maio, pouco antes do início da colheita, a Santa Amália já era uma das propriedades mais produtivas da região. A família Lopes Carvalho se tornara sinônimo de poder e grandeza em todas as esferas sociais. À robustez da adolescência, Preciosa somara alguns quilos, tornando-se uma matrona faceira e bem-disposta, sem jamais perder a autoridade. Era um astro de luz própria na parca constelação social da vila. Promovia bailes, quermesses e aulas de bordado para meninas pobres. Causava inveja nas comadres, mobiliando o solar com o seu gosto eclético, que misturava tudo o que fosse dourado e pudesse ser transportado pelas mulas do caixeiro alsaciano.

Joaquim, por sua vez, expandira seus negócios, passando a financiar lavradores em dificuldades, que, mais cedo ou mais tarde, decretavam falência, sendo obrigados a entregar-lhe suas terras como pagamento das dívidas. Em pouco menos de uma década incorporou doze fazendas, o que o tornava o mais profícuo cafeicultor de Pau Vermelho. Elegeu-se vereador, construiu imóveis no arraial, ganhou rios de dinheiro produzindo milhares de toneladas de café, sempre às custas do suor do seu trabalho, dirigindo com mão firme um plantel de trezentos escravos.

Aos sábados, costumava se sentar à janela do solar, fumando charuto, observando o pôr do sol nos confins ocidentais do Vale. Gostava de avaliar sua própria importância para o progresso da região. Rico, respeitado e temido, sentia, contudo, que sua vida ainda não estava completa. Preciosa lhe dera os herdeiros, três varões e quatro mulheres, mas lhe faltava algo mais, um certo reconhecimento social, oriundo das esferas superiores. Aquele reconhecimento que, na Europa, era reservado às famílias nobres, herdeiras seculares de grandes propriedades rurais. Ali, os nobres herdeiros seriam os seus sete filhos. Mas como fazer com que a sua história de lutas e o seu triunfo pessoal fossem reconhecidos além das fronteiras da província, chegando a toda a nação e, quem sabe, a Portugal? Se na Europa necessitaria de uma ascendência nobre, que dignificasse o seu passado, ali, naquele país novo, vasto e selvagem, as regras eram outras. Queria, e podia, ser barão.

A vida nem sempre é justa, filosofa Antônio Lopes Carvalho, degustando a fumaça do charuto, enquanto busca com os olhos o garçom. Com um substancial donativo para a construção do palácio de verão do imperador, seu pai conseguira o tão almejado título de nobreza. Era barão. Do Ibirapiranga. Impronunciável para os primos saloios a quem pretendia impressionar em Portugal, mas irrecusável como sugestão vinda de Sua Majestade Imperial, que não achara o título de "barão do Pau Vermelho" muito conveniente para um aristocrata de tão nobre, ainda que futura, linhagem. Além disso, dava no mesmo. Pois Ibirapiranga, como bem explicava a carta da Secretaria de Estado, significava "pau-vermelho", ou "pau-brasil", em tradução para o tupi, feita pelo próprio imperador, amante de línguas exóticas e grande incentivador de uma nobreza com raízes nacionais, que incorporasse não somente as terras, mas também os topônimos indígenas.

Realizado, Joaquim morreu. Foi barão por um dia. Morreu nobre, de apoplexia, logo após receber a aprovação do Império para o uso de um brasão criado por ele mesmo. Depois de mais de trinta anos de serviços prestados à nação, como pioneiro, empreendedor e grande produtor de café, Joaquim Pombo Carvalho receberia na lápide o título de barão. Uma carruagem funerária foi enviada às pressas da Corte para que o funeral do barão pudesse desfilar pela vila, com cocheiro e trintanário, em librés e cartolas, guiando dois cavalos negros, enfeitados com penachos nos cabrestos. Frustrado pelo curto trajeto entre a Câmara Municipal, onde o corpo fora velado, e o modesto cemitério da igreja, o cocheiro decidiu dar duas voltas no largo da Matriz para que o povo e a escravaria pudessem se despedir do barão. A Câmara Municipal decretou luto de três dias, concedendo-lhe ainda maior homenagem quando o arraial foi elevado a vila, deixando de ser Pau Vermelho para se chamar, como o seu primeiro barão, São Sebastião do *Ibirapiranga*.

Além de dinheiro, propriedades e cartas de crédito, Carvalho herdou do pai a determinação e o espírito empreendedor. Assim como os seus dois irmãos, não foi educado para ser fazendeiro no Vale. O velho Joaquim Pombo Carvalho era um homem de visão. Confiara a guarda dos filhos a comissários de café na Corte que reportavam à família sobre o seu desenvolvimento escolar. Mais tarde, estudaram na Europa, formando-se em Paris. Dos três, apenas Joaquim Filho, o primogênito, voltou para o Vale, dando continuidade às atividades agrícolas e capitalistas do pai. Ricardo, o segundo, perdeu-se em frivolidades artísticas e elucubrações intelectuais, gastando na boemia da Corte a renda da qual seu pai o dotara.

Carvalho despreza o tradicionalismo de Joaquim e o que ele chama de "parasitismo" de Ricardo. Sendo o quarto filho, e terceiro varão, passou a infância ignorado pelos irmãos mais velhos, que, com pouca diferença de idade, compartilhavam aventuras e cumplicidade. Mais próximo de Julieta, a primogênita, que acabaria por entrar num convento, Carvalho cresceu à sombra dos irmãos, traçando o seu caminho em oposição ao deles. Formou-se em Direito, como todos os outros, mas desenvolveu um interesse especial pelos negócios internacionais que lhe dessem a oportunidade de se manter o maior tempo possível na Europa. Em Ibirapiranga, dobrou o tamanho de sua propriedade, herdada do pai, comprando as terras que Ricardo recebera de herança. Enquanto o nome Santa Amália ficava associado à fazenda de Joaquim, com um terço das terras originais, Carvalho nomeou sua propriedade Boa Esperança. Mas lá quase não botava os pés. Deixava tudo a cargo do feitor, homem de confiança, criado por Preciosa depois que seus três filhos foram enviados para a Corte.

Viúva antes dos quarenta anos, Preciosa estava determinada a honrar o nome do falecido barão. Não abria mão de guiar os filhos na hora dos casamentos, que deveriam consolidar a tradição e a fortuna da família. Joaquim casou-se cedo, com outra herdeira do Vale, tão logo voltou dos estudos na Europa. Se a filha Julieta custava a encontrar pretendentes e dava sinais de um profundo fervor religioso, Ricardo, por sua vez, carecia de freios impostos pela mãe. Seu casamento com uma prima-irmã foi marcado para quando ele voltasse da Europa, após terminados os estudos. Por carta, Ricardo aceitou a noiva, jamais questionando a decisão da mãe. Pediu, no entanto, que a data fosse reconsiderada. Depois de formado, pretendia fazer uma rápida viagem de volta ao mundo. Queria conhecer o Oriente e a América, antes de assumir suas funções sociais e familiares na Corte. A mãe e a noiva esperaram. Ricardo cumpriu sua palavra quando voltou da viagem. Dez anos mais tarde.

Antônio Lopes Carvalho, por outro lado, não daria dores de cabeça à mãe. Quando voltou da Europa, com anel de grau e carta de bacharel, sua futura mulher já o esperava entre as três candidatas escolhidas por Preciosa. Todas próximas dos Lopes Carvalho, com maior ou menor grau de parentesco. Havia uma Marieta, de vinte anos, já um pouco passada, prima em segundo grau, filha do barão de Itacaré; uma Bárbara, gorda, portando um vistoso buço negro, com pais ansiosos, prontos a facilitar o negócio; e havia Ana Maria, morena, um tanto ossuda, de olhos fundos, nariz adunco e queixo proeminente. Aos dezoito anos, aquela prima de uma prima não chegava a atrair muitos pretendentes, mas era filha do comendador Alfredo de Oliveira Canto, político conservador, ministro do Império, forte candidato, segundo rumores, à presidência do Conselho de Ministros. O currículo do pai salvava o coração da filha. Nela Carvalho apostou suas fichas. Longe ia a época do casamento para aglomeração de terras. Coisa de provincianos. Carvalho era um homem do seu tempo, levaria o nome da família além da província, dando continuidade ao sonho do pai, precocemente abortado. Não bastava ter prestígio entre seus pares do Vale. Chegara o momento de introduzir o nome da família Lopes Carvalho na Corte.

Num fresco sábado de maio, na presença de nobres e políticos acompanhados por suas mulheres, o ministro Oliveira Canto entregou a mão de sua filha Ana Maria a Antônio Lopes Carvalho na Capela Imperial. Do lado de fora, escravos, forros, vadios e transeuntes formavam a multidão que parara, curiosa, para observar aqueles nobres engalanados, saltando de caleças e vitórias no largo do Paço. Depois da lua de mel em Paris, o casal montou residência provisória na rua do Catete, enquanto Carvalho começava a construção do palacete da família. Na primeira casa, na vizinhança de vários ministros do Império, nasceram os três primeiros filhos do casal. Antônio Filho, o Tonico, um garoto robusto, sem pescoço, com bochechas vermelhas, que em muito puxara a avó Preciosa; Mariana, de pele rosada e cabelos muito pretos; e Rodrigo, um menino frágil, que passaria boa parte da infância doente, cuidado pela mãe, que, por baixo da roupa, o embrulhava em jornal para protegê-lo de algum golpe de vento.

Após anos sofrendo vários abortos que preocupavam a família, Ana Maria voltou a parir tardiamente, quando Carvalho já ostentava na Corte o título de barão, obtido durante a Guerra do Paraguai. A temporã, uma menina forte e estridente, foi a primeira e última a nascer na residência definitiva, o palacete da rua Santa Isabel. Foi batizada na matriz da Glória com o nome de Isadora Antônia Canto Lopes Carvalho na manhã de um domingo ensolarado, que fazia brilhar as águas da baía de Guanabara.

Uma rajada de vento faz com que o barão se levante, com dificuldade, para chamar a atenção do esquivo garçom. Que feche a janela. Vem chuva forte por aí. O céu escurece rapidamente sobre Paris. Promete um temporal de verão, tão rápido quanto violento. Bom, assentará a poeira das ruas, amenizará o odor de estrume que, nos dias de calor, alcança a varanda do seu apartamento no terceiro andar. Sentando-se novamente, acaricia com o polegar o castão da bengala, um capricho, feito sob encomenda, em prata maciça, ornamentado com pedras semipreciosas: um ramo de café com folhas de esmeraldas e cerejas de rubis.

O tempo passou rápido. Do casamento com Ana Maria à morte do filho Tonico, sua vida seguiu pela trilha do sucesso e da prosperidade, culminando com o título de barão. Depois, as coisas não seriam mais as mesmas. Sem Tonico, um líder natural, já engajado nos grandes negócios, pronto para herdar o império do pai, a vida tomou outro rumo. Menos harmonioso, mais duvidoso, hesitante. Sua morte repentina, inesperada, mistérios do coração, diziam os médicos, ainda lhe dói pela falta de sentido. Pela falta de algo que justificasse aquele absurdo, que pudesse lhe aliviar a dor. Sem Tonico, sem explicação, sente que ele mesmo já não serve mais de ponte entre o passado, o legado do velho barão de Ibirapiranga e o futuro dos Lopes Carvalho, representado pelo herdeiro, eternamente ausente. Não que não ame seus outros filhos. Foi sempre, dentro do possível, um pai justo, salomônico. Ama a todos igualmente, embora nutra uma simpatia especial por Isadora Antônia, a Dodora, que sempre o divertiu por sua peraltice e extroversão. Mas Tonico, o primogênito, era diferente. Puxou a si. Dava continuidade e sentido à sua própria vida, como numa linha histórica que, há mais de cem anos, começou com um garoto modesto em Trás-os-Montes e prometia terminar no Senado da República dos Estados Unidos do Brasil. Agora estão os Lopes Carvalho incompletos, irremediavelmente mutilados.

O barão mete a mão no bolso, tira um maço de notas, largando-o sobre a mesa. Faz sinal para o garçom, paga a conta, mas não se levanta. Esperará a chuva passar.

Capítulo 3

Lalanne despejou o conteúdo da cesta sobre o altar e contou: um, dois, três mil e quinhentos, quatro mil réis. Não era muito. Não era nada. Mal dava para duas garrafas de um bom vinho. O sangue de Cristo. Mas isso não o preocupava. Desde que construíra a primeira capela, o padre sabia que o dízimo nunca o sustentaria. Tampouco poderia contar, agora, com as modestas contribuições dos fiéis para as tão necessárias reformas da igreja. Ainda no início percebera que seria a diplomacia com os barões locais a chave para o sucesso da sua paróquia. Desse relacionamento dependeria a confiança que lhe seria depositada pelos fiéis e, acima de tudo, os recursos para os cofres da igreja.

Guardou o dinheiro numa caixa de charutos e, andando pela nave vazia após a missa, anotava mentalmente as etapas do seu grande projeto: selar as infiltrações, refazendo o reboco onde fosse necessário; trocar a madeira dos janelões, que havia muito estava podre; consertar as falhas no piso, que já haviam derrubado duas fiéis; retocar o Cristo, os santos e os querubins e, depois, caiar tudo, por dentro e por fora, com um branco imaculado. Quando o trabalho estivesse terminado, o toque final: um novo carrilhão de sinos, que mandaria vir de Lisboa para a glória do Senhor! Após muitas reuniões, quermesses e almoços, Lalanne já tinha a maior parte dos recursos em caixa. Com mais um mês ou dois de campanha junto aos fazendeiros, acreditava que teria em mãos o que faltava para completar o orçamento. As obras poderiam finalmente começar. Ibirapiranga teria então a mais bela matriz do Vale.

Sua reinauguração marcaria, com certeza, o apogeu daquela vida dedicada à Igreja. O que, para Lalanne, só confirmava os desígnios misericordiosos do Senhor. Quem diria que o menino nascido numa família de camponeses, que da terra tirava o pouco que comia, passaria dos setenta anos numa terra tropical e inóspita? "Vontade divina", concluía o padre, quando, nas suas ruminações, tentava encontrar uma explicação para a sua miraculosa chegada ao Brasil. Mais inclinado à reflexão do que à enxada, Lalanne trocara a família pelo seminário em Paris. Ainda hesitante, achava que a vida de missionário, obrando em terras exóticas e longínquas, poderia fazer germinar em si a semente da fé que ele deveria plantar no próximo.

— Não temos nada a perder — argumentava, catequizando Bardet, confrade que conhecera nas aulas do seminário.

Louis Bardet era um sujeito pálido, com um rosto singular, centrado num nariz fino e comprido, sob olhos miúdos e cabelos negros, marcados por uma mecha branca na nuca, destacada e única como um sinal de nascença. Anos antes de entrar para a Igreja, migrara para Paris em busca de trabalho. Encontrou uma cidade ceifada pelo cólera, habitada por cadáveres, antes que as ruas fossem fechadas pelas barricadas dos revoltosos que exigiam o fim da monarquia. Encurralado entre os fétidos cortiços de Paris e a vida de miséria no campo, Bardet encontrou a saída pela porta do seminário. Assim, frequentando a mesma turma de Lalanne, ordenou-se padre sob a exortação da fome, mais profunda do que o elã vocacional. Agora, aceitava o desafio proposto pelo confrade: desbravar a Cochinchina, onde, sob a bandeira das Missões Estrangeiras, conquistariam novas almas para o rebanho do Senhor.

Deus, porém, tinha outros planos para os missionários. Após quinze dias no mar, enviou-lhes um raio certeiro que, se não botou a galera a pique, avariou irreparavelmente o mastro principal. Passaram semanas à deriva, no meio do Atlântico, vendo-se forçados, padres, passageiros e tripulação, a racionar água e comida. Quando da ração não sobrava mais do que migalhas de pão mofado, o navio foi arrastado na direção do continente, seguindo a rota de Cabral.

– Salvos por um milagre! – clamava Lalanne aos céus, em gratidão ao Senhor.

– Mais provável que tenha sido pela incompetência do diabo – emendava Bardet.

Três semanas se passariam antes que a missão francesa pudesse levantar ferros, retomando a viagem rumo ao Oriente. Em Salvador, com o apoio do bispo, consertaram o mastro, abasteceram-se de água, mantimentos, porcos e galinhas. Levavam tudo, menos dois passageiros. Depois de uma longa celeuma, arbitrada pelos confrades baianos, Lalanne e Bardet obtiveram a permissão para ficar no Brasil. Em busca de um sinal divino que o resgatasse de suas dúvidas, e do ceticismo de Bardet, Lalanne queria crer que a deriva e o miraculoso salvamento não haviam sido obras do acaso. Por ele, todos da missão deveriam se instalar em terras brasileiras, para onde o sopro de Deus os havia empurrado. Bardet o apoiava, ainda que por razões distintas. Via, no desvio da rota, uma nova oportunidade. Longe dos missionários, sentia-se livre para explorar o Brasil, país novo, grande como um continente, um promissor império do café e do tabaco.

De Salvador da Bahia, Bardet e Lalanne rumaram para a Corte, apresentaram-se à diocese, obtendo autorização para se instalar no Vale do Paraíba. A região, àquela época remota e pagã, enriquecia e progredia a passos largos, fruto da descomunal produção de café. Faltavam padres, contudo. Homens que levassem a palavra do Evangelho aos cafeicultores e seus escravos, gente que migrara do Norte, quando se esgotara a riqueza das Minas Gerais.

– Aqui. Bem aqui – disse o bispo indicando com um dedo gordo o ponto exato no mapa, onde os missionários deveriam se instalar. – São Sebastião do Pau Vermelho. Fica a poucas léguas de Entre-Rios.

Após dois dias de viagem serra acima, Lalanne, no lombo de uma mula, experimentou a epifania que Deus sempre lhe negara na França. No meio da mata virgem, sobre uma paisagem que descortinava a baía de Guanabara, guardada por um rochedo e um antigo forte português, o padre deparou-

-se com a imponência de uma montanha com formas singulares. Um punho fechado com um dedo em riste, apontando para o céu. Diante daquele indicador gigantesco e ameaçador, Lalanne, macerado pelo cansaço e pelo calor úmido da floresta, redescobria e revigorava a sua claudicante fé. Sentia-se pequeno, humilde e abençoado. Se ingressara na Igreja por falta de melhor opção, reconhecia agora que o Dedo de Deus lhe apontava o rumo certo.

– Um acidente geológico de curiosa morfologia – observava Bardet, desdobrando o mapa, enquanto Lalanne desmontava para se ajoelhar e orar perante a montanha.

Quando Pau Vermelho não passava de um arraial de doze casas, cortado ao meio pela rota dos tropeiros, Lalanne e Bardet apresentaram suas credenciais a Joaquim Pombo Carvalho, o pioneiro do café na região. Com sua permissão e apoio financeiro, construíram uma pequena capela, arrebanharam os fiéis, lançaram um calendário litúrgico para o povoado, começando naquele ano da graça de 1850. Eram festas e procissões que celebravam o dia de cada santo, especialmente Santa Amália, em homenagem a Amália de Carvalho, esposa do benfeitor Joaquim Pombo, mulher muito beata e voluntariosa, que se tornara a mediadora entre a paróquia e a comunidade local. No primeiro domingo após a chegada dos padres, o rebanho em fila dava voltas no largo empoeirado, onde Lalanne e Bardet introduziram o batismo expresso na pia improvisada com um barril de carvalho. Em menos de duas horas, haviam infundido água benta sobre mais de sessenta cabeças, batizando de bebês recém-nascidos a doentes moribundos e aliviados, salvos no último minuto da eternidade no purgatório. Que os padres ainda não falassem fluentemente o português, tanto fazia. Na verdade, dava-lhes ainda mais crédito junto aos fazendeiros, que murmuravam o credo em latim, e se exibiam uns aos outros com cacos de francês soltos no ar. *Bonju, merci, ô revoá!*

Francês bem falado encontrava-se em Vassouras, a quinze léguas dali, onde o padre Lalanne começou a dar aulas de geografia e história no colégio de meninas, fundado por uma francesa que, depois de viúva, deixara a Corte para educar e civilizar as herdeiras da gente rica do Vale. Deixando a paróquia nas mãos de Bardet, Lalanne viajava a Vassouras a cada duas semanas, margeando em lombo de mula o rio Paraíba do Sul. Na biblioteca da escola, munida com as publicações mais recentes de Paris, o padre encontrara não só os livros de história e geografia que davam substância às suas aulas, mas também alfarrábios de filosofia, matemática e astronomia, assuntos que lhe aliviavam a sede que a Igreja não conseguia saciar.

Décadas mais tarde, a experiência de professor ajudaria Lalanne na educação de Tino. E falando no diabo, que Deus o perdoasse, lá vinha o seu moleque, que voltava à igreja depois de se despedir de alguns fiéis no pátio. O padre o observava se aproximando, orgulhoso de ver como Tino espichara. Já era mais alto do que ele e Noêmia. O corpo esguio e bem proporcionado de Tino não o livrara, todavia, da timidez que o impedia de encarar os seus interlocutores. Mirava-os nos ombros, na testa, no botão da casaca, senão, como agora, olhava longe, para o altar, enquanto explicava ao padre que estava cogitando a hipótese de se juntar à banda de pretos da fazenda do barão de Jaguaraçu. Lalanne não conseguiu conter o riso. Na orquestra de escravos?! Sim, Tino argumentava que se o padre queria que ele tocasse rabeca, a banda seria a melhor maneira de fazê-lo com dedicação e disciplina. Sozinho, em casa, ele não conseguia se desenvolver, após seis anos de tormento nos ouvidos de Noca.

Durante o jantar, Noêmia achou estranha aquela conversa do garoto. Não tinha opinião formada sobre as bandas de pretos. Por um lado, sentia orgulho da sua gente, capaz de criar aquela música tão bela, que arrebatava o espírito dos mais rígidos senhores brancos, que animava os bailes elegantes e, no inverno, as festas de São João e Santo Antônio. Por outro lado, sentia repugnância daquela situação em que os pretos eram expostos como animais amestrados. Homens de rostos envelhecidos, olhares apagados, fantasiados com casacas de galões e botões dourados, calças brancas e pés descalços sobre o assoalho, encerado como um espelho, no salão de festa dos solares.

Noêmia, coxa desde a infância na senzala, fora comprada por um fazendeiro que, se jamais a alforriara, permitira, em contrapartida, que ela aprendesse a ler, tornando-a dama de companhia de sua mulher. Lalanne a recebera como herança quando, falida e sem filhos, a viúva do fazendeiro deixara seu parco patrimônio à paróquia. O padre a alforriara, mas Noêmia preferiu ficar a seu lado, como criada, em troca de casa e comida. Sem que Lalanne se desse conta, a forra desenvolveu uma discreta rede de informações com os escravos das fazendas, sabendo de tudo o que acontecia nas senzalas da região. Estava bem informada sobre o movimento abolicionista na Corte e, principalmente, sobre a fuga de pretos que aumentava em proporções alarmantes nos últimos meses.

Nas suas ruminações, Noêmia achava estranha, se não incoerente, a própria existência de uma banda de escravos. Pensava que não poderia haver um paralelo entre a violência do cativeiro e a beleza daquela música, composta por brancos supostamente ilustrados. Era como se uma coisa conspurcasse a outra. Como se a escravidão violasse a delicadeza das harmonias musicais; ou como se a música alegre ridicularizasse a tragédia daqueles homens, espoliados das suas próprias vidas. Enfim, temia por Tino, e sua convivência com pretos bestializados.

O barão de Jaguaraçu, por sua vez, não hesitou em permitir que o moleque tivesse acesso aos ensaios da banda, feitos na tulha da fazenda Santo Ovídio, onde os grãos de café armazenados absorviam parte da reverberação, criando um ambiente acústico menos desconcertante para os ouvidos do maestro Joseph Stolz. Havia anos o alemão trocara as montanhas da Baviera pelas suaves colinas do Vale, onde dava aulas particulares de piano e violino, ganhando a reputação que o levou ao cargo de regente na banda da fazenda. Agora, num sábado à tarde, concedia um minuto a Tino para que ele lhe mostrasse a sua aptidão, ou a falta dela, para a música. Cego de um olho, com cabeleira embranquecida e bigodes desgrenhados, Stolz escutava com atenção, fazendo uma careta de dor enquanto o menino castigava as cordas da rabeca com o arco.

– *Unerträglich!* Realmente *insuportável* – decretou o maestro, com forte sotaque alemão. Balançando a cabeça, disse que Tino estava aprovado, mais pela falta de candidatos do que por seus dotes musicais. Naquela mesma tarde, o garoto se juntou ao grupo das cordas, conhecendo Norato e Cazuza, que tocavam viola e violino, instrumentos importados da Europa, mais sofisticados do que a sua tosca rabeca. Norato, mais velho, com cabelos ralos e grisalhos, exibia o ar prestimoso de quem se sabia abençoado por fazer parte da banda, sendo poupado de horas de labuta sob o sol a pino, colhendo ou secando grãos de café. Cazuza, mais novo, não chegava aos trinta. Um tipo forte, de sobrancelhas grossas e queixo avançado, equilibrava-se tenuemente entre uma atitude de irreverência e um talento excepcional para a música. Era o solista da banda em ocasiões especiais. Se os escravos pudessem usar sapatos, Cazuza seria a pedra no sapato de Norato. Nada pior do que um preto insolente que tocava o violino como se o instrumento fizesse parte do seu corpo. Homem e instrumento fundidos pela harmonia da música e do movimento.

Juntos, Tino, Norato e Cazuza passavam horas ensaiando. Se Norato sorria com benevolência para as angustiantes dissonâncias de Tino, Cazuza, por outro lado, incentivava o calouro a seu próprio jeito: "Já tentaste o bumbo?". Tino ria, encabulado, mas, ao mesmo tempo, sentia-se lisonjeado por ser alvo da chacota de Cazuza. Não percebia sarcasmo ou escárnio nas troças do companheiro, mas, sim, uma espécie de afago, másculo, bruto, que os aproximava através da broma, do carinho disfarçado em ofensa.

Com o passar dos meses, o trio foi se harmonizando, enquanto Tino aprendia a dominar a força e a velocidade do seu arco sobre as cordas. Respeitava o compasso, permitindo que a música se integrasse ao seu espírito. Em vez de ler a partitura e traduzi-la em movimentos de mãos e braços, começava a senti-la e interpretá-la. Aprendera com Cazuza que música era algo que não se podia executar de maneira mecânica e impessoal. Música era uma forma de expressão, tão natural e inconsciente como falar ou gesticular. Por meio dela, ele seria capaz de alcançar uma escala de emoções, intraduzíveis por palavras, sempre pobres e limitadas. E música não só daquele estilo branco e europeu, mas música de pretos também, como o jongo das senzalas. A música, enfim, lhe daria asas, libertando-o da corrente opressora da língua, herdada de senhores brancos. Senhores que eram tão escravos quanto ele, Cazuza. Porque não poderia haver liberdade onde havia escravidão. Os brancos haviam se tornado escravos do seu próprio poder, da sua própria crueldade. Haviam desaprendido a viver e a trabalhar a terra.

– E hoje, sem a ajuda de um preto, não conseguem nem limpar a própria bunda – arrematava.

Tino custou a digerir as palavras de Cazuza. Desde que se entendia por gente, aprendeu que no Vale havia brancos, negros e uns misturados, como ele, mulatos ou pardos fulos, claros ou cor de cobre. E que, normalmente, os brancos eram donos de pretos e mulatos, que trabalhavam nas fazendas e nos solares. De Lalanne ouvia que a escravidão era um pecado, que tinha os seus dias contados. Mas, na missa, o padre não tocava no assunto. Preferia condenar a luxúria, o adultério, a inveja, pecados que o rebanho praticava seguro da absolvição no confessionário. De qualquer modo, depois daquela conversa na tulha, Tino passou a respeitar Cazuza de outra maneira. Não só como um virtuose do violino, mas como alguém que parecia falar de coisas secretas, coisas sobre as quais ninguém falava abertamente.

Em casa, o pito foi imediato. Que não andasse por aí a repetir essas bobagens que ouvia de pretos da senzala, alertava-lhe o padre Lalanne. Ele bem que receara aquela história de Tino entrar para a banda, convivendo intensamente com os escravos. Não que pudessem lhe fazer mal, mas Lalanne ainda achava que Deus tinha as suas razões. E essa convicção tão cristã lhe aliviava a consciência em relação ao "elemento servil", nas sábias palavras do imperador. Tino precisava entender que a escravidão era, de fato, uma enfermidade moral, erradicada em todos os países civilizados. No Brasil, entretanto, ela sobrevivia, deformando o caráter do povo, atrofiando a sua força, a sua engenhosidade, tornando os brancos uma casta de parasitas estúpidos e incapazes. O fim parecia próximo, felizmente, mas só Deus poderia definir exatamente como e quando aquela questão, muito complexa, seria resolvida. Sobretudo, do ponto de vista econômico. O Império estava viciado em café, plantado e colhido pelos escravos. O tratamento contra aquela dependência deveria ser ministrado em doses graduais, como sugeria o próprio imperador. Por isso, Tino devia compreender, discursos violentos e ações impensadas só trariam mais complicações para todos. E, depois, quem faria o trabalho necessário?

– Imagina que amanhã não haja mais escravos – propunha Lalanne. – Quem iria colher o café? Seria o fim do Vale!

Meses mais tarde, quando todo o café já havia sido colhido e beneficiado por homens, mulheres e crianças, que trabalhavam da infância até a morte, os fazendeiros se reuniram para comemorar. Que se organizasse uma nova festa. Um banquete para os confrades do Clube da Lavoura e um baile para a população! Jaguaraçu pediu a Stolz que ensaiasse a banda. E que estivesse muito bem ensaiada. Queria impressionar o ministro da Agricultura, que, em viagem pelo Vale, seria o convidado de honra. Além disso, receberia o barão de Lopes Carvalho, sua mulher, Ana Maria, e seu filho, Rodrigo, que, chegando de Paris, viriam da Corte a Ibirapiranga para tratar de negócios e interesses mútuos.

Na canastra que trouxera da Europa tantos anos antes, Stolz encontrou o que procurava. Raras partituras de música de câmara, umas peças de Bach e Vivaldi, que trouxera da Alemanha sem jamais ter a ocasião de executá-las no Vale. Antes do baile, naquela espécie de almoço aristocrático para o ministro e os barões da região, o maestro imaginava improvisar um quarteto de cordas, incluindo Norato, Cazuza e o garoto do padre, com viola, violino, rabeca e rabecão.

Para Tino, o almoço e a festa significavam algo mais. O sonho acalentado havia anos, desde a festa dos quarenta anos da coroação do imperador, finalmente se realizava. Pela primeira vez tocaria a rabeca estando tão próximo de Leo. Pela primeira vez lhe falaria. Não usando palavras, incompletas, toscas, desajeitadas. Mas pela música, harmoniosa, fluida, constante. Colocaria em cada nota todo o sentimento longamente represado em seu coração, toda a sua emoção, equilibrada sobre as linhas do pentagrama. Cazuza tinha razão. Quanto mais Tino dominava a técnica, mais invisível ela ficava. O que era concentração e esforço tornava-se uma forma de expressão, espontânea e imediata. Compensava, assim, sua timidez nata com a eloquência das cordas da rabeca.

Na sala de música, com assoalho encerado e tapete persa, Torresmo caminhava na ponta dos pés, carregando bandejas com champanhe e acepipes. Cresceu gordo e desajeitado, mas tivera a sorte de cair nas graças de Adelaide, mulher de Jaguaraçu, que o escolhera para o serviço doméstico, salvando-o de uma vida que, na melhor das hipóteses, terminaria no chiqueiro por tradição de família. Chico Fernandes, por seu lado, se preparava para substituir o pai como feitor da fazenda. Por isso, não teve, como Torresmo, a oportunidade de ver o brilho nos olhos de Tino quando ele tocou para Leo. Com um olho na partitura e outro, literalmente, na menina, Tino interpretou umas fugas de Bach e um concerto grosso de Vivaldi que silenciaram o salão. Por um instante, teve a sensação de que Leo lhe concedera um olhar. Um relâmpago verde, breve, mas certeiro, apoiado num sorriso retraído, que Tino interpretou como timidez. Um discreto pontapé na canela trouxe-o de volta à partitura, e à cara de Cazuza, que, empunhando o seu violino, questionava Tino com um olhar menos ambíguo que o de Leo.

No intervalo, enquanto trocavam partituras e afinavam os instrumentos, Tino observava Leo em animada conversa com as primas. Sobrevivendo ao pico hormonal de modo mais ou menos feliz, espinhas aqui, peitinhos ali, pelinhos acolá, as meninas faziam a passagem das brincadeiras de bonecas para o fuxico das paixonites tão fatais quanto inconsequentes. Tino a observava, alegre, careteira, falando em francês para impressionar as primas. Não sendo a mais velha, nem a mais nova, Leocádia parecia exercer sobre as outras uma certa liderança, quiçá por estar em casa ou, talvez, porque realmente possuísse um carisma natural, baseado no seu jeito de estar no mundo, como se ele fosse todo seu.

Ao mesmo tempo, Tino sentia um incômodo indizível, mal localizado, quase inconsciente. Observava Leo sem se dar conta de que estava sendo observado. Intuitivamente, voltou os olhos para o fundo da sala e, próximo à janela, detectou e sentiu sobre si o olhar direto e insistente de uma mulher morena, de fartos cabelos castanhos, que lhe sorria com simpatia. Tino a conhecia. Era a dona Maria José, espanhola, mulher do delegado Rufino da Gama, que, diziam, a encontrara na Corte durante uma diligência policial. Embaraçado, o garoto sorriu por meio segundo, antes de baixar os olhos em busca do arco da rabeca que deixara cair no chão.

Mais tarde, terminado o concerto, os músicos foram levados para a cozinha, onde, naquele dia de grande festa, teriam direito aos restos que sobrassem do farto e sofisticado banquete senhorial. Macambúzio, Tino partiu pelo longo corredor do solar, lamentando perder Leo de vista. Talvez tenha sido melhor assim. O que ele perdeu provavelmente o deixaria entristecido, se o soubesse, daquele modo, em primeira mão, sem ter sido antes anunciado. Durante o almoço, o barão de Jaguaraçu se levantou e, batendo com o garfo na taça de cristal, pediu silêncio. Gostaria de fazer um brinde e um pronunciamento. "Excelentíssimo senhor ministro, ilustres confrades, minhas senhoras e meus senhores, vos proponho um brinde à família Lopes Carvalho, cujo velho patriarca, o barão de Ibirapiranga, tanto enobreceu esta região selvagem com a força do seu trabalho, transformando estas matas improdutivas no maior cafezal do mundo." Ali, naquela mesa, estavam os seus descendentes, seu filho, o barão de Lopes Carvalho, e seu neto, Rodrigo, que tanto orgulho davam ao Império, batendo recordes de produção agrícola com a força e inteligência do seu espírito empreendedor. "Aos Lopes Carvalho, o nosso mais sincero agradecimento, e votos de saúde e prosperidade!" Depois dos brindes, Jaguaraçu pigarreou, pediu novo silêncio, para anunciar, agora, com a voz embargada, a notícia que tanto o excitava. "Sem falsa modéstia, vos declaro que a família Jaguaraçu também avança, mantendo, ao mesmo tempo, nossas mais profundas tradições. É com imenso orgulho que vos anuncio o casamento, em breve, da minha filha Leocádia Fragoso do Amaral com Rodrigo Lopes Carvalho, cujas terras, fronteiriças às nossas, estendem-se até onde a vista alcança." Longa salva de palmas, congratulações ao noivo, felicitações a Leo, cujo rosto corou antes de empalidecer, evitando olhar para a cara de Rodrigo, crivada pela varíola contraída na infância. Antes que os convidados deixassem a mesa, Leo cochichou no ouvido da mãe, levantou-se e saiu da sala, sem que ninguém a visse pelo resto do dia.

    Naquela mesma noite se realizaria o baile popular no largo da Matriz. Stolz levou a banda completa para o pátio da igreja. Cazuza, porém, estava atrasado. Vinha no final do grupo, deixando-se ficar para trás. Quando o maestro começou a se impacientar, mandou Tino procurá-lo, mas o garoto voltou sem o ter encontrado. Num instante, a realidade atingiu Stolz como um raio: Cazuza fugira. Sem alternativa, deu parte da fuga a Abílio Fernandes. O feitor decidiu que o baile deveria continuar. Por ora, preferia não estragar a festa do patrão. Ao mesmo tempo, partiu em busca de Manuel Cachorreiro que, farejando bons negócios, acabara de treinar uma matilha especializada na caça de escravos foragidos. Pouco depois a patrulha já estava na mata, fariscando o suor de Cazuza. Entretanto o baile avançava, com a banda de pretos executando xotes, polcas e mazurcas, levantando a poeira do largo, onde Gliceria se esquivava dos braços de Inácio Cordato, o dono da mercearia, que lhe prometia um monte de tecidos por um beijo roubado. Só na manhã seguinte, quando do baile não restavam mais do que ressacas, corações partidos e lixo espalhado pelo largo, ouviram-se os latidos dos cães de Manuel Cachorreiro. Após passar a noite na mata, a patrulha voltava trazendo Cazuza com as mãos atadas, montado numa mula, como um Cristo no domingo de Ramos, não havendo ninguém para recebê-lo. Torcera o tornozelo durante a fuga, tornando-se uma presa fácil.

Consultado, o barão de Jaguaraçu, que acordara tarde e ainda vestia o pijama, disse a Abílio Fernandes que ele mesmo decidisse o que fosse melhor. Aquelas fugas de pretos estavam a se alastrar como o cólera. O fujão merecia um bom castigo, que servisse de exemplo para toda a senzala. Mas que o feitor tivesse cuidado e não lhe aplicasse nada demasiadamente violento, que pudesse aleijá-lo ou torná-lo incapacitado para o trabalho. Era um preto sadio, que lhe custara caro. Mais valia mantê-lo assim, quando não fosse para usá-lo como matriz reprodutora.

Abílio mandou erguer o tronco, enquanto calculava o número de açoites que corresponderia às palavras do patrão. O suficiente para que servisse de doloroso exemplo à senzala, mas nem tanto que pusesse Cazuza de cama, incapaz de trabalhar por semanas. Nos bons tempos, cinquenta chibatadas seriam um castigo piedoso. Mas agora a situação era outra. Poderia haver comentários na região, trazendo problemas para o patrão. Não que a escravaria fosse abrir o bico, mas sempre havia um delator por perto. Após muitos cálculos e considerações, chegou ao número de doze açoites, mas logo se achou ridículo. Na senzala zombariam dele e do seu vergalho. Estaria perdendo tempo com doze rápidas chibatadas. Melhor seria dar-lhe quarenta.

Mas quarenta poderia aborrecer o barão. Trinta, portanto, seria o número ideal, nem para lá, nem para cá, para castigar sem aleijar aquele preto forte e desabusado.

Cazuza foi amarrado ao tronco, sem que dele se ouvisse uma palavra. Equilibrando-se numa perna só, mantinha a fronte erguida, o queixo alto, em sinal de desafio à violência e ao castigo. A perspectiva da dor o preocupava menos que a humilhação da volta, montado na mula, com as mãos e os pés amarrados. Ainda matava aquele filho de uma puta. Agora, todavia, precisava resistir. Sentia, atrás de si, Abílio preparando-se para o primeiro golpe. Sabia que depois do castigo seria posto sob vigilância permanente. Pensou na banda. Seria suspenso por muito tempo, mas quando voltasse a tocar novas oportunidades de fuga surgiriam. Com a testa apoiada no tronco, ouvia sua própria respiração, o coração batendo forte, e os movimentos do feitor que, estranhamente, jogara a chibata no chão. Queria torturá-lo, fazê-lo esperar, prolongando-lhe a ansiedade e o terror do primeiro golpe. Cazuza tentou se lembrar de uma música qualquer, uma polca ou modinha, sua harmonia, suas notas. Não conseguiu. Ouviu passos e, num estalo, não escutou mais nada.

Desistindo da chibata, Abílio se regozijara com sua nova ideia: puniria o homem sem danificar o escravo. Aproximou-se do tronco e, com as mãos abertas, desferiu em Cazuza uma violenta pancada nas orelhas, perfurando-lhe os tímpanos.

Norato e outros dois músicos da banda retiraram Cazuza do tronco, carregando-o para a senzala, inconsciente, sujo do sangue que lhe escorria dos ouvidos. A notícia do castigo incomum espalhou-se rapidamente. Noêmia contou a Lalanne, na esperança de que o padre denunciasse Abílio ao delegado. Que delegado? Rufino da Gama? O lacaio de Jaguaraçu? Capanga de barões? Não, Lalanne estava convencido de que não valeria a pena. Apesar do seu espanto diante da barbárie, o padre não se deixava iludir. Talvez, na Corte, a proibição do tronco fosse respeitada. Ali, naquele rincão do Vale, a chibata ainda era a lei. Naquela noite, porém, quando ninguém conseguia dormir, Lalanne tomou a decisão que havia anos se infiltrara em seu coração, sem jamais receber a atenção necessária. Agora, com a crueldade da escravidão batendo-lhe à porta, suas ideias saltavam dos bastidores das especulações para a cena principal. Reclamavam a sua evidência por tantos anos ignorada.

No dia seguinte, uma segunda-feira, logo após o almoço, Lalanne chamou Tino de volta à mesa. Precisavam conversar. Pediu a Noêmia que trouxesse duas taças de cristal e a garrafa de conhaque, guardada no fundo da arca. Com um discreto gesto de cabeça, agradeceu à mulher ao mesmo tempo em que a despachava de volta à cozinha. Noêmia, teimosa, encostou-se ao batente da porta, curiosa por assistir àquele ritual inédito, enquanto o padre abria a garrafa de conhaque servindo uma dose para si e outra para Tino. Lalanne voltou-se para a criada, interrogando com um movimento de sobrancelhas o motivo da sua permanência. Noêmia revirou os olhos, retirou-se para a cozinha, largando um suspiro pelo caminho. Lalanne pigarreou, sorveu um pouco do conhaque, estalando a língua. Depois levantou sua taça oferecendo um brinde ao garoto que, hesitante, ergueu a sua sem entender as intenções do padre. Lalanne virou o conhaque de uma só vez, enquanto Tino fazia caretas bebericando o seu. O padre voltou a pigarrear antes de, pausadamente, explicar a Tino os seus pensamentos. Fazia tempo que repensava esse plano e, agora, chegara o momento de lhe apresentar a proposta. Como Tino bem sabia, o Vale era rico, mas o Império era pobre e atrasado. Pior ainda: como pároco de uma vila de província, faltavam a Lalanne bons contatos na Corte. Temia, portanto, que isso pudesse limitar o futuro de Tino, um órfão que tivera a sorte de receber uma educação ímpar em seu meio. Falava francês melhor do que português, era gentil, tinha bons modos, enfim, todas as condições para ter uma vida melhor longe do Vale, da brutalidade e da ignorância da escravidão.

O padre fez uma pausa em seu monólogo, voltando a encher sua taça de conhaque. Pela janela, olhava para o largo da Matriz, deserto àquela hora modorrenta de calor e de sesta. Depois, retomou o sermão: "Acho importante que conheças tuas origens, teus pais verdadeiros". Pela primeira vez Tino encarou o padre, surpreso com aquela inesperada mudança de rumo no monólogo. Não que o garoto se desinteressasse por saber quem eram seus pais, se estivessem vivos, mas, francamente, o assunto jamais lhe tomara muito tempo de reflexão. Tendo sido amamentado por amas de leite, e criado como filho por Noêmia, Tino se habituara à sua família improvisada, enquanto crescia no meio de tantas outras crianças brancas, negras e mulatas de paternidade obscura ou ignorada. Sabia que o padre não era seu pai, mas tampouco sentia falta daquele pai que, na verdade, poucos meninos tinham.

– Teu pai provavelmente está vivo – continuou Lalanne. – Chama-se Louis Bardet.

Explicou que ele e Bardet haviam chegado ao Brasil juntos. Trabalharam por algum tempo no Vale, até que o amigo se desencantou da Igreja. Abandonou a batina e foi morar na Corte, onde encontrou trabalho junto a um comissário que exportava café. Bardet o auxiliava na compra dos grãos que chegavam do Vale, em quantidades sempre maiores do que as necessárias, oferecendo margem para grandes negócios em que os fazendeiros recebiam pouco e o comissário ganhava muito.

O que Lalanne preferiu omitir a Tino era que Bardet, insatisfeito com o seu quinhão, adquirira certos hábitos, que, julgava, não poderiam fazer mal à empresa. Uma saca que desaparecia, um zero que sumia da fatura, uma tonelada de café a menos nos livros da contabilidade, que o comissário, muito ocupado, ignorava, depositando total confiança no seu francês, um ex-padre, imagine, homem de Deus e muito honrado. Em poucos anos, Bardet acumulou uma pequena fortuna, comprou imóveis, caleças e escravos, até poder se livrar do patrão.

Antes de voltar definitivamente à França, legou sua contribuição para a formação genética do povo brasileiro: meia dúzia de filhos bastardos e duas escravas grávidas. Uma dessas escravas, de dezesseis anos, conhecedora da amizade entre os dois homens, subiu a serra em busca de ajuda. Lalanne a hospedou durante a gravidez, sentindo que a menina tinha a saúde debilitada. Três meses mais tarde, deu à luz um bebê mirrado, perdendo muito sangue no parto. Em poucas horas estava morta, apesar dos cuidados de Noêmia. "Chamava-se Regina. Era tua mãe", encerrou o padre.

Por algum tempo, Lalanne ainda tivera notícias de Bardet. Na França, fundara a sua própria empresa, importando café do Brasil pelo porto do Havre. Pelas informações que recebia, seus negócios pareciam ter prosperado. Bardet expandira suas atividades e, finalmente, se mudara para Paris.

– Já há alguns anos não nos correspondemos. Mas acho que não teríamos dificuldades em encontrá-lo.

Assim, enchendo a taça de conhaque pela terceira vez, Lalanne expunha a Tino que, no futuro, planejava enviá-lo à França, onde poderia estudar com seriedade, encontrar uma profissão digna e se desenvolver. Ali, por outro lado, naquela terra bruta e atrasada, o seu potencial murcharia num ambiente de violência e perversidade.

Tino bebeu o último gole do seu conhaque, pousou o copo sobre a mesa, pronunciando suas únicas palavras:

– Ele sabe que eu existo?

– Ele quem?

– Esse Bardet...

– Bem, sabe que tu nasceste, e que Regina morreu no parto.

Lalanne se calou e voltou a olhar o largo, agora atravessado por dois cães vadios em busca de restos. Gritou para a cozinha pedindo um café a Noêmia, que, encostada no batente da porta, disse-lhe que não precisava gritar. Ainda que não houvesse entendido patavina daquela conversa na língua do padre, Noêmia sentira nos olhos estrábicos de Tino a apreensão das notícias inesperadas.

Capítulo 4

O BARÃO DE LOPES CARVALHO não tem muito que esperar. A chuva estia e, antes mesmo que ele se levante da mesa, Jovelino aparece à porta do café, com um guarda-chuva enrolado debaixo do braço. Vem procurar o barão a pedido da patroa, que se preocupa com a sua demora. Juntos, senhor e criado deixam o café da rua Marbeuf, subindo a pé em direção à avenida des Champs-Élysées. Esperam que o trânsito de carruagens e bicicletas se acalme, atravessam a avenida, pisando na ponta dos pés, contornando as poças d'água.

Liberto pela Abolição, Jovelino aceitou, agradecido, a modesta remuneração oferecida pelo barão para que ele e sua mulher, Perpétua, continuassem a trabalhar para a família Lopes Carvalho. Tem a mesma idade do patrão, mas sua pele viçosa e cabelos insistentemente negros descontam-lhe dez anos na aparência. Filho de uma cozinheira, fizera desde criança trabalhos domésticos, o que o poupou de desgastantes anos na lavoura. Agora, em Paris, mantém a espinha ereta e o olhar formal de um mordomo inglês, daqueles que conheceu na Corte. Aprendeu a ler e escrever na infância, quando Julieta, a pia irmã de Carvalho, agrupava as crianças da casa para lhes ensinar português. Francês, essa língua dos diabos, Jovelino não fala, mas se sente privilegiado por poder acompanhar os patrões no estrangeiro, quando muitos dos libertos do Vale vagam pelo interior do estado ou pelas ruas do Rio de Janeiro sem moradia, sem trabalho, sem ter o que comer.

Coisa esquisita, aquela Abolição. De uma hora para outra quebraram o cadeado da senzala, abriram as portas e mandaram todos embora. Que alegria! Jovelino nunca tinha visto tanta festa, tanta euforia na cidade, com discursos, cortejos e fogos espocando em toda parte. Desde então, jamais negro algum seria obrigado a acatar as ordens de um sinhô ou feitor. Nem que fosse pago! Acabara-se. Lavoura, nunca mais. Os fazendeiros ainda tentaram argumentar. O café estava maduro. Quem faria a colheita? Após séculos de arrogância, abuso e malvadeza, perder toda a safra de um ano era o mínimo que podia ter acontecido aos barões do Vale. E ainda pediram indenização! Imagine, o preto trabalhava toda a vida de graça e quem pedia indenização era o branco. Perderam a safra, e o que já estava à beira da ruína desmoronou de uma vez por todas.

Era o fim do Vale. O início de um novo tempo, uma era de liberdade e, logo se descobriria, de outro tipo de flagelo. Jovelino nunca entendeu o que o barão insinuava quando dizia que a Abolição, feita daquela maneira, seria um presente de grego para os pretos. Mas logo percebeu que a liberdade deixara a escravaria ao deus-dará. E Deus dera: abandono, miséria, alienação, fome, ódio e cadeia. Ainda bem que o patrão era um homem de visão. Vaticinara tudo aquilo com anos de antecedência. Quando a corda arrebentou, enjeitou os pretos da lavoura, mas protegeu os de casa. Assim, Jovelino e Perpétua conseguiram se safar. A mulher ainda hesitou, cogitando deixar os patrões, mas Jovelino a convenceu a ficar. Seria mais seguro para os dois.

O barão, na verdade, perdeu muito pouco com o declínio do Vale. Havia anos já diversificara o seu patrimônio na Corte, investindo em todos os tipos de empreitada. A Abolição e a queda do imperador só fizeram aumentar a sua ambição. A mudança em casa foi tão sensível que Jovelino chegou a pensar que o barão esquecera a morte de Tonico. Despertara enfim da sua letargia. Parecia que via nas transformações políticas grandes oportunidades para os negócios. Até Rodrigo saiu ganhando. Por alguns meses, chegou a fazer sociedade com o pai numa firma de importação daquelas máquinas que faziam retratos.

Agora é comum. Muita gente as tem. Mas pensar que, décadas antes, um preto como ele, escravo, tivesse o seu retrato feito numa máquina daquelas enche Jovelino de orgulho. Foi no dia do seu casamento com Perpétua, bem antes de que o barão e dona Ana Maria tivessem noivado. Na verdade, o patrão nem era barão ainda. Moravam todos em Ibirapiranga. A câmera fora um presente que dona Preciosa dera ao filho, depois da morte do sinhô Joaquim. Tipo de novidade que o caixeiro vendia quando, vez por outra, passava pelo Vale. No retrato, um teste feito pelo patrão, que não ia gastar sua máquina com dois pretos, Jovelino e Perpétua posavam sérios, o semblante duro, os ombros puxados para trás. A cabeça, levemente inclinada para a frente, forçava-os a levantar os olhos para a lente, como se a câmera os ameaçasse. Jovelino não sorria. Nem tinha motivos para isso. O casamento com Perpétua fora uma mistura de prêmio de consolação, influência da patroa e real falta de opções. Gostava mesmo era de Josefa, a mucama da sinhá Preciosa. Moça formosa, reluzente. Quando sorria, parecia que o mundo todo se alumiava. Mas Josefa não lhe dava asa. Era confiada. Sabia que tinha o poder de botar muito sinhô branco de joelhos. Sorumbático e desesperançado, Jovelino se queixara junto à mãe Cândida, que, na senzala, tinha reputação de vidente, rezadeira. A velha não teve dúvidas. O apaixonado precisava da intervenção dos espíritos. Passou a receita. Uma mandinga. Que Jovelino colhesse no cemitério um trevo nascido sobre um túmulo. Que, na primeira lua nova do ano, o espremesse, deixando pingar sua seiva no café de Josefa. Uma gota bastava. Quando ela bebesse o café, ele deveria pronunciar, como por acaso, "em voz alta e clara, o nome do morto que mora naquela tumba", precisou Cândida, pitando o seu cachimbo, cuspindo para os lados. Depois era só aguardar. O espírito desperto cuidaria do resto.

Na véspera da lua nova, logo após o nascer do sol, Jovelino foi procurar o trevo. Quando, sorrateiramente, entrou no cemitério, deu de cara com Teimosa. Em vez de passar o dia de joelhos catando ervas daninhas, o padre Lalanne preferia engajar a cabra na missão de manter o cemitério capinado. Precisava, ocasionalmente, varrer a bosta do animal, mas, como constatava Jovelino, os túmulos estavam primorosamente limpos. Frustrado, passou os olhos pelo terreno, esquadrinhando tumba por tumba até encontrar, lá na frente, na parte mais antiga do cemitério, um cantinho de mato onde brotava um punhado de bucha, tiririca, saramago e, quiçá, um trevo. Correu em direção à verdura, seguido de perto pela cabra, que saltava sobre os túmulos, curiosa com aquela visita matinal. Já perto das ervas, Jovelino tropeçou numa lápide, caiu e por pouco não perdeu o único trevo para o apetite insaciável de Teimosa. Sob o olhar esbugalhado e insistente da cabra, guardou cuidadosamente o trevo no bolso do gibão, antes de ver o nome do defunto a ser invocado, em voz alta e clara.

Zbigniew Szczepanczyk.

Jovelino encarou a cabra, coçou a cabeça, procurou ao redor, e nada. O único trevo existente, em todo o cemitério, brotara justamente naquele túmulo, cujo nome só o capeta saberia falar. Com exceção do padre Lalanne, ninguém mais em Ibirapiranga se lembrava do professor Szczepanczyk. Chefe do departamento de botânica da Universidade de Viena, o austríaco, filho de poloneses, viajara ao Brasil a convite da imperatriz. Deveria explorar o Vale a fim de descobrir, estudar e catalogar novas espécies de plantas tropicais. A viagem, porém, não rendeu frutos. O botânico, de constituição delicada, sucumbiu à febre amarela que, provavelmente, contraíra na chegada à Corte. Morreu e foi enterrado em Ibirapiranga, causando um atraso de décadas na descoberta da *Cattleya velutina*, a mais rara orquídea do Vale, além de ser indiretamente responsável, segundo Jovelino, por seu murcho e resignado casamento com Perpétua.

– Dona Ana Amaria está esperando pelo sinhô barão na biblioteca – diz Perpétua a Carvalho, abrindo a porta do apartamento para o patrão, que, sem fôlego, subiu pelas escadas com Jovelino. – E tu não me sujes a cozinha com estas botas molhadas – completa a mulher, virando-se para o marido.

Carvalho entrega a casaca e o chapéu à criada e, sem abandonar a bengala, segue pelo longo corredor até a biblioteca, onde Ana Maria lê, recostada no canapé.

— Enfim! Chegou uma carta do conselheiro Barbosa — diz, ansiosa, jogando de lado *L'Argent*, de Émile Zola, e entregando o envelope ao marido.

Sem responder, Carvalho inspira fundo, rasga o envelope e, ainda de pé, passa os olhos pela carta. Depois, respira aliviado, deixando-se cair pesadamente numa poltrona de couro.

— Então? — pergunta a mulher.

— Nada definitivo. Mas nada de ruim tampouco — responde, passando-lhe a carta aberta.

Ana Maria corre os olhos pelas linhas datilografadas: *... recebi... analisei... por ora, não vejo motivos que vos possam tirar o sono... Aconselho-vos, todavia, discrição e temperança... circunstâncias políticas difíceis... devassas e prisões... não há tratado de extradição, mas acordos* ad hoc*... Só o tempo poder-nos-á trazer as respostas... Com a maior consideração, Ruy Barbosa.*

Ana Maria levanta-se do canapé, devolvendo a carta ao marido.

— Não sei o que é pior. Não poder voltar ou voltar à força.

— Não temos por que voltar. Nem o que temer por aqui — assegura-lhe o marido, fechando os olhos e recostando a cabeça na poltrona.

Ana Maria prefere não responder. De pé, observa em silêncio o movimento da avenida pela janela entreaberta. Conhece os argumentos de Carvalho. Mas não compartilha da sua segurança. A vida toda sonhou em morar em Paris. Durante anos fez várias viagens à Europa, sempre na companhia do marido, até que, finalmente, compraram um apartamento na Champs-Élysées, onde poderiam, um dia, lançar a âncora dos seus anos de velhice, quando nada lhes faltaria. Mas a âncora caiu antes da hora. Ou melhor, a sua âncora. Para o marido, o trabalho e o ritmo de vida permanecem inalterados. Carvalho continua a ter planos, ambições. Quanto a ela, acha maravilhoso morar na França, ou onde quer que seja, desde que, sentindo a necessidade, possa voltar para casa. Impossibilitados de voltar ao Brasil, sob ameaça de prisão, a vida no exterior deixa de ser um prazer para se tornar o cumprimento de uma pena numa cela do tamanho do mundo, como se a liberdade estivesse circunscrita àquele chão distante do Rio de Janeiro. Ainda mais agora, com a filha Mariana novamente grávida, daria tudo para estar ao pé dela. Admira, contudo, a tranquilidade do marido. Barão, genro de ministro do Império, acostumou-se ao poder, aos grandes negócios e à política feita nos bastidores. Sua força parece emergir de uma ambição cega, renascida nos últimos anos, beirando, segundo ela, a insanidade, o delírio megalomaníaco. É obcecado pelo trabalho, pelas grandes empreitadas públicas, tendo contribuído de maneira significativa para o engrandecimento da nação. Agora, no entanto, paga o preço do seu triunfo, do seu caráter empreendedor, do seu amor pelo país. Com o governo na mão de vira-latas uniformizados, a família sentiu-se forçada a partir. Se nem Ruy Barbosa escapou da perseguição... Um homem ilibado, pilar da hombridade nacional, escorraçado como uma ratazana. A diferença é que o conselheiro preferiu Londres a Paris. Depois, chegou a vez dos Lopes Carvalho. Ana Maria não entende muito bem a questão. Coisa de ações, debêntures, negócios da bolsa. Mas compreende que foi o sucesso financeiro do marido, principalmente no lançamento de novas empresas, que gerou inveja, emboscadas, golpes baixos. Era hora de eliminar o barão de Lopes Carvalho, especialmente quando suas alianças políticas haviam sido alijadas do poder pela canalha do marechal Floriano. Não que a mudança de regime tenha feito muita diferença. Mesmo sem o imperador, enquanto o velho Deodoro esteve à frente do governo, a situação parecia estar sob controle. A Corte virou Distrito Federal, foi invadida por milhares de pretos libertos, mas, de resto, nada mudou. Os mais fiéis monarquistas tornaram-se fanáticos republicanos enquanto suas mulheres iam ao toalete para retocar o pó de arroz. Dos antigos amigos e companheiros de seu pai, que Deus o tenha, dois ou três ainda chegaram a ensaiar um exílio político na Europa. Coisa rápida, de meses. Tempo suficiente para que voltassem ao Brasil mais republicanos que os jacobinos franceses. Adaptou-se a bandeira, manteve-se o hino, reinava uma relativa paz. Os problemas só começaram mais tarde, no final de 1891, com as patadas bestiais de Floriano Peixoto e seus asseclas.

– Jantamos todos juntos hoje? – pergunta Carvalho, ainda sentado na poltrona, tateando os bolsos à procura de seus cigarros.

– Não. A Dodora me pediu para ir à Ópera. Convite da Eufrásia. Rodrigo disse que não poderá vir, mas prometeu estar presente no almoço de amanhã.

Em Ibirapiranga, no Rio de Janeiro ou em Paris, o almoço da família Lopes Carvalho ganha, aos domingos, um ar de ritual sagrado. De segunda-feira a sábado, Carvalho prefere, sempre que possível, reunir a família ao jantar, permitindo que cada um almoce quando quiser, conforme sua agenda social. Domingo, não. Domingo é diferente. É o dia em que todos devem estar obrigatoriamente presentes para o almoço. É o momento em que se faz o balanço da semana que finda e dos projetos futuros. É, sobretudo, o momento em que se relembram velhas histórias do clã Lopes Carvalho, do seu patriarca, o barão de Ibirapiranga, que desbravou o Vale, plantando os alicerces daquele império familiar.

No dia seguinte, por volta das onze horas, um raio de sol ilumina todo o salão quando a voz de Rodrigo quebra o silêncio dominical do apartamento. Vem do hipódromo, onde assistiu aos primeiros páreos da manhã. Apostara nuns pangarés desavergonhados, perdeu meia dúzia de francos, mas deu boas risadas com Edgar Prates, que perdeu muito mais. Depois, passou em casa para buscar a bolsa que, agora, no salão, apresenta à mãe.

– O que compraste?

– Nada de especial. Umas coisas do Bon Marché. Acho que vão lhe cair bem – diz, enquanto a mãe retirava duas echarpes de seda da bolsa.

– São lindas... – diz Ana Maria, enrolando uma echarpe no pescoço.

– E para mim, o que trouxeste? – pergunta Dodora, chegando do salão, onde dedilhava umas valsas novas, trazidas da casa da prima Eufrásia.

– Um beijo e um abraço! Não tive tempo de passar na seção de brinquedos – espeta Rodrigo, recebendo da irmã um beijo no rosto.

– E o Edgar? Não quis vir almoçar conosco? – pergunta Ana Maria, dobrando as echarpes.

– Não. Mandou lembranças para todos, mas disse que está muito atarefado com a viagem. Parte amanhã para o Brasil, e ainda não acabou de arrumar as malas.

– Estás sumido – diz o pai a Rodrigo, recebendo de Jovelino a taça de champanhe que bebe como aperitivo. – Que queres beber?

– Champanhe – responde. E, virando-se para Jovelino: – Traga-me um pouco d'água também. E diga a Perpétua que tenho muita fome!

Em seguida explica ao pai que anda muito ocupado. Comprou uma nova câmera. Está fazendo experiências fotográficas. Pensa em estabelecer um negócio próprio. Uma ideia genial que lhe ocorreu lendo os jornais de moda. Toda a imprensa utiliza desenhos e gravuras para ilustrar novas tendências da moda. A mãe pode lhe confirmar. De repente, pensou, por que não utilizar fotografias para mostrar os novos modelos? Mete-se o vestido num manequim de cera que, absolutamente imóvel, facilitaria as coisas. Depois, venderia as fotos para os jornais. Ou prestaria serviço para as casas de moda. Ou, ainda, quem sabe, faturaria pelos dois lados. Ainda não sabe. É uma ideia incipiente. Precisa refletir. A princípio trabalharia só. Mas, com o tempo, pensa em contratar outros fotógrafos na França e no exterior, formando uma espécie de agência internacional, especializada em moda!

Enfim, uma ideia vaga, um projeto mal definido, que o pai escuta sem paciência, esperando ansioso por algo mais sólido, um compromisso com os negócios da família, uma insinuação, por mais tênue que seja, das suas intenções para com a tradição cafeeira e capitalista dos Lopes Carvalho. Nada.

– O almoço está servido – anuncia Jovelino, após pigarrear, pedindo licença para interromper a conversa.

Calçando luvas brancas, o mordomo serve a família, sentada à mesa da sala de jantar, ocupando quatro das doze cadeiras. Perpétua o auxilia, trazendo os pratos quentes, levando a louça usada de volta para a cozinha. Sem jamais ter tido filhos, a criada sente falta dos almoços de domingo no Catete. Ali, viu as crianças nascerem, acompanhou-as na infância, desde as primeiras fraldas até as últimas espinhas. Chegava a brigar com as amas-secas quando achava que descuidavam de um ou de outro. Sente a falta da alegria que reinava à mesa quando Tonico ainda era vivo. Depois da sua morte, os almoços de domingo nunca mais foram os mesmos. Ficaram mais solenes, quase tristes. Por muito tempo, o lugar do primogênito ficou vazio. Perpétua custou a aceitar aquela esquisitice do barão. Exigia que a mesa fosse posta como se o filho estivesse presente. Antes o patrão se sentava à cabeceira, ladeado por Tonico à direita e Dodora à esquerda. No extremo oposto, sentava-se a dona Ana Maria, ao lado de Mariana e Rodrigo. Sem o filho, a cadeira à direita do barão permanecia vazia, diante dos pratos e talheres, que voltavam incólumes para o armário. Um hábito lúgubre que durou quase uma década. Só quando se mudaram para Paris, ocupando um apartamento menor que o palacete do Catete, a ausência de Tonico deixou de ocupar tanto espaço.

Perpétua traz a sobremesa, um arroz-doce com canela, e, enquanto Jovelino o serve, Ana Maria anuncia que tem boas novas para os filhos. Mariana está grávida de novo! Rodrigo e Dodora serão finalmente tios, se tudo correr bem. A filha chegou a cogitar a hipótese de ter o bebê na França. Mas o médico, considerando o seu prontuário, a proibiu. Acha arriscada a viagem. Mariana pode sofrer um novo aborto, e, se passar mal em pleno mar... Ana Maria não quer nem pensar. Na verdade, já sabe da gravidez há semanas, mas a filha lhe pediu que guardasse segredo. Agora, já pode lhes contar.

– À gravidez de Mariana! – propõe Rodrigo, erguendo sua taça para a mãe.

– Ao futuro desta família! – responde Carvalho, tilintando a sua contra o copo de Dodora, que bebia água.

Pena que o bebê não seja um Lopes Carvalho, mas sim um Guimarães de Albuquerque, nome do genro, fazendeiro em São Paulo, reflete Carvalho. E esse néscio que nem filho faz, pensa, observando o falatório quase infantil entre Rodrigo e Dodora. Seria natural que o filho, como segundo varão, assumisse o lugar do falecido Tonico. Mas a natureza não compartilhou dos seus planos de pai. Educação idêntica, resultados tão diferentes. Rodrigo saiu tíbio, enviesado, inclinado à vadiagem, quando não à desonestidade. Parece filho do tio, o Ricardo, outro desperdiçado, um diletante da política e dos grandes negócios. Nem como reprodutor Rodrigo pôde prestar serviços à família. Quando o palerma do Jaguaraçu, falido, devendo-lhe até as ceroulas, ofereceu sua filha a Rodrigo, Carvalho calculou o tamanho das terras e, na falta de melhor negócio, aceitou o dote, perdoando ainda as dívidas do compadre. Rodrigo não era besta de recusar a menina. Chegou a ensaiar uma objeção, apresentando uns argumentos ordinários, mas, por fim, acatou a decisão do pai, sem maiores resistências. Depois, aconteceu aquela confusão. Um escândalo, que consternou a vila e a paróquia de Ibirapiranga. Não que

Rodrigo se sentisse ofendido ou ultrajado. Longe disso. Parecia até aliviado. Publicamente demonstrava estupefação, mas, em casa, Carvalho sentia que o garoto estava nas tintas. E ainda aproveitava o ocorrido para justificar aos parentes e amigos a sua pesarosa solteirice. Pobre mancebo.

Capítulo 5

Tino despertou sentindo o cheiro de sexo sob o cobertor. Cochilara embalado pelo cansaço e, agora, abrindo os olhos, via o rosto da mulher que o encarava, com um sorriso preocupado.

– *Apúrate. Tienes que partir. Rufino no tarda en llegar.*

Tino pulou da cama, vestiu as calças, sorriu para a mulher e, ao sinal dela, escapuliu pela janela dos fundos, causando grande alvoroço entre patos e galinhas. Alcançando a cerca do quintal, virou-se para trás antes que a mulher fechasse a janela. Soprou-lhe um beijo e partiu.

Nunca pensou que as coisas lhe aconteceriam assim. De uma casual troca de olhares até o primeiro encontro, tudo se passara rapidamente, em questão de dias. Havia muito a mulher observava aquele sacristão alto e magro que ajudava o padre Lalanne. Mas só após vê-lo de perto, dominando a rabeca como quem acarinhava uma mulher, ela decidira dar o primeiro passo, abordando-o recatadamente depois da missa. Tino sentira o coração bater apressado, tirando-lhe o fôlego, dando-lhe uma vontade imensa de desaparecer dentro da batina. Trocaram nomes e impressões desajeitadas a respeito do tempo, do frio, da chuva, enquanto o sacristão olhava para o céu, para suas sandálias, para toda a parte, menos para os olhos de Maria José.

Naquela época o padre Lalanne ausentava-se regularmente, fazendo sua campanha pela reforma da igreja junto aos barões da região, quando não visitando fiéis enfermos, impedidos de sair de casa. Para Tino, porém, a rotina era a mesma. Continuava a varrer a igreja, encerar os bancos, polir a prataria da missa. Numa daquelas tardes, percebeu, pelo reflexo na prata polida, alguém que entrava pela porta da sacristia. Levantou os olhos, sentiu uma pontada no peito, deixando cair o cálice da missa no chão. Embaraçado, ergueu-se para cumprimentar a visita, sentindo as pernas bambas e a garganta apertada. O sorriso aberto e franco da espanhola o tranquilizou. Intuitivamente, Tino sentiu-se no limiar de algo que não sabia bem explicar. Como se aquele sorriso lhe franqueasse o acesso a uma porta que, uma vez atravessada, não lhe permitiria o retorno. Jamais.

Mazé era uma mulher madura, de olhos amendoados e lábios carnudos. Já não arrastava atrás de si um séquito de pretendentes, mas ainda era capaz de atrair olhares e provocar comentários, mantendo, apesar da idade, uma postura elevada, acompanhada por gestos lânguidos e sedutores.

Rindo, disse a Tino que nunca estivera numa sacristia.

– Não há muito o que ver – respondeu ele secamente, logo se arrependendo das suas palavras. Em seguida, emendou-se, explicando que o padre Lalanne estava viajando, fora a Vassouras, e que, se ela quisesse, poderia lhe mostrar a sua sala.

– *A mí me encantaría.*

No chão de pedra, duro e frio, Tino sentia o peso e o calor do corpo da mulher que se roçava contra o dele. Mazé arfava, emitindo grunhidos e suspiros, enquanto Tino a segurava pela cintura, tentando ritmar os movimentos do seu quadril com os do dela. Depois, mergulhava sua cara entre seus seios fartos e acolhedores, sentindo o cheiro da sua carne temperada com água-de-colônia. Amavam-se naquele encontro desajeitado da experiência com a sofreguidão, em que um corpo buscava apressado o que o outro adiava desesperadamente. Frustrada, Mazé consolava-se. Não havia problema. Outras oportunidades surgiriam. E menos de dois dias depois, já estavam agarrados em novo coito suado, enroscado, entre ganidos e sussurros, impropérios e blasfêmias à *Virgen de la Inmaculada Concepción*.

Consumido, Tino observava a mulher ajeitando o vestido e a trança dos cabelos antes de sair da sacristia, cândida e discreta, deixando-o prostrado defronte à Virgem. Não, não se benzia, e tampouco orava. Fosse filho de ferreiro, provavelmente malharia ferraduras antes mesmo de saber para o que serviam. Sendo sacristão e filho de padre, desenvolvera uma relação idiossincrática com Deus – mais patrão do que Pai, Filho ou Espírito Santo.

Agora, ao cair da noite, escapulia pelos fundos da casa do delegado Rufino, alcançava a rua discretamente, caminhando com determinação, sentindo-se forte e confiante, embora tivesse a intuitiva sensação de ser observado. Tentava agir com naturalidade, como quem voltava para casa após entregar uma carta ou recado. De repente, saída de lugar nenhum, uma mão tocou-lhe o ombro.

– Torresmo! Que susto me pregaste!

O amigo contou-lhe que estivera à sua procura em casa. O padre Lalanne parecia aborrecido. Nem ele sabia do seu paradeiro. Tino explicou que estivera fazendo um serviço de roçado para ajudar a viúva Taveira, que, aos setenta anos, tinha a casa cercada de mato. Torresmo perguntou se Tino não queria ir à fazenda Santo Ovídio. O amigo hesitou. Depois de conhecer Mazé, sentia-se distanciado de Torresmo e dos outros garotos da sua idade. Era como se ele houvesse saltado uma barreira, atravessado um rio caudaloso sozinho, deixando os companheiros para trás. Sentia-se mais velho, mais maduro, quase superior aos outros, que ainda resolviam suas premências com as cabras. Além disso, outra questão, muito mais séria, o incomodava. O bilhete. Havia semanas se atrevera a escrever uma mensagem a Leocádia. Contava-lhe, em francês, sobre os seus sentimentos, e como percebia que havia algo em comum entre os dois, algo selado pela música que ambos tocavam. Precisava lhe falar, dizer-lhe quanto ele gostaria de tocar com ela, em dupla, uma sonata para piano e violino, ainda que seu instrumento não passasse de uma tosca rabeca. Torresmo aceitara o papel de cupido anônimo, deixando o bilhete, dobrado e redobrado, sobre as teclas do piano, tendo o cuidado de fechá-lo, antes que a mensagem fosse lida pelo destinatário errado. Agora, arrependido da sua audácia, Tino angustiava-se. Sem ter recebido uma resposta, um sinal sequer, martirizava-se, condenando-se por sua imprudente precipitação. Achava que seu afobamento pusera tudo a perder. Pior: Leocádia poderia mostrar o bilhete a alguém. A uma prima, que riria dele e da sua rabeca; a uma criada, que o chamaria de moleque abusado; ou, quiçá, à própria mãe, que o denunciaria ao padre Lalanne! Tino já se via em sérios apuros. Por isso, principalmente, evitava ir à Santo Ovídio, chegando até mesmo a abrir mão dos ensaios da banda. Quando, em casa ou na igreja, alguém o questionava, justificava sua ausência alegando que desde que Abílio Fernandes ensurdecera Cazuza preferia se manter afastado do feitor e seu filho Chico. Torresmo, que não associava as hesitações de Tino ao bilhete jamais respondido, argumentou que Abílio era de fato um animal, mas Chico não puxara ao pai. Herdaria a chibata, mas não teria coragem de usá-la. Era bem possível que mais cedo ou mais tarde fosse demitido, se a escravidão não terminasse antes.

– Vamos lá! – disse Torresmo. – O Chico está esperando a gente para jogar dominós...

Na fazenda, gigantescas lonas cobriam os grãos de café espalhados pelo terreiro, protegendo-os do sereno. Sob a tênue luz da lua, que nascia gorda e amarela atrás do morro, Tino e Torresmo encontraram Chico passando ordens a um escravo. No dia seguinte, todos aqueles grãos seriam revolvidos para o seu último dia de secagem ao sol. Que começassem cedo, para dar lugar à nova remessa dos tanques de lavagem. Virando-se para Tino, Chico comentou que ouvira rumores sobre a sua partida. Diziam que ia para Paris. Era longe?

– Muito longe – cortou Torresmo. – Fica pra lá de Juiz de Fora!

Tino explicou que a ideia era do padre, e que ele mesmo ainda não decidira nada. Intimamente, achava tudo aquilo um pouco absurdo. Tendo a sorte de não ser escravo, e tampouco senhor, não via motivos para deixar Ibirapiranga. Se, por um lado, não vislumbrava oportunidades, por outro, não tinha grandes ambições. Nascera e fora criado ali, naquela mansidão provinciana, onde o ritmo da vida era ditado pelo calendário da Igreja e da lavoura. Não havia surpresas: depois da Folia de Reis vinha a festa de São Sebastião, o Entrudo, a Semana Santa, Corpus Christi, a colheita do café, os santos de junho, o dia de Finados e, finalmente, a missa do Galo. Assim se equilibrava a vida da comunidade, sem sobressaltos, entre os eventos pagãos e as cerimônias religiosas, alimentando o corpo e o espírito. Já estivera na Corte, que, obviamente, não chegava a ser Paris, mas nela percebera um pouco do que o padre lhe prometia. A vida da grande cidade, agitada por bacharéis, políticos e funcionários públicos, fazendo da rua do Ouvidor o umbigo da nação.

Chico não chegou a ouvir todo aquele argumento, mas pela reticência de Tino percebeu que a possibilidade da viagem não o entusiasmava.

– Fazes pouco-caso da sorte que te bate à porta.

Seu pai já lhe dissera que, apesar das aparências, o Vale estava falido. Havia café demais, e compradores de menos. Burrice era a dele, Tino, de não querer sair do Vale enquanto era tempo.

Tino voltou para casa matutando, refletindo sobre as palavras de Chico. Pouco entendia da economia do café, mas sempre associara a grande produção à riqueza que tornara o Vale uma região tão importante. Quanto mais café se colhesse, mais dinheiro se ganhava, certo? E quanto mais dinheiro se ganhasse, mais rápido seria o progresso da região. Afinal, se não fosse o café, a linha de trem não teria subido a serra até Entre-Rios. Não haveria teatros, nem escolas francesas na região. Não haveria escravos, nem banda de pretos! Não conseguia entender, pelas palavras de Chico, a relação entre a grande produção de café e a decadência do Vale.

Perdido em seus pensamentos, passou em frente à igreja, já fechada, de onde saía, pelo janelão lateral, uma luz tênue e vacilante. Tino entrou pela porta da sacristia para apagar a vela que, seguramente, fora deixada por algum fiel aos pés de Santo Antônio ou de São Sebastião. Assim que entrou na nave, porém, a vela se apagou. Ou foi apagada. O ruído de passos ligeiros o fez perceber que não estava só na escuridão.

– Quem está aí?

Sem resposta, avançou no breu, tateando as fileiras de bancos, pensando ouvir um frufrulhar de saias, a leve respiração de alguém camuflado pelas sombras. Um vulto cruzou-lhe o campo de visão, Tino correu, agarrou-o pelo braço, ouvindo o grito abafado da presa.

– Largue-me! Está me machucando!

Tino reconheceu a voz, gaguejou, pedindo desculpas com palavras quebradas, frases incompletas. Sem ver o rosto do seu interlocutor, Leocádia explicou-se, viera rezar, desculpava-se por ter entrado na igreja às escuras, já estava de saída, não precisava se preocupar. Depois, reconhecendo o filho do padre, disse-lhe que não contasse a ninguém que a vira ali. Tino queria acalmá-la. Não havia o que temer. Mas Leo já havia lhe dado as costas, tentando abrir sozinha a pesada porta da igreja. O sacristão a ajudou e, já no pátio, sob a luz da lua cheia, disse que poderia acompanhá-la até a fazenda, visto que já era tão tarde. Leo respondeu que não havia necessidade. Conhecia bem o caminho. Tino insistiu, tocando-lhe o braço uma vez mais.

– Se queres me ajudar, deixa-me em paz – retrucou a menina, esquivando-se das suas mãos. – Esquece que me viste aqui – repetiu, já atravessando o largo da Matriz, correndo em direção a uma caleça que surgia na esquina.

Dona Glicéria achou tudo aquilo muito estranho. Pela fresta da janela da sua casa, em frente ao largo, acabava de ver Leocádia Fragoso do Amaral saindo da igreja, àquelas horas, em confabulação com o moleque do padre Lalanne. Se não fosse escandaloso seria, pelo menos, um bom enredo para o folhetim que sonhava publicar num grande jornal da Corte. Tentou voltar à leitura interrompida de *La Mode Illustrée*, mas não conseguia mais se concentrar. Passou o ferrolho na janela, apagou a vela e foi dormir.

Outra vela foi acesa, alguns dias depois, ao pé do oratório que o padre Lalanne mantinha em seu quarto. Preocupava-se. Já havia algumas semanas que o comportamento de Tino mudara de uma maneira sensível e surpreendente. Desaparecia o dia inteiro, chegava em casa após o anoitecer, balbuciava explicações pouco convincentes, quando não mentia descaradamente. A princípio, Lalanne atribuía a mudança à idade. Mas, naquela manhã, depois da missa, quando Tino mais uma vez desaparecera, os mensageiros da desgraça apresentaram-lhe suas armas. Rufino da Gama e seus dois auxiliares chegaram montados, como os Cavaleiros do Apocalipse. O delegado de Ibirapiranga era um homem baixo, gordo e moreno, que compensava a calvície com uma espessa barba negra. Saltando do cavalo, sem cumprimentos ou formalidades, foi direto ao assunto: procurava por Tino. Apesar da brisa invernal, transpirava, falando com voz ofegante, estranhamente fina, como se estivesse sendo estrangulado. Lalanne respondeu, tartamudeando, que não sabia do paradeiro do garoto. Trabalhara na missa, mas já não estava na igreja.

– Ele fez alguma coisa errada?

O delegado escarrou para o lado, chutou a poeira com a ponta da bota, fuzilou o padre com o olhar. Depois, partiu apressado, sem dizer palavra, castigando a égua com as esporas, seguido de perto pelos dois auxiliares.

Agora, Lalanne, atropelado por ideias sombrias e confusas, pedia a Deus que não se tratasse de algo grave. Ou que fosse um equívoco. Quem sabe Tino houvesse testemunhado alguma confusão, ou, na pior das hipóteses, participado da fuga de algum escravo. Não, não. Tino não faria uma sandice daquelas. Andava mudado, era verdade, mas não se arriscaria num descuido daquela espécie. Era um menino correto, que até então nunca lhe dera problemas. Se agora, na adolescência, entortava-se, talvez a culpa fosse sua. Quem sabe, ele, Lalanne, não tivesse cometido algum erro na educação do garoto? Ou, quem sabe, não tivesse sido melhor deixá-lo na roda, como se fazia com tantas outras crianças enjeitadas? Imagine, agora, já com a idade avançada, ter a tranquilidade da velhice e a reputação da paróquia abaladas por um vexame daqueles – a polícia batendo-lhe à porta!

De volta à sala, sentou-se à mesa à espera de que Noêmia lhe servisse o almoço. Tanta dedicação, tanto trabalho, tantos projetos... O diabo, com certeza, tinha parte naquilo. E se Tino estivesse, de fato, metido em bebedeiras, jogatinas ou até, quem sabe, brigas e mortes? Lalanne não seria indulgente. Não, senhor. Cortaria o mal pela raiz. Fosse o que fosse, não hesitaria em entregá-lo à justiça dos homens desde que ela estivesse de acordo com os desígnios do Senhor.

– Bença, padre – pediu Tino, entrando em casa, surpreendendo Lalanne, que enterrava a cabeça entre as mãos.

– O delegado Rufino anda à tua procura – respondeu Lalanne, sem abençoar o garoto. – Que besteira andas fazendo?

Tino empalideceu. Balbuciou um "nada" pouco convincente, desviou o olhar. Sentiu uma vertigem que o forçou a se apoiar na mesa. Pensou em Mazé. Precisava avisá-la. Não, com certeza ela já sabia. Teria sido punida, espancada, morta. Precisava fugir. Rufino seria implacável. Tino sentia o chão rodar sob os seus pés.

– Fala – insistiu o padre. – O que está acontecendo?

– Nada – repetiu Tino antes de, num gesto rápido, abrir a porta e sair novamente.

Três noites se passariam sem que ninguém tivesse notícias do garoto. Desapareceu mata adentro sem deixar rastros.

Rufino da Gama não descansaria enquanto não encontrasse aquele cachorro. Voltou à casa do padre, vasculhou a igreja, farejou cada canto da vila onde Tino pudesse ter se escondido. Interrogou Torresmo, Chico, Norato, não poupando sequer o surdo Cazuza.

– Onde está o moleque? Está me ouvindo?

Cazuza afastava a cabeça, evitando o tapa que Rufino tentava lhe acertar. Ninguém na vila ou nas fazendas sabia do paradeiro de Tino. E ninguém, entre empregados e escravos, parecia disposto a falar, mesmo que o soubesse. Rufino escarrava, grunhia, sentia a situação escapar das suas mãos. Já pedira ajuda a Manuel Cachorreiro, sem resultados. Se Tino não fosse encontrado imediatamente, sua honra estaria em jogo. O barão não lhe perdoaria. Talvez até perdesse a delegacia, sendo mandado de volta à Corte. O testemunho de dona Glicéria e o bilhete achado por uma criada esclareciam o mistério. Estava na pista correta. Agora era preciso agarrar o suspeito. Rapto? Violação? Assassinato? Ainda não sabia. Mas uma coisa era certa: Tino teria que responder pelo desaparecimento de Leocádia Fragoso do Amaral.

Na madrugada do domingo, quando toda Ibirapiranga dormia, Tino tentou voltar para casa. Tinha fome, estava cansado. Passara três noites na mata ouvindo ao longe os latidos da matilha de Manuel Cachorreiro. Era caçado como um escravo foragido. Dormira pouco, andara sem parar, não comera quase nada. Deteve-se a cem metros de casa, observando um vulto que passava pela rua. Não poderia ser visto. Deu meia volta e, pela margem do córrego, chegou ao limite do terreno. Saltou a cerca, entrando em casa pela porta dos fundos.

– Minha Virgem Mãe Santíssima, Tino! Onde foi que te meteste? – perguntou Noêmia, que, desde o desaparecimento do filho, dormia em pequenos intervalos entremeados por pesadelos.

Tino gaguejou, tergiversou, tentou explicar que estivera na mata, que se perdera... Noêmia não o deixou terminar. Perguntou por Leocádia, onde estava, o que havia feito com ela.

– Leocádia?

– Sim, Leocádia. Não estavas com ela?

Ouvindo a história que Noêmia lhe contava, Tino não conseguiu conter o riso. Não, ele nunca estivera com Leocádia. Já havia alguns dias a encontrara na igreja, rezando, tarde da noite, mas lhe prometera guardar segredo. Depois não mais a vira. Onde estaria?

– Ninguém sabe! – respondeu a mãe, arregalando os olhos. – E agora está toda a gente atrás de ti! – Depois, destampando uma panela: – Tens fome?

Antes que Tino respondesse, o padre Lalanne, acordado pelo barulho, assomou à porta da cozinha.

– Graças a Deus, apareceste! Por onde andaste?

Com os cabelos desgrenhados, enfiado numa bata encardida que o cobria até os tornozelos, Lalanne ouviu de pé a história que Noêmia lhe contava enquanto Tino engolia o fubá de milho com feijão frio que a mãe lhe servira. Tino se perdera. Estivera na mata, atrás de preás, e não encontrara o caminho de volta. Mas, graças a Deus, estava ali, são e salvo. O padre custava a crer. Achava estranha a coincidência do sumiço de Tino e do desaparecimento de Leocádia. Só via uma solução para o problema. Disse que assim que o sol nascesse Tino iria se apresentar ao delegado para se explicar. Pediria desculpas pela confusão e por tê-lo feito perder tempo. Iria contar-lhe sobre o encontro com Leocádia na igreja, e ajudá-lo no que fosse necessário.

– Como moço honrado e bom cristão, deves dizer a verdade e colaborar com a Justiça. Este é o exemplo que sempre tiveste. Não me tragas a vergonha e a desgraça para esta casa – sentenciou o padre antes de voltar para o quarto.

Sem conseguir dormir, Tino mantinha uma vela acesa, vigiando a imobilidade enganosa de uma lagartixa na parede.

Se Rufino não estava a par de nada, poderia se sentir seguro.

A lagartixa se fazia de morta, na espreita de uma pequena aranha.

Aos poucos, porém, seu alívio ganhava novas colorações. A leveza da inocência reencontrada cedia sob o peso de uma culpa vaga, empurrando seu otimismo para um abismo negro e profundo. Dizer a verdade ao delegado...

Num átimo, a lagartixa avançou, abocanhando sua presa.

Qual verdade? Que não tinha nada a ver com o sumiço de Leocádia? Sim. Contar-lhe sobre o encontro na igreja? Sim. Até aí não via problema algum. Mas onde estava ele quando Leocádia sumiu? De onde vinha ele quando chegou em casa e recebeu a notícia de que o delegado estava no seu encalço? Por que desapareceu por três dias? Afinal, do que estava fugindo? Faltava-lhe uma informação. Uma peça no jogo de verdades e meias verdades que completaria o quadro da sua inocência. Sua versão dos fatos omitiria necessariamente aquele detalhe. Faltava-lhe o que os folhetins dos jornais chamavam de "álibi".

A lagartixa sumiu.

Por volta das seis da manhã, Noêmia serviu o café que Tino e Lalanne tomariam juntos antes de sair para encontrar o delegado. Uma batida forte na porta deixou todos sobressaltados.

– Hum... Parece que a montanha veio a Maomé – comentou o padre, pousando a xícara esmaltada sobre a mesa.

Noêmia abriu a porta e Torresmo, sem fôlego, entrou sem maiores cerimônias.

– Caramba! Estás aqui!

Tropeçando em suas ideias, cuspindo palavras desconexas, Torresmo tentava dizer que Tino deveria partir imediatamente, sem jamais voltar. Na fazenda ninguém dormia havia dias. O delegado sentia-se humilhado. O barão o descompusera na frente de todos. Na noite anterior, ouvira Jaguaraçu sentenciar: que a filha e o moleque fossem encontrados, custasse o que custasse. Em caso de fuga, a menina teria o castigo merecido. Quanto a Tino, o barão colocara sua cabeça a prêmio. Queria-o mais morto do que vivo.

Tino mirava o chão, ouvindo a resposta do padre. Não havia problema algum. Tino já lhe contara a história. Não tinha nada a ver com o desaparecimento da menina. Iam agora mesmo à delegacia, contar tudo a Rufino, esclarecer a situação.

— Não posso — gemeu Tino, baixinho, quase inaudível.

O silêncio caiu sobre a sala com a força de um trovão ensurdecedor. Lalanne, Noêmia e Torresmo olharam para Tino, esperando uma explicação. Não pode o quê? Como?

Tino pediu a Noêmia que se retirasse. O padre transformou o pedido numa ordem. A mulher saiu e, da sala, os três a ouviam soluçar na cozinha. Lalanne não podia acreditar no que escutava. Melhor, não queria acreditar no que escutava. Tino desejara e conhecera a mulher do próximo. Sua confissão garantia a absolvição de seus pecados perante Deus. Perante a lei dos homens, ou perante o representante local da lei dos homens, o delegado Rufino da Gama, não haveria compaixão divina que o salvasse. Cabisbaixo, com a voz sumida e pausada, agradeceu a Torresmo e disse a Tino que não saísse de casa.

Em seu quarto, diante do oratório, o padre ajoelhou-se para rezar. Emendava uma oração na outra, confuso, perdido entre pensamentos e palavras. Abafava os soluços para que ninguém o escutasse. Havia quase meio século trabalhava naquela paróquia, construída com as suas próprias mãos. Formara o seu rebanho, batizara milhares de crianças, realizara casamentos de três gerações de nobres, plebeus e escravos. Era respeitado não só em Ibirapiranga, mas em toda a região. Por compaixão, adotara um órfão. E, agora, vinha o destino pregar-lhe uma peça. O rapaz a quem amava como um filho caíra em tentação; bebera da fonte impura da luxúria. Perdoado por Deus, seria condenado pelo ódio e pela vingança dos homens. Não, para Tino não haveria perdão. Naquele lugar atrasado, onde o homem era a besta do homem; onde o direito cabia ao senhor, e o dever, ao escravo; onde a lei pertencia ao branco, e a culpa, ao negro; Tino, mulato, sem recursos, estaria prévia e fatalmente condenado. Pagaria por um crime que não cometera para livrar-se de outro, menos grave, cuja pena seria, certamente, a morte. Justiça... Não um castigo divino, mas a justiça de uma terra onde reinava a impunidade de brancos e senhores; donos da vida e do destino de milhares de homens e mulheres. Justiça? Tratava-se, sim, de desonra, vingança, crueldade humana e pagã. Deus não poderia aceitar aquilo. Permitiria que Tino escapasse. Mas fugir seria somente parte da solução. Uma intervenção divina, direta e miraculosa, se fazia necessária. O antigo plano ganhava agora urgência. As circunstâncias antecipavam os acontecimentos em alguns anos. Sim, Tino deveria partir. Imediatamente. E, com a benevolência de Deus, querendo crer em Suas palavras, Lalanne pensava ter encontrado os meios, a solução.

"Tens o meu consentimento. Faz como achares melhor", respondia-lhe o Senhor, em Sua infinita sabedoria e compaixão.

Ao cair da noite, Tino estava pronto. Lívido, sentou-se à mesa, apoiando a testa nas mãos cruzadas. Do quarto de Noêmia chegava-lhe ainda o som de gemidos e soluços. A mãe tentara argumentar. Oferecera alternativas menos radicais. O padre Lalanne as rejeitara. Impossível! Absurdo! A decisão estava tomada. Tino, calado e distante, aceitava resignado sua sentença. Em poucas horas, no silêncio da madrugada, ele partiria para Entre-Rios montado na mula que Torresmo lhe traria. De lá, tomaria o trem para a Corte, de onde deveria embarcar no primeiro paquete para a França. Como bagagem, um chapéu, a rabeca e uma mochila. Dentro dela, uma carta e dinheiro, muito dinheiro – o suficiente para transformar a igreja de São Sebastião do Ibirapiranga na mais bela matriz do Vale.

Tino tem fome. Perdeu a noção das horas. Ouve ruídos de chaves e passos no corredor. Por debaixo da porta, o carcereiro empurra uma bandeja de metal com o seu almoço. O destino parece-lhe inevitável. Escapou da morte no Brasil para encontrá-la na França, tão longe de casa. Estava escrito. Tinha que acontecer. Lá ou aqui, tinha que acontecer. Assim seguem os dominós sua acelerada carreira em direção à peça final.

Capítulo 6

Dodora abre o piano, apanha as partituras, procurando a que seja mais fácil de se tocar. Entre clássicos e contemporâneos, há Bach, Chopin, Fauré. Enquanto seus pais fazem a sesta e Perpétua trabalha na cozinha, o apartamento, ocupando todo um andar sobre a Champs-Élysées, mergulha no silêncio abafado da tarde de domingo. Só, no salão, Dodora hesita, analisando as pautas, até se decidir por um *Noturno* de Fauré, uma das peças musicais que ganhou da prima Eufrásia.

No sábado jantaram num restaurante do bulevar des Italiens antes de entrarem na ópera para assistir a uma nova montagem de *O barbeiro de Sevilha*. Não era a primeira vez que saía com a prima mais velha. Eufrásia a convidava com frequência para jantar e assistir a espetáculos em Paris, fosse no teatro, na ópera ou em salas de concertos. Com a grande diferença de idade, as duas desenvolviam uma relação que mais se assemelhava à de tia e sobrinha do que à de primas distantes. Na verdade, Eufrásia só não era sua madrinha por uma questão de geografia. Quando Dodora nasceu, no Rio de Janeiro, Eufrásia havia muito morava na Europa.

Desde pequena a menina admira a prima, mulher solteira, independente, refinada. Não que lhe faltem pretendentes. Dos mais velhos, viúvos, ricaços, aos dândis mais vaidosos e oportunistas de Paris, a todos, Eufrásia disse "não". Amparada por uma fortuna que poderá lhe durar várias encarnações, prefere a liberdade da qual goza a ser casada com um barão francês ou primo rico do Vale, que, com certeza, só lhe traria empecilhos, embaraços, quando não desgostos. Eufrásia não tem paciência para homens tolos ou autoritários. Quiçá, homem algum. Mesmo assim, Dodora gosta de imaginar que a prima tem um amor secreto. Um homem que entende e respeita o direito de uma mulher trabalhar e cuidar da sua própria vida. E, pelo que seus pais contam, a vida de Eufrásia não foi fácil. Perdera a mãe e, assim como Dodora, o irmão mais velho na infância. Aos vinte anos, herdou a fortuna do pai, o comendador Teixeira Leite, um dos mais influentes e poderosos comissários de café em Vassouras. Com um dote daqueles poderia selecionar o melhor pretendente da Corte, um homem que administrasse seus bens e sua vida. Não, Eufrásia jamais perderia o controle do seu patrimônio para um homem interesseiro, quando não incapaz. Apesar da pouca idade, e contra a opinião geral dos parentes, cuidou ela própria dos seus interesses. Alforriou seus escravos, vendeu seus bens, fechou a casa de Vassouras e emigrou para a Europa. Muitos vaticinaram a ruína. Vaidosa e perdulária, Eufrásia dilapidaria nas galerias comerciais de Paris todo o patrimônio construído pelo pai. Enganavam-se. A prima não só conservou a fortuna, levando uma vida discreta e comedida, como a multiplicou muitas vezes. Depois da morte do irmão, aprendeu com o pai os segredos da bolsa de valores e, agora, especula com ações e mercadorias não só em Paris, mas nas bolsas de Londres e Chicago também. É acionista de empresas britânicas no Oriente, além de participar de grandes investimentos franceses nas colônias da África ocidental. Trabalha em casa, cercada por um mar de jornais e revistas, com o ouvido no telefone e os olhos na fita do telégrafo que a mantém informada noite e dia. Geada em São Paulo? Hora de comprar café no mercado futuro. Mina de prata no Peru? Vende tudo. Rápido! "Eufrásia sempre teve um faro masculino para os negócios", gosta de explicar o barão de Lopes Carvalho.

Dodora conhecera a prima anos antes, na sua segunda viagem à Europa, quando o pai comprou o apartamento de Paris, a cinco quadras do palacete de Eufrásia. Foi numa quinta-feira de junho, em 1887, que os Lopes Carvalho zarparam do Rio de Janeiro a bordo do *Gironde*, um paquete a vapor francês, levando a criada Perpétua, a cadela Salsicha e dezesseis malas, baús e caixas de chapéus. Do cais, Jovelino despedira-se dos senhores e da mulher, acenando um lenço encardido em direção à lancha que os levava ao vapor. Dodora, que da primeira travessia oceânica pouco se lembrava, jamais esqueceria a partida do paquete, revelando o cenário de montanhas que emoldurava a cidade – uma imagem que se somaria às sensações e descobertas daquela viagem de duas semanas até Lisboa, onde passariam alguns dias visitando primos antes de tomar um trem para Paris, via Madri.

Já na segunda noite a bordo, o barão de Lopes Carvalho recebeu um convite das mãos do comandante francês: Sua Majestade, o imperador, convidava o senhor barão e sua esposa à sua mesa. Sentada do outro lado do restaurante, acompanhada por Perpétua, Rodrigo e Salsicha, que se deitara embaixo da cadeira, Dodora observava seus pais jantando ao lado de dom Pedro e da imperatriz Teresa Cristina. Segundo se comentava, o casal imperial viajava à Europa por problemas de saúde. Dodora pensava que dom Pedro fosse um homem alto, forte, com pompa de monarca. Agora, sentada a poucos metros dele, dava-se conta de que o imperador do Brasil não passava de um velho de longas barbas grisalhas, com um ar abatido, embora, de fato, fosse muito alto. Mais impressionada ficaria depois do jantar, quando Carvalho mandou chamar os dois filhos para que fossem apresentados às Suas Majestades.

Rodrigo e Dodora contornaram as mesas do restaurante, pedindo licença ali e acolá, até chegarem onde estavam os pais. Vacilando entre a excitação e a solenidade, curvaram-se perante dom Pedro e a imperatriz, cumprindo os salamaleques do protocolo imperial.

– Eu pensava que Vossa Majestade fosse mais novo...

– Isadora! – repreendeu Carvalho, chocado pela insolência da filha.

– Sou tão velho que já tenho netos da tua idade – respondeu o monarca, divertido com a desinibição da menina.

Carvalho pediu desculpas ao casal imperial, ordenando que a filha se recolhesse imediatamente à cabine. Dodora esticou o beiço e, arrastando os pés, voltou para sua mesa, antes de deixar o restaurante acompanhada por Rodrigo e a criada.

No caminho para a cabine, passando pelo convés, Dodora ouviu uma música que, abafada pelo vento contrário, parecia vir da popa. Pediu a Perpétua que a deixasse ver o que se passava e, antes que a criada pudesse responder, correu em direção à retaguarda do navio, puxando Salsicha pela coleira. Rodrigo, por sua vez, preferiu se recolher, afastando-se na direção oposta, rumo às cabines da primeira classe. Não havia comido nada no jantar e, mesmo assim, estava pronto para vomitar outra vez.

No balanço do mar, Perpétua seguiu Dodora, agarrando-se ao corrimão do convés, tentando se equilibrar. Adiante, a menina apoiava-se com os braços cruzados sobre a portinhola que separava a popa do resto do navio. Um pequeno grupo de pessoas, vestidas com roupas simples, de algodão, calças velhas e casacos puídos, escutava a música executada por uma dupla, que, tocando um tango brasileiro, fazia dialogar uma rabeca e uma concertina. Dodora, embalada pelo ritmo, balançava o quadril, admirando o garoto que tocava a rabeca com uma harmonia rara entre músico e instrumento. Quem dera ela pudesse tocar o piano daquela maneira. No Catete, tinha aulas de piano quase todos os dias com uma francesa, casada com um violinista do teatro São Pedro. Amava música, mas sentia que, para ela, o esforço parecia ser maior que para as outras pessoas. Compensava a falta de talento com muito exercício, muita repetição. Não tocava mal, mas, agora, ali, vendo aquele rapaz, tão desenvolto, ouvia alguém fazer música de uma forma diferente. Como se ele falasse através do instrumento.

– Pepé, posso conversar com eles? – perguntou, virando-se para Perpétua, que, finalmente, a alcançara.

– Não, senhora! Chega de encrencas – ralhou a criada.

Dodora choramingou, suplicou, sem sucesso. Perpétua encerrou a questão lembrando-lhe que tinha ordens de seu pai para levá-la para a cabine, e não sair por ali, passeando pelo convés àquela hora da noite.

Na cabine, Perpétua cobriu a menina, deitada na parte superior do beliche, sobre o leito de Rodrigo, que, coberto da cabeça aos pés, tentava esquecer que estava em alto-mar. Depois, a criada saiu, fechou a porta, indo se recolher a poucos metros, no reservado que compartilhava com Salsicha. Deitou-se, sentindo o jogar das ondas, tentando não pensar no enjoo que lhe revirava a cabeça e o estômago. Achou curioso que estivesse ali, deitada naqueles lençóis de linho, na primeira classe de um vapor, fazendo a travessia do oceano. Viajava no sentido inverso do de sua avó, comprada sabia Deus onde, metida no porão de um navio negreiro, comendo lavagem que até os porcos rejeitariam. Talvez estivesse acorrentada, sem poder andar, com pouco espaço para esticar as pernas, sentindo, durante semanas, o cheiro da urina, das fezes e do vômito de centenas de pessoas atulhadas no porão. Muitas não resistiriam. Chegariam mortas ao destino. Não que, em comparação, ela se sentisse liberta, privilegiada. Certamente não era menos escrava que sua avó e sua mãe o haviam sido. Mulheres mortas antes dos cinquenta anos, envelhecidas, brutalizadas por uma vida de trabalho intenso na lavoura do café. Como poderiam imaginar que sua neta, sua filha, iria um dia à Europa, fazendo escala na África? Pelo menos foi o que lhe dissera a sinhá. O paquete pararia para reabastecer num lugar chamado Dacar, na costa do Senegal. Bem que poderia ficar por ali. Pedir licença e desaparecer numa cidade de negros, num país de negros, num continente negro. Mas seria a sua terra? Falariam a sua língua? Que língua teria falado a sua avó? Tolices. Como sua mãe, nascera e fora criada no Vale. Era escrava, mas ainda dava graças ao Senhor por ter um dia entrado na cozinha da sinhá Preciosa, onde nunca apanhara, nem de palmatória. Naquela cozinha conhecera Jovelino. Verdade que era um sujeito meio bocó. Sabia ler, todo prosa, mas era abestalhado do mesmo jeito. Sem grande esforço, Perpétua impusera-lhe respeito, e até medo. O pobre-diabo tremia quando ela lhe passava um pito. Na intimidade, também. Quem mandava era ela. Pena que se sentisse seca, como a terra do Vale no inverno. Ademais, Jovelino tampouco demonstrava muitas vontades. Juntando a secura com a falta de fome, nunca tiveram filhos. Não se arrependia. Filho para quê? Filho de escravo, escravo era. A tal lei do Ventre Livre só valia depois que o moleque crescesse. Primeiro tinha que indenizar o sinhô, obrigado a alimentar mais um rebento de preto.

Mas um dia aquilo havia de acabar. Aquela malvadeza não podia durar eternamente. Diziam que no Vale os negros já andavam atiçados, cada vez mais rebeldes. Qualquer dia arrebatariam tudo, com a força da foice e da enxada. Botariam para fora os brancos, e tomariam conta daquilo que, por justa causa, lhes pertencia. Tudo que plantaram e construíram com as próprias mãos. Aí, sim, o Vale seria um lugar diferente. O império todo seria diferente. Já imaginou um imperador negro?

Por outro lado, Perpétua criara Tonico, Mariana, Rodrigo e Dodora, herdeiros brancos daquele mesmo Vale. Sentia que, apesar de tudo, apesar da sua própria escravidão, os amava profundamente. A morte de Tonico a abalara tanto quanto à patroa. Era como se o rapaz tivesse duas mães. A branca e a preta. A livre e a escrava. De todos, talvez Rodrigo fosse o menos chegado. Mariana e Dodora a tratavam como se ela fosse branca. Sentia na pele o carinho das meninas. Jamais ouvira uma palavra grosseira de nenhuma delas. Respeitavam-na e temiam-na como à própria mãe. Talvez até mais, já que a mãe nem sempre tinha tempo para aquelas duas. Agora Mariana já era mulher feita, casada, dali a pouco estava grávida. Dodora, não. Viera tarde e, cheia de energia, encontrara uma mãe cansada. Que Deus a protegesse. Ainda daria muito trabalho à família. Era traquinas demais.

Perpétua assusta-se com a campainha do telefone. Após limpar a cozinha, senta-se à mesa da copa para polir os castiçais de prata. Não sabe quanto tempo ficarão naquele apartamento, mas nem por isso negligencia suas obrigações, pelo menos enquanto os patrões não tiverem contratado novas empregadas e arrumadeiras.

– Era dona Eufrásia. Está vindo para cá – diz Perpétua a Dodora, que parou de tocar o piano para vir à cozinha saber quem telefonara.

No salão, Dodora recebe Eufrásia, que entrega o guarda-chuva a Perpétua, perguntando quando aquele inverno irá finalmente acabar.

– Sabe Deus – responde Ana Maria entrando no salão, seguida pelo marido.

— Que frio — reclama a prima, retirando as luvas para esfregar as mãos.
— Já souberam das novidades? Floriano reconheceu a eleição de Prudente. Para quem temia um novo golpe, parece que os militares vão mesmo voltar para o quartel.

— Não fará muita diferença — responde Carvalho, depois de cumprimentar Eufrásia. — Para o Vale não significa mais nada. Prudente é de São Paulo, tem o apoio dos agricultores de lá. Gente sem tradição, sem nobreza. Além do mais, o Brasil perdeu o trem da história. A emancipação dos escravos poderia ter sido o ponto final numa longa história de economia agrária, dependente da exportação de um único produto. Com o fim do Império, o seu maior sustentáculo, a sua razão de existir, deveria, gradualmente, desaparecer. O café daria lugar à indústria. Entre pretos libertos e imigrantes, não faltaria mão de obra barata. Mas não. Todo o esforço que fora feito para industrializar o país, toda a iniciativa empresarial foi tolhida pelas trapalhadas de Deodoro e pela brutalidade de Floriano. Deu no que deu. O caso dele era um bom exemplo.

— Em termos — argumenta a prima. — Acho que houve precipitação, quando não falta de lisura. Os capitalistas colocaram o carro adiante dos bois. Não se poderia saltar da saca de café para a bolsa de valores com aquela rapidez. Houve cobiça de mais, e prudência de menos.

Carvalho discorda, dissimula a irritação causada por aquelas insinuações, mas prefere não testar os limites da prima. Sabe que, em matéria de investimentos, tem à sua frente alguém, uma mulher, que botaria no bolso a maior parte dos capitalistas brasileiros. Eufrásia fora inteligente. Saltara do barco anos antes que ele fosse a pique. Quem pagou a conta foi ele, e todos os outros que acreditaram em castelos de areia. Pensavam que, com a Abolição e a mudança de regime, o país tomaria outro rumo. Seria, como prometia a propaganda oficial, os Estados Unidos do Brasil. Um país de imigrantes brancos, com um punhado de pretos, uma economia forte, industrializada e revigorada por um mercado de ações livre e independente. Todo brasileiro, do mais modesto ao mais abastado, seria um acionista, ou um empresário em potencial. Por conta disso Carvalho acelerara a diversificação dos seus negócios. Investiu em imóveis na Corte, comprou ações de novos bancos e empresas. Associou-se à nova Companhia Geral de Estradas de Ferro, que planejava consolidar a malha ferroviária nacional, incorporando as mais importantes vias férreas do país. A economia crescia a todo vapor. Novas empresas eram lançadas a todo momento, em todos os setores da economia. Até os imigrantes portugueses entraram no jogo do capital aberto. Na rua do Ouvidor, três patrícios se associaram para vender ações das suas padarias. Era a Companhia Panificadora Nacional S.A. E ainda tinha aquele outro transmontano, que lançara a Companhia Manufatureira de Calçados de Madeira, cujos tamancos eram produzidos no quintal da sua casa. Enfim, de um país agrícola, que não fabricava nada, o Brasil se tornaria, da noite para o dia, a locomotiva industrial de todo o Hemisfério Sul. Os libertos, parvos de nascença, não dariam conta de todo o trabalho. A indústria precisaria de mão de obra qualificada, mais imigrantes, milhares deles, italianos, portugueses, espanhóis, polacos, alemães, e já havia quem falasse em chineses, e até em japoneses! E onde é que aquela gente toda moraria? Num país sem indústrias, não havia bairros populares. Essa fora sua grande visão. Sua epifania capitalista. A construção em larga escala de habitações para operários e colonos de passagem pelo Rio de Janeiro. Afinal, famílias brancas, europeias, não morariam em senzalas. Com o apoio de seus amigos na imprensa, artigos e editoriais confirmaram a necessidade imediata de habitações para os imigrantes. *Na hora da escolha, o imigrante europeu não tem mais dúvida. Prefere a República Argentina ao Brazil. Sabe que lá será bem acolhido, com moradia garantida*, bradava um patriótico articulista. Inventada a necessidade, alardeada a premência, estava ganha a opinião pública. Chegara a hora de lançar a empresa na bolsa de valores. Nascia, em 1890, a Companhia Meridional de Habitação S.A. Com sócios e aliados no governo de Deodoro da Fonseca, Carvalho não previa dificuldades para vencer editais, ganhar concorrências. Proporia ele mesmo a construção de vilas, bairros populares, cidades inteiras. Depois, bastaria aguardar os editais. Dos políticos só queria a garantia, sob comissão, de que as empreitadas seriam suas. Assim, lançou a empresa na bolsa, incorporando um capital considerável, sem arriscar um centavo do próprio bolso. Naquele frenesi da rua da Alfândega, os papéis da Meridional, como se tornou conhecida a empresa, eram disputados a tapa por zangões e investidores. O momento era de euforia, otimismo, fé num país que tinha tudo para se tornar um novo império. Não do café e da escravidão, mas da indústria e do capital. Um império de grandes homens, de famílias empreendedoras, que fariam o progresso e a riqueza da nação.

– Alguma novidade do corretor de imóveis? – pergunta Eufrásia, correndo os olhos pelos jornais brasileiros que Carvalho empilha na sala.

– Temos uma visita marcada para terça-feira – responde Ana Maria. – Um palacete na rua de Bassano, a poucos metros do teu. A boa notícia é que o imóvel de Petrópolis foi vendido. Somado ao que arrecadamos com a venda do palacete do Rio, temos agora o necessário para comprar algo aqui sem precisar de financiamento.

Carvalho se levanta do sofá e, apoiando-se na bengala, vai postar-se junto à Dodora. Ao piano, a menina dedilha suavemente o teclado para não incomodar a conversa dos adultos.

– Às vezes tenho saudades de Petrópolis – diz Dodora, pausando os dedos sobre as teclas, sem olhar para o pai.

De todas as perdas causadas pelo exílio voluntário, a venda do palacete de Petrópolis é a que mais dói a Carvalho. O do Rio de Janeiro, na rua Santa Isabel, fora construído logo após o casamento com Ana Maria. O barão sentia que aquela residência, na Corte, representava a escalada da família no cenário econômico. Com ela havia fincado a sua bandeira, o seu brasão, no coração do Império. A posição, porém, precisava ser consolidada com uma segunda residência – um palacete em Petrópolis. Para lá se transladava toda a nobreza fluminense, fugindo do calor e da febre amarela que assolavam o Rio de Janeiro no verão. Lá, os Lopes Carvalho tornaram-se vizinhos do imperador. Construído a poucos metros do palácio imperial, o palacete do Ibirapiranga, assim batizado em homenagem a seu pai, patenteava o prestígio da família no cenário social.

Pena que tenha sido por pouco tempo, lamenta Carvalho, lembrando-se da filha brincando no palacete. A inauguração do prédio de dois pavimentos, cercado por jardins, estátuas e chafarizes, coincidiu com os desastrados decretos do marechal Deodoro que levaram à quebra da bolsa de valores em 1891. Era o fim de um período áureo, de ganhos fáceis e elevados, que recebera, como nas corridas de cavalos, o nome de Encilhamento. Poderia ter sido pior. Por sorte, Carvalho vendeu a sua participação na Meridional pouco antes de que o mercado entrasse em pânico, levando a bolsa ao colapso. Depois de incorporadas, as ações haviam quadruplicado de valor, sem que um tijolo sequer houvesse sido cimentado.

No meio daquele pandemônio, Deodoro renunciou, passando o balde ao vice. Era a oportunidade pela qual o marechal Floriano tanto esperava. Iniciou uma campanha de moralidade hipócrita, imposta pela espada. Usou a crise financeira como álibi para perseguir os seus inimigos políticos, amigos de Deodoro. Instalou um regime de terror, caçando os opositores da ditadura como estelionatários do mercado financeiro. Assim surgiram as denúncias, o inquérito e, finalmente, o processo contra os fundadores da Companhia Meridional de Habitação, entre tantos outros empreendedores. No salve-se-quem-puder do naufrágio, sócios tornaram-se inimigos; cúmplices, vítimas; e capitalistas, réus. Pois, sim, reflete Carvalho, muita gente inocente pagou por aquilo. O Brasil, mais ainda. Retrocedeu décadas no seu mercado de ações, voltando a ser o reino dos fazendeiros. Como disse um jornalista, "o Império era o café. A República continua sendo o café".

Perpétua entra no salão carregando uma bandeja com um bule e três xícaras.

Eufrásia pergunta-lhe por Jovelino.

– Passa bem, obrigada. Foi ao apartamento de Rodrigo ajudar a subir umas caixas. Volta mais logo.

– Diga-lhe que estou à sua espera. Prometeu-me olhar o jardim. Precisamos plantar coisas novas para a primavera.

– Eu agradeço à sinhá – responde Perpétua, enchendo as xícaras de café.

– Ele anda mesmo aperreado. Carece de ocupação, trabalhar num jardim. Tomar um pouco de sol na cabeça para esquentar.

– Todos nós, Perpétua – interrompe Ana Maria. – Este inverno parece não ter fim. Mas na semana que vem vamos para a Côte d'Azur, apanhar um pouco mais de luz e calor.

– Adoro Cannes – emenda Eufrásia. – Sinto-me como se estivesse em casa. O maciço do Esterel, pertinho do mar, me faz lembrar as montanhas do Rio de Janeiro.

– Ótima ideia! – diz Carvalho, calculando quanto tempo a mulher passará na Côte d'Azur, deixando-o livre para melhor desfrutar Paris, sem o constrangimento das mentiras, das desculpas pouco criativas, das tardes passadas em reuniões que não existem, no Automóvel Clube que ele não frequenta.

Capítulo 7

Sentado no colchão, abraçando as pernas encolhidas, Tino tirita de frio, apesar do grosso cobertor de lã, sujo e malcheiroso, que o cobre. Olhando para as migalhas de pão que restam na bandeja, escuta, pela primeira vez em muito tempo, o som de notas musicais. Não a melodia que se repete incessantemente em sua cabeça, mas som de verdade, que lhe chega através da porta. Levanta-se, ajeita o cobertor sobre os ombros, aperta a orelha contra a espessa porta de madeira. O som se abafa. Abaixa-se, deita-se no chão, aproximando a cabeça da fresta. Agora, sim. Som de gaita, bem tocada. Alguém, em outra cela, no fundo do corredor, ou, quiçá, um carcereiro entediado, toca uma modinha francesa qualquer, daquelas que ele mesmo tocava nos cabarés de Pigalle. Onde estará sua rabeca? Talvez Pirralho a tenha guardado. Se não a tiver posto no prego.

Ainda na Corte, quando acabara de chegar no trem de Entre-Rios, Tino descobriu pelos jornais que um paquete francês, o *Gironde,* partiria naquela mesma tarde para Bordeaux, fazendo escalas em Dacar e Lisboa. Estava salvo. Bastava tomar aquele navio e, dentro em pouco, estaria fora do alcance do delegado Rufino da Gama. Não que se sentisse feliz ou aliviado. Os acontecimentos daquelas últimas vinte e quatro horas não lhe permitiam isso. Pelo contrário. O pânico da fuga dava lugar, agora, ao temor do desconhecido.

Parado na esquina entre a rua da Alfândega e a Primeiro de Março, respirou fundo, agarrou-se à mochila e entrou na agência da Compagnie des Messageries Maritimes. No guichê, tirou o chapéu perante um rapaz bigodudo que, arqueando uma sobrancelha, equilibrava um pincenê na ponta do nariz.

– Bordeaux, hoje? Primeira classe? – perguntou, avaliando Tino dos pés à cabeça.

– Não. A mais barata – respondeu, olhando para o relógio de parede atrás do atendente. Já era meio-dia.

– Terceira classe – disse o homem, arregalando os olhos diante do maço de dinheiro que Tino retirava da mochila.

O atendente lambeu o indicador, contou as notas, guardando-as numa gaveta trancada à chave. Levantou-se pedindo licença, era só um minuto, voltava já, e desapareceu por uma porta atrás de si. Pela divisória de vidro translúcido, Tino percebeu que o homem aguardava que um vulto, sentado, lhe desse atenção. Não podia escutar o que conversavam, mas aparentemente o atendente pedia orientação a um chefe ou supervisor. Após três minutos, o bigodudo voltou, ajeitou-se na cadeira e, molhando a pena, perguntou o nome completo do passageiro.

– Sebastião Constantino do Rosário – respondeu Tino, fazendo uma pequena pausa entre o nome e o sobrenome.

Enquanto o atendente, de cabeça baixa, registrava a resposta no livro da companhia, o vulto atrás da divisória se levantou e, saindo pela porta, revelou-se um homem franzino, com penteado solidificado pela brilhantina. Fingindo procurar alguém no salão, observou Tino de soslaio duas, três vezes, antes de fechar a porta e voltar para a sua mesa.

Com um suspiro, o atendente passou o mata-borrão na lista de passageiros, fechou o livro da companhia e reescreveu o nome do cliente na passagem de terceira classe.

– O embarque já começou. A lancha parte de hora em hora do cais Pharoux – disse, carimbando a passagem antes de entregá-la a Tino.

Viajando na terceira classe, nome pomposo para o porão do navio, chegavam os imigrantes europeus que sonhavam em construir a América no

Brasil. Dormiam em cabines estreitas, com dois beliches de três catres, presos às paredes por correntes. Naquela viagem de volta, o compartimento estaria vazio, salvo uns poucos imigrantes arrependidos, e meia dúzia de ratos gordos e destemidos. Diante do prejuízo de uma travessia oceânica sem passageiros no porão, a companhia de navegação oferecia pelos jornais serviços de frete e mala postal. Acomodava ali caixas e baús, em quantidade pequena se comparada à dos navios cargueiros, mas o suficiente para rentabilizar o espaço.

Tino entrou pelo alçapão do convés e, depois de verificar duas ou três cabines abarrotadas com malas e caixotes, encontrou uma aberta, onde um passageiro, deitado num beliche, com as mãos cruzadas atrás da nuca, mordia um charuto apagado.

– O que é que levas nessa caixa? – perguntou-lhe com sotaque português, quando Tino entrou na cabine.

– Uma rabeca – respondeu, sem levantar os olhos.

– Então a viagem não será tão má. Teremos uma orquestra – disse o passageiro, levantando-se e oferecendo a mão a Tino. – Vasco Leão Pirralho. Mas toda a gente chama-me o Pirralho da Concertina.

– Sebastião Constantino. Mas lá em casa me chamam de Tino – disse, apertando timidamente a mão do músico.

– Tino da Rabeca?

– Não. Tino do Rosário. Mais sacristão do que rabequista.

– Mas isso tem cura – disse o português reacendendo o charuto, rindo da própria piada.

Moreno e atarracado, Pirralho da Concertina alisava com frequência o bigode que lhe descia desgrenhadamente além do lábio inferior. As orelhas salientes exibiam-se sem pudor, apesar da vasta cabeleira negra, amassada pela boina inclinada para trás. Nascido e criado no arquipélago dos Açores, Pirralho imigrara para o Brasil por sugestão dos companheiros de tasca, que, entre uma garrafa e outra, anunciavam-lhe um continente de oportunidades. Após uma noitada de música, dança e bagaceira, embarcou ao amanhecer, sem saber ao certo para onde ia. Três semanas mais tarde, desembarcou em

Nossa Senhora do Desterro, mas, tão logo pôs os pés em terra firme, mudou de ideia. Trocara uma ilha de açorianos no meio do nada por outra cheia de açorianos em lugar nenhum. Seu espírito de aventura pedia-lhe algo diferente. Perambulou um mês pela província de Santa Catarina, passou por Porto Alegre, conheceu Montevidéu, acomodou-se em Buenos Aires. Encontrou trabalho nas obras de construção do porto e, à noite, tocava em tabernas, onde aprendeu o tango e a milonga com os mulatos argentinos. Seis meses, muitas brigas e quatro amantes depois, enfadou-se. Poupou dinheiro, comprou uma passagem de volta para a Europa, fazendo baldeação no Rio de Janeiro.

– E vai para Paris? – perguntou Tino, tirando o chapéu.

– Ainda não. Fico em Lisboa. Mais logo veremos. Mas, se tu fores a Paris, não deixes de passar pelo Rato Morto. É um café-concerto em Pigalle. Tenho lá um primo que toca piano – disse, espremendo os olhos através da fumaça do charuto.

Às quatro e meia da tarde, Tino e Pirralho escutaram os três longos apitos que, anunciando a partida do *Gironde,* ecoaram no morro do Castelo. O paquete singrou lentamente as águas da baía de Guanabara, antes de cruzar a barra em frente à pedra do Pão de Açúcar. Em seguida, guinou para bombordo, rumo nordeste. No porão, Tino e Pirralho sentaram-se à longa mesa onde jantavam os imigrantes que conseguiram pagar por aquela viagem de sonhos destruídos, ilusões perdidas. Dois taifeiros trouxeram a comida em panelões fumegantes, servida em pratos fundos e esmaltados. Um caldo amarelo, grosso, com cara de angu, sem gosto de carne.

– Comia-se melhor na cadeia de Buenos Aires – observou Pirralho, remexendo a papa no prato. – Pelo menos sempre havia um naco de toucinho.

Após o jantar, quando o paquete arfava e jogava, debatendo-se contra a fúria do mar agitado, Tino e Pirralho subiram à popa em busca de ar fresco. Ali, única seção do convés aberta aos passageiros da terceira classe, a brisa se misturava à fumaça expelida pelas chaminés do vapor. Procurando as estrelas, cobertas pela fuligem do carvão incinerado nas caldeiras, Tino distinguiu na invisível linha do horizonte, apagada entre a escuridão do céu e do mar, uma luz distante e intermitente.

— O *farrol* de Cabo *Frrio* — apontou um taifeiro francês, que fumava debruçado sobre a murada.

Tino ainda veria um ou outro farol na noite do litoral brasileiro. Mas, à medida que o paquete vencia as ondas, tinha a sensação de que não era ele que viajava. Era o Brasil que se afastava. Em breve, do país, só veria o Cruzeiro do Sul, e nada mais. Sentia um aperto no peito, um travo na garganta, uma vontade de se jogar no mar, nadando de volta para a terra.

O farol se apagava.

Sentia falta de casa, de Noêmia e do padre Lalanne. Guardara a carta na mochila, sem garantias de que seria bem recebido em Paris – sequer sabia se encontraria o endereço. Escreveria para o padre assim que possível. Precisava saber o que havia acontecido em Ibirapiranga depois da sua partida. Leocádia apareceu, afinal? O barão suspendeu o prêmio por sua cabeça? Rufino o esqueceu? E Mazé? Quando ele poderia voltar? Perguntava-se olhando a escuridão, que amalgamava o céu e o mar, mergulhando nas trevas do medo e da insegurança.

O farol se acendia.

Tinha dinheiro. O suficiente para sobreviver por algum tempo, avaliava. Num banco da rua da Alfândega, após comprar a passagem, trocara por francos os réis que o padre lhe dera. Parecia muito, mas não tinha a menor ideia do que o destino lhe reservava. E se não encontrasse ninguém em Paris? Quanto lhe custaria um quarto de pensão? E um prato de comida?

Fixava o olhar na luz intermitente do farol, flutuando no vazio da noite. Respirava fundo, tentando apaziguar o estômago e a cabeça, desencontrados pelo jogar do navio, envoltos no cheiro de maresia e carvão queimado. Escutava a voz de Pirralho, que, a seu lado, lhe contava histórias dos seus tempos de cadeia em Buenos Aires, mas já não ouvia mais nada. Sentindo a boca salgada, dobrou-se sobre a murada, vomitando o jantar, o almoço, o café da manhã e tudo o mais que comera em toda a sua vida. Nunca se sentira assim. Lívido, sentou-se no deque, com a cabeça zonza e o corpo vazio.

— Isto é só o começo. Daqui a duas semanas acaba – disse Pirralho, entre risos, dando-lhe tapas nas costas.

Na noite seguinte, o vento norte cedeu, o mar se amainou. O navio ainda jogava, mas os passageiros já conseguiam cambalear pelo convés sem buscar apoio nas muradas. Tino e Pirralho levaram os instrumentos para a popa e, depois de muitas partidas abortadas, chegaram a um acordo: tocariam tangos e valsas, gêneros que os dois dominavam, sem descompasso. Embalado pela oscilação do paquete, o som da concertina e da rabeca convidava os passageiros da terceira classe a dançar, tropeçando uns nos outros, rindo, caindo de quatro sobre o deque.

Entre um tango e outro, Tino percebeu a presença de uma menina, de uns dez anos, com longas tranças, acompanhada por uma criada. Passageiras da primeira ou segunda classe, com certeza. Mantinham-se atrás da portinhola gradeada, onde um cachorro, com patas curtas e corpo comprido, se apoiava abanando o rabo. Tino mirou as estrelas e, ao retornar o olhar para as duas, viu que já haviam partido. Continuou a tocar a rabeca até altas horas, quando um oficial do navio deu cabo da festa. Ordenou aos músicos e imigrantes que voltassem aos seus aposentos, e que de lá não mais saíssem até a manhã seguinte.

Sob a luz de um lampião, Tino e Pirralho sentaram-se à mesa de jantar do porão, conversando em voz baixa para não incomodar os outros passageiros. Bebiam bagaceira, que, segundo Pirralho, era o melhor antídoto contra o enjoo. Quanto mais se bebia, menos o navio balançava. Diante da garrafa, comprada numa mercearia da rua da Alfândega antes do embarque, o português e o brasileiro discutiam a sorte e o azar. Na opinião de Pirralho, tais coisas não existiam. A sorte de uma pessoa poderia ser o azar de outra.

– Mas isso não os elimina – argumentava Tino, batendo com o copo na mesa.

Pirralho pedia silêncio, colocando o dedo sobre os lábios, segurando o charuto com a outra mão. Concordava. Talvez a sorte e o azar existissem. Não como fatores externos, absolutos, mas como a interpretação que cada um fazia das benesses e dos infortúnios da vida.

– Logo – respondeu Tino – eu sou um sujeito azarado.

– Tudo é relativo – argumentou Pirralho, servindo-se de uma nova dose.

O açoriano tomou fôlego para desenvolver sua ideia, mas hesitou. Com os olhos parados no ar, parecia buscar a linha de argumentação que se perdera com o último gole de aguardente. Depois, sem dizer palavra, meteu o charuto na boca, abriu seu alforje, tirando um pequeno saco de veludo carmesim, fechado por um cordão de couro. Desatou cuidadosamente o nó do cordão e virou o saco. Dois dados caíram sobre a mesa. Disse que fora presente de uma irlandesa, muito ruiva, de cabelos encarapinhados, que ele conhecera em Buenos Aires. Era dona do bordel que frequentava, escambando música por amor e carícias. Tino nunca tinha visto dados daquele tipo. O primeiro lembrava um dado normal: um cubo de madeira com seis faces numeradas.

– De marfim! – corrigiu Pirralho. – E o outro, vê bem, não tem números. Tem cores! Verde, amarelo e encarnado.

O açoriano explicou que eram dados mágicos. Que desde que os recebera de Mary O'Falagan... Parou de falar, olhou para o passado, bebeu outro trago. Desde que os ganhara da irlandesa, sua vida tomara rumos surpreendentes. Diante de encruzilhadas, jogava os dados, e tomava a sua decisão.

– Não há sorte ou azar. Só há dados. Lançados por mim, manipulados por Deus. É ele quem decide. Eu sigo o que ele me diz através dos dados.

– Deus? – perguntou Tino, desconfiando das palavras de Pirralho.

– Sim, Deus! O Deus do destino. Não esse teu deus de pecados e padrecos. Não me venhas com carolices. Deus sou eu, és tu, somos todos nós. Todos poderosos e, ao mesmo tempo, poeira insignificante do universo, sujeitos, inevitavelmente, aos humores do destino. Aí está o grande paradoxo!

Foi a vez de Tino botar o dedo sobre os lábios, pedindo que Pirralho falasse mais baixo. O português continuou. Disse que os dados o haviam libertado da dúvida. Deram-lhe até sentido à vida. Mas precisava saber usá-los. Não era tão fácil quanto parecia. A confiabilidade das respostas dependia da maneira como eram interpretadas, com nuances muito subjetivas.

– Por exemplo – dizia o português, segurando o charuto entre o anelar e o dedo mínimo. – Um gajo vai-se casar, mas tem dúvidas. Deve ou não se deve casar com aquela rapariga? Lança os dados. Sai-lhe o número três num dado, e a cor verde no outro. O que é que isto quer dizer?

Tino encolheu os ombros, esperando pela resposta.

— Ora, eu não faço a mínima ideia — respondeu Pirralho. — Nunca me casei, e tampouco me interessa casar. Portanto, não faria uma pergunta tão estúpida aos dados. Estás a ver?

Tino achou obscura a explicação de Pirralho, mas pensou que, talvez, houvesse bebido demais, e não conseguisse acompanhar o raciocínio do açoriano. Até nisso dera azar. Tinha ali, à frente de seus olhos, dados mágicos, que poderiam auxiliá-lo nas próximas decisões. Mas, curado do enjoo, não tinha condições de fazer uma pergunta coerente. Tentou se levantar, caiu sentado, tomou novo impulso, erguendo-se com mais força, desejando boa-noite a Pirralho. Entrou na cabine e, sem tirar os sapatos, caiu de bruços sobre o catre.

Após duas semanas de mar, vômitos, tangos e bagaceiras, Tino e Pirralho se despediram na chegada do vapor a Lisboa. Os viajantes do porão foram obrigados a esperar três horas para que os passageiros da primeira e da segunda classe pudessem sair do paquete. Só então Tino deu-se conta de que viajara no mesmo navio da família imperial. Debruçado à murada, assistiu ao desembarque do imperador, da imperatriz e do seu séquito. Diziam que o velho monarca estava muito doente; que aquela seria sua última viagem à Europa, em busca de tratamento médico. Os mais pessimistas apostavam que o imperador não voltaria vivo. Em seguida, desembarcaram os nobres, entre eles a menina, suas tranças, e a criada carregando o cachorro ao colo. Findo o desembarque das autoridades e passageiros com prioridade, Pirralho pôde finalmente descer.

— E não te esqueças do Rato Morto. *Le Rat Mort*! Procura o meu primo Adriano, o pianista. Boa sorte! — gritava o açoriano da lancha que o levaria ao lazareto de Lisboa.

Como pôde ser tão burro, pergunta-se Tino, de volta ao colchão, no frio da sua cela, depois que o gaiteiro se cansou, e a música no corredor se calou. Deita-se, cobrindo-se com o cobertor de lã, a cabeça apoiada sobre o braço. Até a chegada a Paris, tudo pareceu correr bem. O paquete zarpara de Lisboa, cruzou a baía de Biscaia e, logo depois, entrou pelo estuário da Gironda, subindo lentamente o rio até o porto de Bordeaux. Um cenário novo, inusitado, se descortinava à medida que o paquete avançava, soltando apitos de chegada. Quanto movimento, quantos barcos, chatas, veleiros, centenas, milhares de tonéis de vinho alinhados sobre o cais às margens do rio Garonne. Tino não tinha tempo a perder. Pela primeira vez na vida botava os pés na Europa. Surpreendeu-se com a fluência do seu próprio francês, não tendo dificuldades para entender o sotaque do sudoeste da França. Descobriu onde ficava a estação ferroviária e, com a leveza de quem só carregava uma mochila e uma rabeca, caminhou dois quilômetros sem parar para pensar. No guichê da companhia, comprou uma passagem de segunda classe no primeiro trem para Paris, com chegada na estação de Orléans. Esperou duas horas num café, bebendo sozinho uma garrafa de vinho. Merecia! Embarcou no trem às oito da noite, acreditando chegar na manhã seguinte. Dividia a cabine com quatro homens, mas, cansado, e ainda mareado, não teve energia para trocar mais do que algumas palavras cordiais. Boa noite, com licença, muito obrigado. Dormiu no catre mais alto do beliche, sonhando que estava no navio; que Noêmia lhe acenava de uma ilha perdida no meio do mar; que o oficial se recusava a parar o vapor; que uma menina de dez anos, com longas tranças, abria a mão e lhe mostrava dois dados coloridos, dizendo-lhe *"apúrate, tienes que partir, la suerte no tarda en llegar"*. Assustado, acordava com o movimento do trem, pensando que o navio naufragava. Nas inúmeras paradas entre Bordeaux e Paris, Tino percebeu vultos que entravam e saíam da cabine, passageiros que começaram a viagem em Bordeaux, mas desembarcaram a meio caminho, e outros que embarcaram no meio da viagem, saltando numa parada qualquer. Às oito e meia da manhã despertou, sentindo a cabeça lhe doer, ressacado pela noite longa e mal dormida. Estava só na cabine. Pela janela via homens em uniformes surrados que, puxando burros-sem-rabo, transportavam malas e canastras, enquanto alguns passageiros carregavam as próprias valises pela plataforma. Famílias se reencontravam, homens, mulheres e crianças se abraçavam. Tino não tinha ninguém à sua espera. Tampouco tinha bagagem. Sentia-se diferente, leve, livre. Saltou do beliche, espreguiçou-se, apanhou a caixa da rabeca, procurou a mochila. Onde estava a mochila? Puxou o lençol, empurrou o travesseiro, levantou o colchão, nada. Procurou pelo chão, embaixo dos beliches, do lado de fora da cabine, nada. Sua mochila desaparecera. Sua mochila e tudo que havia dentro dela. A carta e todo o dinheiro que recebera do padre Lalanne. Sua cabeça latejava, seguindo o ritmo do coração pesado, como se golpes de machado tentassem lhe abrir o crânio. Sentiu-se tonto, deixou-se cair sentado no catre, enterrou o rosto entre as mãos.

O que faria da vida? Como sairia daquela situação? Respirou fundo. Calma. Precisava manter a calma. Tremendo, sentindo as pernas bambas, pegou a caixa da rabeca e saiu da cabine. Procurava um funcionário da companhia. Encontrou dois. Uma dupla de agentes ferroviários com quepes, relógios e apitos. Abanaram a cabeça, não, não haviam encontrado nada. Apontaram-lhe o posto policial da estação.

Convidado a se sentar, Tino, gaguejando, sentindo as mãos trêmulas, contou sua história. O policial registrou a queixa, anotando seu nome completo, idade, nacionalidade, origem da viagem e destino final. Precisava de um endereço em Paris, caso a mochila reaparecesse ou um suspeito fosse detido. Tino prometeu voltar. Não tinha endereço, mas voltaria para saber se haviam encontrado algo.

Saiu do posto policial, sentou-se num banco da estação, sentindo no peito um vazio que lhe pesava uma tonelada. Afundava num mar de incertezas, cercado pela multidão desatenta, que, apressada, desfilava à sua frente, desembarcando de trens, chegando de lugares cujos nomes não lhe diziam nada. Afogava-se em lágrimas perante todos, com o rosto molhado, sem que ninguém o notasse. Preocupado, assoou o nariz, abriu a caixa da rabeca para se certificar de que ela ainda estava lá. Sim, estava. E, ao seu lado, algo inesperado: um pequeno saco de veludo carmesim, fechado por um cordão de couro.

Capítulo 8

Rodrigo desperta com batidas na porta. Batidas, não. Murros! Campainha de quem está desesperado, louco para entrar, ou tirar à força quem está dentro, se não for alarme de incêndio no edifício. Na escuridão do quarto, com janelas e cortinas fechadas, levanta-se com dificuldade, tentando encontrar o roupão. Veste-o pelo avesso, sai do quarto, topa na cadeira do corredor, derrubando a pilha de livros que ali acumulam poeira. Abre a porta, sente os olhos se ofuscando com a claridade da manhã que ilumina todo o hall do seu andar.

– Meu Deus! Ainda está na cama? – pergunta Jovelino, amassando as abas do chapéu.

– Se estivesse na cama não estaria aqui abrindo a porta – resmunga Rodrigo, tapando os olhos, sentindo-se ainda tonto, estremunhado.

– Esqueceu do seu pai?

Rodrigo encara o criado por dois segundos.

– Caramba! – diz, tapando a boca.

Jovelino entra, olhando ao redor, procurando algo que possa fazer para ajudar o sinhozinho.

– Não há tempo para o banho – conclui. – Vou descer. Assim posso distrair seu pai. Esperamos no fiacre.

– Diga-lhe que não me demoro! – grita Rodrigo, correndo para o quarto.

Jovelino desce as escadas, sai do prédio, entra no carro de praça estacionado poucos metros adiante, na esquina das ruas Balzac e Châteaubriand. Diz ao patrão que Rodrigo está pronto, descerá dentro de alguns minutos, pede perdão pelo atraso. O barão estala a língua, sem nada responder. Não suporta atrasos. Especialmente em família. O atraso de um sócio ou cliente pode sempre ser negociado. Dependendo do seu interesse, aceita atrasos como parte do jogo de poder. O comprador pode atrasar. O fornecedor, nunca. O sócio também pode, mas deve explicações. Se forem boas, do interesse da sociedade, está atrasado porque atendia um cliente inesperado, está perdoado. Senão, perde pontos. No dérbi imaginário que o barão criou, a perda de pontos pode levar à marginalização, ao ostracismo, quando não ao afastamento total de um sócio ou aliado. Em família, é ainda menos flexível. Acha inacreditável que alguém possa se atrasar para um compromisso na porta da própria casa, num sábado, às nove horas da manhã. Rodrigo perde cada vez mais pontos, inexoravelmente. Carvalho sopra a última baforada do cigarro, joga a guimba pela janela do carro, enquanto o filho se aproxima, correndo, segurando o chapéu, tentando fechar a casaca.

Entrando no fiacre, Rodrigo cumprimenta o pai, pede desculpas pelo atraso. O carro parte, saindo da rua Balzac, dobrando à direita na avenida des Champs-Élysées, subindo em direção ao Arco do Triunfo. Rodrigo pigarreia e, buscando assunto, explica que não se sentiu bem à noite. Fora dormir cedo, mas, mesmo assim, perdeu a hora. Quantas mentiras pode se contar de uma vez, numa só frase, matuta, após ter recebido do pai não mais do que um bom-dia seco, sem comentários ou sequer um olhar reprovador. Não sabe o que é pior. Um sabão em público ou aquele tratamento gélido, sufocante, que normalmente recebe do barão. Tanto faz. É o preço que paga por seus pequenos prazeres. Se pudesse, contaria a verdade. Mas o pai não tem o menor senso de humor, e não acha graça nenhuma no que tanto o diverte. Ri, finge que tosse, cantarola interiormente o hino nacional para tentar controlar o riso frouxo que lhe provocam as cenas da noite anterior. Até agora não entende como Edgar foi parar embaixo da mesa da madame Pompadour, ou seja lá como ela se chama. A noitada começara tranquila com um jantar no Maxim's entre dois amigos sóbrios e educados. A ideia fora dele, pois Edgar andava mal dos nervos por causa do livro que publicara no Brasil meses antes, sentando o cacete nos militares. Precisavam jantar num lugar calmo, onde os dois pudessem conversar. O livro caiu como uma bomba no governo de Floriano, e Edgar achou por bem voltar a Paris, antes que o fosse por mal, como tantos outros. Começaram o desabafo com champanhe, seguido de vinho ao jantar, e mais champanhe durante a sobremesa, encerrando com *chartreuse*, café e charutos.

Saíram do Maxim's depois da meia-noite, pegaram um carro de praça e foram até o apartamento da madame Hellewell, uma inglesa que se gabava de ter as mais belas meninas de Paris, debutantes, frescas, quando não, por um preço especial, imaculadas, virginais. Rodrigo deixou que Edgar fizesse o seu próprio negócio com a patroa. Ele, por sua vez, não perderia tempo. Sabia o que queria. Tinha sua preferida: Juliette Perrin. Menos fresca, nada virginal, mulher experiente, ex-cocota de nobres e milionários, que, endividada, encontrara refúgio no salão de Hellewell. Naquela mulher madura, Rodrigo encontrava a irresistível sensualidade da fêmea forte e dominadora, que o fazia sentir-se menino, brincando no seu colo pálido, um pouco flácido, que tanto prazer e conforto lhe proporcionavam.

– Vamos nos desinfetar – dizia Edgar, mais tarde, quando saíam do bordel. – Álcool! Precisamos de álcool! – gritava para as janelas escuras da madrugada.

Abraçados, serpenteavam pelo meio da rua, evitando, desequilibrados, o estrume dos cavalos. Chegaram ao Moulin Rouge, pediram champanhe, beberam a primeira, a segunda e a terceira garrafa, acompanhando o movimento da madrugada, divertidos com a fauna de novos-ricos, cocotas e músicos entre risos e piadas. Até que Edgar sumiu. Rodrigo se entretinha, puxando uma mulher para dançar, quando se deu conta de que o amigo não estava mais lá. Só mais tarde, quando já pagara a conta e se preparava para sair, encontrou Edgar desacordado, embaixo da mesa de uma mulher, que, ressonando profundamente, deixara a peruca pender para o lado, revelando sua cabeleira grisalha. Despertou Edgar com tapas na cara, ajudou-o a se pôr de pé, carregando-o porta afora, até conseguir parar um fiacre. Deixou-o em casa, em ceroulas, desmaiado sobre a cama. Que vergonha. Então, sim, senhor. Edgarzinho volta a Paris e, na primeira noite, já dá um vexame desses. Ainda terá muito o que rir quando, recuperado, Edgar lhe disser que não se lembra de nada. Que ele está inventando tudo isso.

– Soube por dona Hortência que Edgar está de volta – diz o pai, como se pudesse ler os seus pensamentos. – Estiveste com ele?

– Não... Chegou há dois dias. Mas ainda não nos encontramos.

– Achei que havia partido de vez para o Brasil.

– Era o plano. Mas publicou outro livro político e, dessa vez, resolveu voltar para Paris antes que os militares o desterrassem a botinadas.

– Esses Prates são engraçados – resmunga o barão. – Uns republicanos, outros monarquistas. Ao fim e ao cabo, nem eles se entendem. Enquanto isso, o Edgar continua brincando de fazer política. Monarquista de última hora, vivendo às custas da mãe.

Rodrigo prefere ignorar a observação do pai, sem dar continuidade à conversa. Sabe que não tem como se redimir concordando com o barão, fazendo de Edgar bode expiatório. E, se tentar defender o amigo, dará ao pai a impressão de falar em causa própria. Que o assunto morra aqui. Tem paciência. Seus planos darão certo e, mais cedo ou mais tarde, poderá se livrar das insinuações do barão.

O carro contorna a rotunda do Arco do Triunfo, virando à direita na avenida de Wagram. Jovelino, sentindo o silêncio sufocante entre pai e filho, pergunta se sabem quantos cavalos há em Paris.

– Sem contar consigo, deve haver milhares – responde Rodrigo.

O barão não acha graça nenhuma; Jovelino ignora a patada.

– Mais de cem mil – responde o criado. – Foi o que me disse o cocheiro outro dia.

– E ninguém para recolher essa bosta toda... – comenta Rodrigo.

– Não é pior que o Rio de Janeiro – emenda o barão.

– Lá pelo menos temos a brisa do mar – argumenta Jovelino, tirando um lenço do bolso para assoar o nariz.

O criado tem saudades do Rio. Gosta de Paris, mas desde que chegou à cidade não para de fungar e espirrar. Na primavera, espirra por causa das flores. No verão, por causa da poeira. No inverno, por causa do frio, da umidade, sabe-se lá por quê. Dona Ana Maria já disse que consultará um médico, mas aquilo já faz algum tempo. Pensa que, talvez, ela tenha esquecido. O barão não gosta que ele fungue o tempo todo, principalmente na frente dos convidados. Por isso, o criado pediu-lhe dinheiro para comprar uns lenços. Nada caro. Coisa vendida em lojas populares. Perpétua desdenhou. Disse que nunca vira preto usando lenço. Não sabia de nada. Era uma ignorante. Jovelino guarda o lenço no bolso superior da casaca. Aprendeu a deixar uma ponta discretamente à mostra, combinando a cor do lenço com o tom da camisa. Não chega a se vestir bem, ou, pelo menos, não tão bem como gostaria; suas roupas são modestas, ainda que impecavelmente limpas e bem passadas. Longe vai o tempo do preto roto, vestido com sacos de algodão. Em Paris, Jovelino exerce com elegância e orgulho sua função de mordomo dos Lopes Carvalho, quando não pajem do barão. Sobretudo agora que se mudaram para a nova casa na rua de Bassano, próxima à de dona Eufrásia. Uma casa muito maior que o apartamento temporário na Champs-Élysées. Um verdadeiro palacete, mais luxuoso que a casa da rua Santa Isabel, no Rio de Janeiro. Após a temporada no apartamento, dona Ana Maria tem, finalmente, espaço para alojar novas criadas. Contratou duas francesas para ajudar Perpétua na cozinha e nos serviços da casa. Pena que sejam tão antipáticas. A tal de Yvonne é insuportável. Nada a irrita mais do que passar as camisas puídas de um preto, sob as ordens de Perpétua. Francesa atrasada. Acha que no Brasil ainda há escravos. E só responde aos gritos, pensando que, assim, os dois entenderão aquela língua do capeta. Mas Perpétua foi esperta. Logo encontrou uma solução para os problemas de comunicação. Inventou um código, ora gesticulado, ora desenhado a lápis num caderno velho de Dodora. Um círculo significa "cozinhar". Um quadrado, "arrumar a casa". Um triângulo, "passar a roupa". Depois, o próprio Jovelino deu sua contribuição. Pintou o triângulo de preto: "Passar as minhas camisas".

– Agora que já comprou o palacete, o sinhô barão pretende comprar carro e parelha, ou cavalos de equitação? – insiste Jovelino, depois que a primeira conversa morreu na raia.

O barão acende um novo cigarro e, olhando pela janela, diz que não sabe. Não lhe falta vontade e dinheiro, mas ainda precisa averiguar o aluguel de baias nas cavalariças do Bois de Boulogne, fora a contratação de empregados e dos serviços de um veterinário. Na verdade, Carvalho não vê a hora de poder se juntar à alta sociedade parisiense em suas cavalgadas no parque. Lugar ideal para ser visto, não num carro de praça como aquele, mas no seu próprio landau; ou montado num puro-sangue que estivesse à altura da sua condição social. A compra do palacete já foi um primeiro passo naquela direção. O apartamento da avenida não deixava de ter seu charme, num dos endereços mais sofisticados da cidade. Mas uma família nobre não deve se apertar em imóveis coletivos, amontoados uns sobre os outros, mais apropriados para jovens solteiros, como Rodrigo, que mora só, num apartamento que lhe foi alugado por Eufrásia. O palacete da rua de Bassano responde a todas as suas necessidades. Um prédio de dois andares, com dezesseis cômodos, incluindo escritório, biblioteca e sala de música. Nos fundos, o imenso jardim gramado (onde se pode jogar *croquet*), a cocheira, a cavalariça para quatro animais e uma fonte em pedra, sustentada por querubins de bronze regurgitando jatos d'água. Tudo isso, escondido, no meio de Paris. Um verdadeiro oásis de luxo e natureza a poucos metros da avenida des Champs-Élysées.

– Faz-me bem sair de Paris – diz Rodrigo, metendo a cabeça para fora da janela, tentando disfarçar a fome e a discórdia entre o seu estômago e o chacoalhar do fiacre.

O carro passa pela Porta d'Asnières, entrando num subúrbio árido, sem maiores atrativos, salvo o ar fresco e o espaço aberto. Aqui ou ali, um depósito ou edifício de uma fábrica interrompe a linha do horizonte. À direita dos cavalos, seguindo na mesma direção, um trem avança rumo ao porto do Havre. Dez minutos depois, o cocheiro freia a parelha, estacionando o fiacre ao longo de um terreno vazio, no lado oposto à linha do trem.

– Estação de Clichy-Levallois – grita para dentro do carro.

Carvalho retira o relógio do bolso. Estão quinze minutos atrasados. Poderia ser pior. Pelo menos, é o comprador. O vendedor que o espere. Saltam do fiacre, batendo a poeira dos chapéus e das casacas, enquanto Jovelino assoa o nariz.

Rodrigo ordena ao cocheiro que os aguarde, enquanto o barão e Jovelino se adiantam, atravessando a rua em direção à estação. Além dos cargueiros que ligam Paris ao porto, a estação é servida por trens de passageiros, que aqui param para o embarque e desembarque da rarefeita população dos vilarejos contíguos de Clichy e Levallois-Perret. Mas, a essa hora, num sábado, a estação está deserta, fora um ou outro moleque que brinca correndo pela plataforma. Carvalho não tem dificuldades em identificar o corretor. O homem, de uns trinta anos, com chapéu, casaca e guarda-chuva, aproxima-se sorrindo, estendendo a mão.

– Bom dia! O senhor barão de Lopes Carvalho, eu suponho.

Carvalho cumprimenta o homem, sem perder tempo com amenidades. Quer informações detalhadas e precisas sobre o negócio. Onde fica o terreno, exatamente?

– Aqui – sorri o corretor. – Basta olhar para trás.

Surpreso, Carvalho vira-se, observando, do outro lado da rua, o terreno vazio, no mesmo lugar onde saltou do fiacre.

– Melhor localização não há. Os trens param aqui – comenta o corretor, apontando o chão com o dedo indicador – e a carga só precisa atravessar a rua para entrar ou sair do seu estabelecimento.

– E a alfândega?

– Há um controle internacional no Havre e outro aqui na própria estação, para a entrada de mercadorias na cidade. De modo que tudo pode ser feito a pé, entre o seu gabinete e o guichê da duana – explica o corretor, pontuando cada resposta, como se anunciasse um xeque-mate.

Seguidos por Rodrigo e Jovelino, os dois homens atravessam a rua, postando-se em frente ao terreno, demarcado pelo traçado das ruas que lhe fazem esquina. Carvalho cofia o cavanhaque, balançando a cabeça afirmativamente. Bate com a ponteira da bengala no chão, como se quisesse se certificar da firmeza do solo. E o tamanho do lote?

– São dois lotes, na verdade. Um total de mil e setecentos metros quadrados – responde o corretor, riscando o ar com a ponta do guarda-chuva para abarcar toda a dimensão do terreno.

Com uma área daquele tamanho, Carvalho calcula ter espaço de sobra para o seu projeto. E a localização, realmente, não poderia ser melhor. A poucos metros da estação, receberia mercadorias e escoaria a produção sem gastar um centavo em transporte entre a porta da empresa e a plataforma do trem. Além do mais, está a dez minutos de Paris e a meia hora da sua própria casa. Não que pretenda montar o seu escritório aqui, mas, no início, precisará estar presente para acompanhar as obras. Quando terminadas, sua autoridade e experiência ainda serão imprescindíveis nos primeiros meses de funcionamento do negócio. Enfim, mais vale estar fisicamente perto dos seus interesses, mesmo que, mais tarde, não volte a pôr os pés aqui. Falta-lhe, contudo, a informação primordial.

– Quanto? – pergunta, virando-se para o corretor.

O corretor pigarreia, espeta o chão com a ponta do guarda-chuva, respondendo que o terreno já foi analisado geologicamente. Apesar de estar próximo à margem do rio Sena, a terra é firme, permitindo a construção de qualquer tipo de edifício. Além disso, tendo em vista os planos do governo, está seguro de que qualquer licença requerida à prefeitura será aprovada sem maiores delongas. O subúrbio de Levallois-Perret, como se diz nos jornais, tem vocação para se tornar a futura zona industrial de Paris. Muitas empresas e fábricas já se anteciparam, instalando-se na região, principalmente a indústria de alimentos. E que, fique sabendo o senhor barão, foi aqui, em Levallois, que o grande engenheiro Gustave Eiffel estabeleceu o seu ateliê. Sim, senhor, Eiffel é um visionário. Foi um dos primeiros a se instalar nessa região, atraindo...

– Quanto? – insiste o barão.

– Ah... O vendedor acha que, devido às circunstâncias, um preço bastante razoável, veja bem, quase uma pechincha, por esses dois lotes, considerando o grande potencial de valorização...

Carvalho consulta as horas.

– ... seria cento e vinte mil francos – conclui o corretor.

– Cento e vinte mil francos?

O barão esclarece que perguntou o preço dos lotes, e não do terreno com o prédio já construído e pronto para funcionar.

– Com todo o respeito, o senhor barão compreenderá que toda esta zona anda muito cotada – explica o corretor, sem encarar Carvalho, mantendo os olhos no terreno vazio.

Diz ainda que, com os incentivos oferecidos pelo governo para livrar Paris das fábricas, a região está se industrializando rapidamente. Além disso, já há muita gente interessada nos lotes e, hoje à tarde, receberá mais três compradores. Enfim, se o nobre barão tem, como bem lhe parece, uma visão empresarial moderna, reconhecerá que aqui é o lugar onde deverá estabelecer o seu negócio para estar sempre à frente dos seus concorrentes...

– Diga a seu cliente que o preço está alto demais – corta o barão. – Se ele mudar de ideia que me procure – diz, entregando ao corretor um cartão de visitas. – Não pago mais do que sessenta mil francos. À vista.

Está dado o recado. Com um discreto gesto de cabeça, Carvalho ordena que Rodrigo e Jovelino reentrem no fiacre. Em seguida, despede-se do corretor com um breve aperto de mão, dizendo-lhe que voltará ao Brasil em duas semanas, tendo pressa, portanto, em resolver a questão. Senão, investirá em outro lugar.

– Voltamos ao Brasil daqui a duas semanas? – pergunta Jovelino, boquiaberto, depois que o fiacre partiu, sacudindo os três passageiros.

Carvalho acende um charuto e, sem responder a Jovelino, consulta seu relógio.

– Sábado, quinze de abril, às dez horas e quinze minutos. Vamos ver quanto tempo o senhor corretor vai levar para nos telefonar, oferecendo uma contraproposta – diz, como se falasse consigo mesmo.

O homem está doido, desdenha Carvalho. Cento e vinte mil francos por dois lotes. Valem, no máximo, cem mil. Mas não chegará a pagar tanto. Esses franceses têm manias de grandeza. Sobretudo quando se trata de dinheiro. Além do mais, devem ter feito suas pesquisas. O nome Lopes Carvalho ainda tem o seu peso no mercado financeiro brasileiro. E, na cabeça de um corretorzinho de imóveis, o título de barão deve ter lhe inflacionado ainda mais a cobiça. Um barão brasileiro em Paris, empresário, capitalista, grande produtor de café, naturalmente perdulário e irresponsável, enfim, todas aquelas ideias preconcebidas com os quais o barão se acostumou nos seus trinta anos de visitas à cidade.

— A que horas começa o dérbi? — pergunta Rodrigo, levando a mão à boca para roer a unha do polegar.

— Às onze e trinta. Temos tempo — responde Carvalho, sem olhar para o filho.

Levallois-Perret. Gosta do nome duplo. Ainda que os franceses prefiram a versão curta: "Levallois", município independente, na periferia de Paris. Saboreia o fumo do charuto, sentindo, no polegar, os detalhes do castão da bengala. Os ramos de café em rubis e esmeraldas. Correu tudo bem. Merece um prêmio. Depois das corridas, deixará aqueles dois tontos em casa e irá ao Automóvel Clube. Desta vez sem enguiços, pois Ana Maria ainda não retornou de Cannes. E Joséphine está à espera do seu Napoleão, que volta triunfante da sua primeira batalha sem hora para chegar em casa.

Capítulo 9

O sol ainda não se pôs quando chega o jantar. Desta vez não lhe passam a refeição por baixo da porta. Tino ouve o barulho das chaves, um carcereiro entra na cela, entregando-lhe a bandeja, enquanto outro mantém-se vigilante no batente da porta. Tino pergunta as horas ao guarda, que, sem relógio, diz que são aproximadamente sete e meia, enquanto recolhe a bandeja do almoço. Sem dizer mais nada, sai, cerra a porta, dando várias voltas à chave num procedimento, parece a Tino, muito bem ensaiado. Tudo é cronometrado. Trabalham calados, evitando qualquer comunicação com os condenados. Não vale a pena. Sobre o que conversariam? Sobre o frio daquela primavera? O resultado das corridas? Ou a programação do dia seguinte na sala da guilhotina? Foi condenado naquela manhã, sendo informado de que, normalmente, a sentença é executada em vinte e quatro horas. Há exceções, claro. Já ouvira dizer que, em alguns casos, a lâmina só caía dois dias após a batida do martelo. Tudo depende das circunstâncias, dos trâmites legais. A celeridade é uma questão humanitária. Quanto mais rápido se dá a execução, mais curto será o suplício do condenado. Não se espera por uma apelação. A sentença de morte é inapelável. Pede-se clemência, raramente concedida. E mesmo que o seja, sempre à última hora, a pena é comutada. Prisão perpétua, com trabalhos forçados na ilha do Diabo. A morte em doses homeopáticas.

Tino não nutre esperanças. Não vê motivos para que sua pena seja comutada. É estrangeiro, réu confesso, sem ter apresentado nenhuma circunstância atenuante. Sua vida termina ali, dando sequência lógica a todos os infortúnios pelos quais passou a partir do momento em que, anos atrás, se deitara com Mazé. Não que ela tivesse alguma culpa. Foi apenas uma peça na engrenagem que o levou àquela situação, como o foram, depois dela, o desaparecimento de Leocádia e a fuga para a França. Naquele momento, quando pensava que o pesadelo chegava ao fim, ele estava apenas começando: com o roubo da sua mochila, a perda do dinheiro e da carta, e tudo que aconteceu depois – ainda que a carta, bem-intencionada, pouco poderia tê-lo ajudado.

No envelope, o padre Lalanne escrevera o nome do destinatário em letras claras e garrafais – LOUIS BARDET. Só não escrevera o endereço. Lalanne sabia que Bardet se mudara do Havre para Paris, mas, desde então, não tivera mais notícias do amigo. Confiava na inteligência de Tino para procurar o nome do pai na prefeitura, no almanaque do comércio, numa lista qualquer de empresas importadoras de café. Não seria difícil.

Sem dinheiro, sentado num banco da estação de Orléans, Tino enterrava a cabeça nas mãos, olhando a ponta dos sapatos sujos e carcomidos. Não poderia sair dali, naquele estado, para bater à porta de um Louis Bardet que mal supunha sua existência. *Papá, cheguei!* Precisava se preparar, encontrar hospedagem, comer. Estava com fome. Lembrou-se de Pirralho, e do café do Rato Morto. Dissera que o restaurante ficava em Pigalle. Mas como se chamava o primo? Antônio? André? Adriano!

Saiu da estação, pediu informações, caminhou pela margem esquerda do Sena, seguindo a correnteza em direção ao centro da cidade. Atravessou o rio pela ilha de la Cité, parando para admirar as torres de uma igreja descomunal. Não lhe eram estranhas. Já as havia visto em alguma ilustração. A catedral, claro. Que pena. O padre Lalanne falara-lhe tanto dela... Depois, dera-lhe de presente *O corcunda de Notre-Dame*, que Tino leu à luz de vela, com olhos esbugalhados, sem conseguir fechar o livro. Previa um encontro mais emocionante com a igreja, cenário das suas fantasias infantis, dos seus pesadelos com gárgulas e quimeras monstruosas. Mas, agora, naquela situação, sentia-se distante, como se o edifício não passasse de um templo sombrio e indiferente às suas tribulações.

Alcançando a margem direita do Sena, pediu novas informações, ziguezagueou por ruas e avenidas que se cruzavam em linhas oblíquas, formando quadras enviesadas, esquinas enganosas. Sentia-se desorientado, como num labirinto de pedra habitado por uma multidão de seres mitológicos, todos bigodudos, todas enchapeladas. Andou por quilômetros como, diria Noêmia, "o cão da pata queimada". Nunca imaginara que uma cidade pudesse ser tão extensa, emaranhada, apressada, com milhares de cavalos, carruagens, bondes, ônibus, bicicletas, subindo e descendo os bulevares, cortando-se uns aos outros, atravessando cruzamentos impossíveis. Dos prédios, pouco se via por detrás da cortina de cartazes e reclames. Tudo se vendia, se comprava, se anunciava, aos berros, a plenos pulmões. Maçã de Lyon! Alcachofra da Bretanha! Café, chocolate quente! Leite tirado na hora!, gritava um velho, guiando uma dúzia de cabras, espavoridas com o rebuliço das ruas.

De repente, uma clareira, uma rua mais larga, a praça Pigalle. Lá estava, na esquina da rua Frochot, como lhe haviam indicado, *Le Rat Mort*. O café do Rato Morto, aberto noite e dia, logo abaixo de um consultório dentário que prometia cirurgias indolores, sob o efeito anestésico da cocaína. Tino entrou no restaurante na hora em que, após o café da manhã, havia pouco movimento. Perguntou ao garçom se ele conhecia Adriano, o pianista. Atarefado, o homem não parou para lhe dar atenção. Resmungou, arrumando as mesas para o almoço, que Adriano só chegaria à noite. Depois das oito. Tino agradeceu, saiu do restaurante calculando que teria pela frente dez horas de espera, dolorosamente alongadas por um estômago vazio. Atravessou a rua, sentou-se num banco da praça, próximo ao chafariz. Observava os passantes, mulheres graciosas, com chapéu e sombrinha; homens esguios, de paletó e gravata; e um cão, só de gravata, andando sobre as patas traseiras. Atrás dele, um menino maltrapilho tocava a gaita. As pessoas paravam, achavam graça, jogavam moedas dentro de um chapéu. Se tivesse um cachorro faria o mesmo. Isto era, se ele quisesse usar gravata e andar nas patas traseiras. Senão, quem não tinha cão caçava com rabeca.

    Tino se afastou uma centena de metros, em respeito ao palco do cachorro bípede, e montou o próprio espetáculo. Com muita reverência, colocou no chão o chapéu que ganhara do padre Lalanne, ajeitou a rabeca sobre o ombro esquerdo e atacou um maxixe, que deixou os transeuntes intrigados. Paravam, balançavam a cabeça, acompanhando aquele ritmo exótico. Davam-lhe uma moeda, duas, três, que tilintavam dentro do chapéu. Em poucas horas de trabalho tinha ganho o suficiente para comprar um pão, uma maçã e ainda guardar alguns francos. Comeu, sentado num banco, com a fúria de quem aplacava a dor que lhe corroía as entranhas. Mal tinha chegado à França, ganhara os seus primeiros trocados, após perder uma fortuna. Calculou por alto que, para recuperar o dinheiro do padre Lalanne, precisaria tocar a rabeca dez horas por dia, sete dias por semana, durante dezenove anos. Até lá, Leocádia teria reaparecido. Ele poderia voltar com a segurança de ter o seu nome limpo, e com o dinheiro necessário para terminar a reforma da igreja. Depois, riu. Gargalhou de si mesmo, da sua própria desgraça. Deitou-se no banco, dormiu, abraçado à rabeca, com a boca e os bolsos abertos, com a tranquilidade de quem não tinha mais nada a perder.

    Acordou sobressaltado quando, ao cair da noite, sentiu a ponta de um sapato cutucando-lhe a perna. Um guarda. Que saísse dali. Banco de praça não era cama de vagabundo. Tino levantou-se pedindo desculpas, saiu andando, decidido, como se soubesse para onde ia. Perguntou as horas a um passante, tomou o rumo do Rat Mort. Pouco antes das nove entrou no bar, perguntando a outro garçom por Adriano. Sem lhe dirigir o olhar, o garçom apontou-lhe com o queixo uma mesa, no final do bar, onde dois homens jantavam. Tino se aproximou, pedindo-lhes licença para interromper a conversa. Um barbudo, de cabelos desgrenhados, lhe respondeu que Adriano não estava. Se ele quisesse poderia lhe deixar um recado.

    – Mas ele trabalha hoje à noite, não? – perguntou Tino, desapontado, enquanto o segundo homem ria.

– Talvez. Nunca se sabe – respondeu o primeiro, repetindo que ele poderia deixar recado.

Tino explicou-lhe em poucas palavras que era amigo de Pirralho, um açoriano que tocava concertina; que o conhecera num navio, e que gostaria de se encontrar com Adriano.

– Então és brasileiro – sorriu o barbudo, falando em português, convidando-o a se sentar. – Sou o Adriano, primo do Pirralho – disse, apertando a mão de Tino enquanto o garoto puxava a cadeira. – Mas prefiro manter um certo anonimato. Para evitar o assédio, estás a ver? Há sempre pessoas mal-intencionadas neste mundo. Nunca se sabe.

Tino esboçou um sorriso. O homem perguntou-lhe por Pirralho – aquele ganda cabrão! – e, depois, se estava com fome. Pediu que Robert, o patrão, lhe servisse do mesmo, espaguete à napolitana, com pão e muito vinho. Tino comeu com dificuldade, tentando garfar aqueles fios escorregadios, afogados em molho de tomate. Entre uma bocada e outra, com macarrão escorrendo-lhe pelo queixo, resumiu sua história. Disse a Adriano que estava à procura de seu pai; que fora roubado, não tinha mais um centavo; não tinha onde dormir.

– Não estás sozinho! – disse Adriano, rindo. – É o que mais há nesta cidade. Gente com fome, com frio, sem ter onde dormir. Não caíste no conto da Cidade-Luz, pois não?

Tino ergueu os ombros, mastigando o macarrão, sem saber o que responder.

Adriano explicou que o glamour de Paris era só a ponta do iceberg. Abaixo da linha da água, ele descobriria a enorme, gigantesca verdade. Não havia ricos, milionários, sem que houvesse pobres explorados por eles. Sob a camada visível do luxo e da ostentação, estava a massa de operários e indigentes. Famílias miseráveis, amontoadas em cortiços, caçando gatos para alimentar crianças famintas.

– Bem-vindo a Paris! – encerrou Adriano, rindo, levantando-se da mesa, puxando o longo guardanapo que mantinha preso à gola da camisa. – Vamos à música!

O café já estava cheio quando Adriano se sentou ao piano e, acompanhado pelo colega, que tocava a viola, atacou uma cançoneta de revista. A música alegre, com letra picante, rica em duplos sentidos, fazia os frequentadores rirem, gritarem de uma mesa para outra, lançando entre si provocações e desafios.

Já passava da meia-noite quando os músicos fizeram um intervalo, sob as vaias de uma clientela cada vez mais ruidosa, embalada por um mar de vinho, cerveja e absinto.

– Acorda, Cinderela – disse Adriano, sacudindo Tino, que dormia debruçado sobre o balcão do bar. – Rua Lepic, número doze – disse-lhe, passando duas chaves presas por uma argola. – Fica a três quarteirões daqui. Seguindo à esquerda pelo bulevar, é a última rua antes do Moulin Rouge. Não tranques a porta. Sabe-se lá a que horas vou chegar. Dorme onde achares melhor, mas deixa a cama para mim.

No dia seguinte, por volta das onze da manhã, Tino saiu do cômodo em que Adriano se hospedava, fechando a porta suavemente para não perturbar o sono do português, que, na cama, roncava ruidosamente, em sintonia com a respiração de uma mulher deitada a seu lado. Depois que saíra do restaurante, não teve dificuldade em encontrar o cortiço onde morava Adriano em Montmartre. Abriu a porta, sentiu um forte odor de tabaco, deitou-se num sofá rasgado e destroncado, apoiado contra uma parede nua, de frente a uma cama de casal. Agora, pela manhã, saía em busca de algo para comer, com as moedas que lhe sobraram do dia anterior. De pé, bebeu café num bar, completando a refeição com meia baguete de pão comprada na padaria. Estava pronto para começar o dia, decidido a encontrar Louis Bardet. Foi a um posto do correio, consultou a lista telefônica, encontrando uma BARDET & BARDET SOCIEDADE IMPORTADORA DE PRODUTOS ALIMENTÍCIOS. Anotou o endereço, pediu informações e seguiu a pé até a estação de Saint-Lazare, próxima, segundo lhe disseram, da rua de Milan, onde ficava a sede da empresa.

Passando por um portão de madeira, Tino entrou no átrio do edifício e, seguindo as placas com os nomes das firmas, chegou ao segundo andar, por uma escada estreita e escura. No hall pouco iluminado, uma placa enferrujada confirmava o endereço: BARDET & BARDET – CAFÉ, AÇÚCAR, FRUTAS EXÓTICAS. Bateu à porta e, após alguns minutos sem obter resposta, soou a campainha da firma ao lado, um escritório de advocacia. Um homem de cabeleira grisalha, paletó, colete e gravata-borboleta abriu a porta, inspecionou-o de alto a baixo, perguntando o que desejava. Tino explicou que precisava falar com alguém que trabalhasse na Bardet & Bardet, mas, aparentemente, não havia ninguém lá.

– Está fechada já faz algum tempo. Encerraram o negócio no início do ano, quando um dos sócios morreu.

– Morreram?

– Só um. O Bardet mais velho. O Louis. Depois o irmão dele fechou as portas e se mudou para a Argélia.

– Argélia?

– Sim. Não sabia? Dizem que há muitas oportunidades por lá – respondeu o velho, dando a conversa por encerrada.

Tino agradeceu, a porta se fechou. De novo, leu a placa da empresa, BARDET & BARDET, repetidas vezes, CAFÉ, AÇÚCAR, FRUTAS EXÓTICAS, até que a luz sobre a sua cabeça se apagou. Tateou a parede à procura de um interruptor, em vão. A lâmpada estava queimada. Tino passou seus dedos pelas letras gravadas no metal, como se lesse o nome do pai em braile. À meia-luz, sentou-se na escada, matutando. Era agora, oficialmente, órfão. De pai e de mãe. Não sentia a perda. Tristeza tampouco era a palavra. Sentia-se só.

Saiu do prédio, virou à direita, caminhando sem direção. Pelas condições em que Adriano vivia, Tino deduziu que o músico não teria como o ajudar. Já achava embaraçoso ter lhe pedido um lugar para dormir. Não conseguia se imaginar pedindo-lhe dinheiro emprestado. Mas, talvez, Adriano permitisse que ele tocasse a rabeca no Rat Mort. Assim, poderia garantir, ao menos, uma refeição por dia. A refeição do dia. Senão, poderia lhe recomendar outro café ou restaurante, onde precisassem de um rabequista. A rabeca, de qualquer modo, era sua garantia. Seu único bem, sua tábua de salvação da morte pela fome. Senão, haveria sempre as latas de lixo, pensou Tino, vendo um grupo de rapazes que escarafunchava a lixeira na porta dos fundos de um restaurante. Aproximou-se e, tentando ver o que buscavam, levou um safanão.

– Isso aqui tem dono, palhaço! – disse o rapaz que o empurrou.

Um homem mais velho se aproximou, oferecendo-lhe outra lixeira por um franco.

– Como?

O homem explicou que era o porteiro do edifício e, se Tino quisesse, poderia ter uma lata de lixo só para si. Exclusividade de acesso. Um franco por lixeira. Se tivesse sorte poderia até encontrar pó de café.

– Café? – perguntou Tino.

– O café coado dos restaurantes. Vale um bom dinheiro no mercado.

– E quem vai comprar pó de café molhado?

O homem percebeu que Tino não conhecia a arte de viver nas ruas. Explicou-lhe que muita gente pagava para ter acesso às lixeiras, não só em busca do que comer, mas de qualquer coisa que pudesse ser vendida ou reaproveitada.

– O pó de café, por exemplo, pode ser revendido em Levallois-Perret – disse-lhe, abrindo uma lata de lixo para que Tino inspecionasse o seu interior. Além disso, havia garrafas de vidro, tecidos, pedaços de couro... Nada se perdia, tudo se transformava em moedas nas mãos dos trapeiros.

Convencido, Tino investiu seus últimos trocados no lixo. No primeiro dia, deu sorte. Encontrou uns três quilos de pó de café em apenas duas latas. Mas logo se deu conta de que os ratos não respeitavam o acordo de acesso exclusivo. Volta e meia abria uma lata e encontrava um camundongo intrujão, que o encarava aflito antes de desaparecer no fundo da lixeira.

Aos poucos, trocando o som da rabeca por pratos de comida, e pó de café por um punhado de moedas, Tino passou a conhecer a rotina dos bares e restaurantes. Sabia quais jogariam pó de café no lixo, e a que horas. Informações privilegiadas que logo lhe garantiram o domínio do mercado perante seus concorrentes, bêbados ou desesperados demais para adotarem alguma estratégia.

Nos dias de menos sorte, achava um ou dois quilos de café molhado. Preferia, então, estocá-los para vendê-los mais tarde, de uma só vez, não perdendo tempo com a viagem até Levallois, onde, como lhe haviam dito, instalavam-se fábricas de massas, biscoitos, chocolate em pó e usinas de torrefação de café.

Quando o estoque de alguns dias se acumulava, variando entre cinco e dez quilos de café, Tino o levava a Levallois, carregando-o numa bolsa de tecido que encontrara na lixeira. Se pegasse o trem, perderia no custo da passagem boa parte dos seus ganhos. Mais valia ir a pé, andando uma hora de Saint-Lazare até a torrefação, onde, por uma porta lateral, no fim de um corredor escuro, entregava o pó, recebendo um franco por quilo. Depois, quando bebia café num bar de Pigalle, perguntava a si mesmo se aquele café não teria sido feito do pó adulterado que ele ajudava a produzir. E se, no final daquele dia, ele recolhesse aquele pó reutilizado para vendê-lo outra vez, quantos cafés seriam bebidos com o mesmo pó? Achava que os próprios fraudadores deveriam estabelecer um controle de qualidade para não comprar o mesmo pó de café mais de uma vez. Senão, o café de Paris do pó viria e ao pó voltaria, eternamente.

Três semanas foi o quanto durou a sua carreira como trapeiro. De manhã, garimpava café no lixo, disputando o achado com ratos e malandros que tentavam fuçar as suas latas. À noite, tocava num ou noutro café de Pigalle, recebendo pão, queijo e vinho como pagamento, quando não uma sopa ou, nos melhores dias, um prato de macarrão. Mais tarde, voltava às latas de lixo, trabalhando madrugada adentro, em busca do café servido nos jantares, até que, sujo e exausto, recolhia-se ao cortiço da rua Lepic graças à generosidade de Adriano.

Quando, emagrecido e macerado, sentia que o ânimo e as forças começavam a lhe faltar, Tino descobriu um anúncio na porta de uma fábrica em Levallois-Perret. Um ateliê de metalurgia precisava de trabalhadores com ou sem experiência. Após vender o café daquele dia, voltou à fábrica, informou-se na guarita e foi enviado ao gerente da oficina, Denis Auclair, um homem com óculos de lentes grossas, cabelos crespos que começavam no alto da cabeça e lhe escorriam encaracolados pela nuca, usando um guarda-pó cinza, amarrotado e encardido, que lhe dava um ar de cientista alienado. Auclair perguntou a Tino se sabia fazer algo e, diante da negativa, disse-lhe que havia vagas nos serviços gerais.

– Precisamos de muita gente. Estamos construindo a maior torre do mundo. Uma obra demorada, que vai dar emprego a centenas de homens – explicou o gerente, com voz de barítono, mostrando a Tino o galpão, aparentemente caótico, onde peças e vigas eram encaixadas umas nas outras, formando as seções de um quebra-cabeça que levaria dois anos para ser montado.

O tamanho do salário não se media pela altura da torre, mas, com certeza, valia mais do que vender pó de café roubado dos ratos. Fecharam negócio. Concordaram que Tino começaria no dia seguinte, trabalhando na pintura da fachada, onde o nome da empresa, GUSTAVE EIFFEL & COMPANHIA, começava a desbotar.

Capítulo 10

Quando o fiacre chega ao palacete da rua de Bassano, Carvalho salta, achando estranho que haja outro carro estacionado no jardim. Sobe a escadaria da frente e, abrindo a porta, dá de cara com Perpétua.

– Ainda bem que o sinhô chegou. Dona Ana Maria não está nada bem.

O barão pergunta o que está acontecendo, de quem é o carro na entrada do palacete.

– É do médico. Foi dona Eufrásia que chamou. Está toda a gente lá em cima. Foi por causa da Mariana…

Carvalho não espera que Perpétua termine o seu relato. Sobe rápido as escadas, entra nos aposentos da mulher, mergulha na penumbra das cortinas cerradas. Eufrásia pede-lhe silêncio com o indicador nos lábios, levando-o de volta ao corredor. Falando baixo, explica que, agora, Ana Maria está bem, mas foi acometida de uma terrível dor de cabeça depois de receber a notícia. Um telegrama.

– A Mariana perdeu o bebê. Outra vez.

– Que tristeza… – desabafa Carvalho, balançando a cabeça.

– Como ninguém sabia onde estavas, Perpétua me telefonou, e eu achei por bem chamar o meu próprio médico – explica Eufrásia, torcendo as mãos.

Um homem calvo, de cavanhaque grisalho, sai do quarto, fechando a porta suavemente atrás de si.

– Ah, doutor Hilário de Gouveia – diz Eufrásia, apresentando o médico ao barão.

Carvalho escuta a explicação do médico, que, com as mãos nos bolsos, diz que não se trata de nada grave. Dona Ana Maria se chocou com a notícia da filha, tem agora uma enxaqueca, coisa de senhoras. Receitou-lhe umas pastilhas de terebentina. Estará recuperada dentro de, no máximo, três dias.

O barão agradece, conhece as enxaquecas da mulher, que sempre foi muito sensível aos impactos emocionais. Depois, curioso, pergunta ao médico sobre a sua situação.

– Acompanhei o seu drama pelos jornais – completa, oferecendo-lhe um cigarro.

Gouveia agradece, acende o cigarro, dizendo que o pior já passou, mas ainda está se recuperando do trauma. A fuga da prisão, o pedido de asilo à França, só agora a família começa a se recompor em Paris.

– Imagine, o senhor, que o Brasil é o único país do mundo que persegue um médico por ter respeitado o juramento de Hipócrates – diz Gouveia. – Eu nada mais fiz do que salvar vidas humanas. O problema é que elas combatiam a ditadura do Floriano, o que me valeu a prisão, sendo acusado de traição.

Por fim, graceja.

– Agora, chego a Paris e, na minha idade, precisei fazer exames para provar a minha competência junto às autoridades médicas francesas.

Mas tudo correu bem e, desde então, tem podido clinicar normalmente. Aliás, está aproveitando a estada na Europa para fazer cursos de especialização, participar de congressos, enfim, da infelicidade do exílio tirará alguma vantagem. Buscará oportunidades para o seu desenvolvimento profissional e científico. Além, claro, de rever velhos amigos, como Eufrásia e a princesa Isabel, ou, como agora prefere ser chamada, a *condessa d'Eu*.

– E o senhor não teme um pedido de extradição do governo brasileiro? – pergunta Carvalho, tentando sondar o médico.

Gouveia explica que, no seu caso, sente-se relativamente seguro. O governo francês aceitou o seu pedido de asilo político. Será eternamente grato ao encarregado de negócios da França no Rio de Janeiro que, conhecendo a tirania do marechal Floriano, interveio diretamente na questão. De qualquer modo, e apesar da eleição de Prudente, a situação no Brasil ainda é delicada. Há vários pedidos de extradição em trâmite. O Motta Barroso, por exemplo, pode ser preso a qualquer momento.

– Estive com ele ontem – blefa Carvalho. – O homem está transtornado.

– O problema dele é grave – diz Gouveia, premendo os lábios, arqueando as sobrancelhas. – A meu ver, a questão é controversa. Verdade que pode haver motivação política. Afinal, ele era muito próximo do Deodoro. Mas, por outro lado, os indícios de fraude financeira são fortes, não deixam muita margem para dúvidas. Neste caso, se o estelionato for confirmado, a França não hesitará em prendê-lo. Acatarão sem demora o pedido de extradição – conclui, coçando a calva com a mesma mão que segura o cigarro.

À medida que Gouveia considera a desventura de Motta Barroso, Carvalho sente a mão suada e a respiração ofegante. Conhece bem os pormenores do processo. E a opinião do médico, pragmática e pessimista, deixa-o mais inquieto do que aliviado. Disfarça o desconforto, agradecendo-lhe a visita. Faz-lhe um cheque, acompanha-o até a porta enquanto Jovelino lhe traz o chapéu. O barão seca a mão discretamente na calça antes de oferecê-la a Gouveia. Despedem-se prometendo que se verão em breve, na festa da condessa.

Carvalho manda Jovelino lhe preparar um banho. Ainda no térreo, serve-se de uma dose de uísque no bar. Anda em círculos, segurando o copo na mão direita, metendo a esquerda no bolso. Mariana sofreu um novo aborto, mas isso, agora, pouco o preocupa. A filha leva uma vida segura, entre o Rio de Janeiro e São Paulo, ao lado do marido, um fazendeiro próspero, ainda que irrelevante. O que realmente o inquieta é o seu próprio futuro. A aventura da Companhia Meridional de Habitação chegou ao fim. Dentro de uma semana, ele será julgado à revelia no Rio de Janeiro. Gostaria de falar com Motta Barroso. Está em Paris. Mas sabe Deus onde. Seu caso é muito semelhante ao dele. A diferença é que Barroso, na presidência da Companhia Geral das Estradas de Ferro, vendeu debêntures ao público, garantidas por um empréstimo inglês. Segundo o inquérito, o empréstimo não cobria nem metade do valor total das debêntures ou, pior ainda, talvez não tenha sequer existido. Até ele, Carvalho, perdeu dinheiro naquela trapalhada. Coisa malfeita, cheia de brechas, que descarrilou a companhia, arrastando milhares de acionistas e investidores pelos trilhos da bancarrota. Agora, Carvalho quer mais informações. Não sobre a jogada em si, mas sobre suas consequências legais e criminais. Quer detalhes sobre os procedimentos do Ministério Público, o trâmite dos papéis, os prazos entre as diferentes etapas do processo. Volta ao bar, serve-se de mais uma dose de uísque, misturando o gelo com o dedo. No seu caso, pelas mãos de quem passará o processo da Meridional? Alguém com quem ele possa contar? Algum amigo ou aliado cuja influência tenha sobrevivido aos desmandos do marechal Floriano? Quando estiver melhor informado, achando necessário, contratará um advogado na França. Os conselhos de Ruy Barbosa são valiosos, mas precisa estar preparado. Com um advogado francês, pronto para defendê-lo contra um eventual pedido de extradição, estará dois passos à frente dos seus inimigos.

– O banho do sinhô barão está pronto – anuncia Jovelino, encontrando o patrão cabisbaixo, meditabundo, mirando o tapete sem nada ver.

Passando pelo quarto de Ana Maria, Carvalho para à porta, hesita, entra sem fazer barulho. Dá um beijo na testa da mulher, dizendo-lhe que a filha ainda é jovem, terá outras oportunidades. Que ela, Ana Maria, relaxe, para ficar logo melhor. Quem sabe precise de novas férias em Cannes? Depois, retira-se e, já na banheira, ensaboa o pênis, pensando em Joséphine. Que mulher! Salvou o seu casamento. Sim, senhor. Nada melhor do que uma amante para manter a estabilidade e harmonia de um matrimônio. Alguém já disse: "Marido que tem amante não trai". Uma atitude nada comparável, obviamente, à promiscuidade, à libertinagem na qual anda Rodrigo. Solteiro, apesar da idade, o filho fez aquela opção por uma vida desregrada, de muitas mulheres e pouca satisfação, que confirma sua frivolidade, sua falta de caráter. Carvalho, não. Sua escolha foi pelo casamento seguro, duradouro, ancorado nas mais antigas tradições de família e negócios. Uma união cuja solidez reside na existência de uma amante. É ela, Joséphine, que faz a terceira ponta do triângulo, que dá base àquela figura geométrica, permitindo que ela reste de pé. Sem Joséphine, não haveria variedade, fluidez na sua relação com Ana

Maria. Seria uma coisa estática, uma espécie de linha vertical, ligando o ponto A ao B, que, fatalmente, se desequilibraria, tombando para um lado ou para o outro. Além do mais, Joséphine é francesa. E isso faz uma tremenda diferença. Manter uma amante em Paris significa uma despesa que poucos brasileiros podem bancar. Já lhe comprou um pequeno apartamento (grande o bastante para os dois); manda-lhe flores toda semana (mesmo no inverno); mantém seu toucador pleno de novos perfumes, cremes, pós de toda espécie que Joséphine utiliza para acentuar sua beleza natural, aquela pele branca, os olhos verdes, o nariz delicadamente arrebitado, os cabelos ruivos (na cabeça e no púbis). Jantam nos melhores restaurantes, com o cuidado, claro, de usar as cabines privativas. Agradece a Deus por tamanha felicidade. Um mulherão. Que corpo, que gozo! Se não fossem por esses aborrecimentos do processo, diria que sua vida se aproxima do clímax. Depois da tormenta no Rio de Janeiro, a bonança. Nobreza, casamento estável, patrimônio incalculável, amante francesa, Paris! Só lhe falta a concretização do projeto de Levallois-Perret, que lhe assegurará uma posição de prestígio junto à nata da sociedade francesa. Aposta que o corretor lhe telefonará na segunda-feira. De manhã.

Quarta-feira, e o telefone ainda não tocou. No seu escritório, contíguo à biblioteca, o barão anda nervoso, de um lado para o outro, estalando os dedos, acendendo um cigarro na guimba de outro. Perpétua já se acostumou àquelas suas fases, quando, por algum problema nos negócios, ele se torna taciturno, impaciente; só não precisava ser tão grosseiro.

— Traga-me mais café! — manda, ríspido, quando a criada vai ao escritório trocar os cinzeiros.

Perpétua revira os olhos, travando a resposta que chegou à ponta da língua. Vá você, buscar o seu café, sujeito malcriado! Pensa que ainda sou sua escrava? Mas, não. Abafa a raiva com um suspiro, levando para a cozinha o cinzeiro cheio, uma xícara suja e um mau pressentimento. Não sabe dizer exatamente o que a incomoda. É como uma angústia gratuita, vinda do nada. Um sentimento de pesar antecipado, quando, na verdade, tudo lhe parece bem. Fora aqueles espirros impertinentes, Jovelino anda menos ensimesmado, come bem, esbanja saúde, assim como Rodrigo e Dodora. Dona Ana Maria, nem tanto. Saiu da sua caverna, mas, às vezes, preocupa a criada. Perpétua se indaga se o que falta à patroa não é um pouco de ar puro, de luz natural, de uma vida mais ativa. A patroa retornou das férias em Cannes bem-disposta. Mas, depois que Mariana perdeu o bebê, voltou a cair naquele marasmo angustiado, que embaça as suas tardes, quando zanza ociosa pelos cômodos do palacete. Parece uma flor que murcha antes da hora.

– *Ça va pas?* – grita Yvonne, passando pela cozinha, com um espanador à mão, enquanto Perpétua analisa o interior de uma xícara suja de café.

Sem entender a pergunta da francesa, Perpétua responde-lhe com um gesto de ombros. Que mania tem essa mulher de lhe falar em francês, e sempre aos berros. Bem que a patroa diz: "Quanto menos educação, mais alto se fala". Logo volta a examinar as manchas de café no fundo da xícara usada pelo barão. Olhando por aquele ângulo, parecem, quiçá, o mar. Umas linhas curtas e sinuosas, como se fossem ondas. Mar revolto? Problemas? Mas, girando a xícara, as manchas lhe dão a impressão de fumaça, fogo, labaredas. Conflitos?

– O barão e dona Ana Maria não jantam em casa hoje – anuncia Jovelino, entrando na cozinha.

Perpétua pede ao marido que olhe a borra do café. O que é aquilo?

Jovelino mira dentro da xícara.

– Hum... que estranho. Parecem minhocas. Sinal que terás infortúnios pela frente: um pito do patrão porque ainda não mandaste outro café para ele. O homem anda muito azedo – avisa. – E deixa de crendices, que isso é coisa de gente atrasada – emenda, devolvendo-lhe a xícara.

Perpétua ignora a picuinha do marido. Analisa a borra pela última vez, antes de lavar a xícara, com o olhar perdido sobre os azulejos da cozinha. Se se trata de um problema de saúde, teme pela patroa, enterrada viva em sua melancolia. Se for caso de dinheiro, aposta nos negócios do barão, que já anda muito nervoso, dando sinais de que algo não vai bem.

Que o problema diga respeito a Dodora, Perpétua não pode sequer imaginar. Saudável e alegre, a menina anda excitada com a chegada do seu aniversário. Fará dezessete anos, mas abre mão da festa. Na verdade, a data coincide com a recepção organizada por Isabel e o conde d'Eu, em seu palacete de Boulogne. Assim, pede à mãe que comemorem o seu aniversário na casa dos condes, aproveitando a presença de Pedro, Luís e Totó, os três filhos do casal exilado em Paris. Fora do ambiente familiar, Dodora tem pouco contato com brasileiros, e os príncipes, adolescentes como ela, sempre a divertem.

Cursando o último ano do liceu no internato do Sacré-Coeur, Dodora só volta para casa às sextas-feiras, quando Perpétua a busca no colégio. No início, a presença da criada causou certa agitação entre as internas. Muitas jamais haviam visto uma negra. A outras causava espanto que Dodora beijasse Perpétua. O problema foi resolvido com a intervenção da madre superiora. Pediu à criada que não mais entrasse no pátio do colégio. Que esperasse por Dodora do lado de fora. Perpétua custou a entender o que a religiosa queria lhe dizer, apontando-lhe a rua com o dedo indicador. Foi necessário que uma outra freira, portuguesa, viesse lhe traduzir as ordens da superiora. Enfim, acatou a ordem, sem nunca ter percebido o porquê. Jamais comentara o ocorrido com Dodora. Não saberia o que lhe dizer. Desde então, a menina sai do colégio só, encontrando a criada do lado de fora do portão. Sobem no carro de praça que as espera e voltam para casa fazendo um trajeto sempre mais longo que o necessário. Após uma semana internada, Dodora pede ao cocheiro que atravesse o rio Sena pela ponte de la Concorde. Quer voltar para a rua de Bassano subindo a avenida des Champs-Élysées em toda a sua extensão, em meio ao movimento frenético de sexta-feira à tarde. Na primavera, pede a Pepé que vá buscá-la num cabriolé. Assim, pode ver melhor o movimento das ruas e dos teatros da avenida. Nessa sexta-feira, no início de abril, quando um calor de verão contradiz as folhas do calendário, Dodora revela a Pepé que adoraria ser atriz.

– Artista de teatro? Isso não é vida de moça decente – ralha Perpétua.

Dodora ignora o comentário da criada. Sonha em trabalhar no teatro, encarnando personagens, fazendo a plateia rir e chorar. Adora ir à Comédie--Française com a prima Eufrásia. E, quanto a mais peças assiste, mais vontade tem de trocar de lugar com os atores. Quer estar ali, em cena, brincando de ser princesa, rainha, escrava, concubina, mulher rica, pobre, miserável, faminta. Acha sua vida aborrecida. Cercada de luxos entediantes. Tem vontade de ter outras vidas que só o teatro, só a variedade de uma carreira em cena poderá lhe proporcionar. No colégio já escreveu uma peça, coisa curta, de um único ato, com elenco formado pelas colegas de classe. Poucas, no entanto, se entusiasmaram com a ideia. Depois, quando leram o texto, afastaram-se, fosse porque não o entenderam ou porque concluíram que Dodora era, de fato, desmiolada. Imagine, uma peça que fala do casamento de duas mulheres, duas noivas de véu e grinalda, caminhando juntas para o altar. Não, não pense que dois noivos as esperam! Elas se casam entre si, como se não precisassem de um marido.

Abandonada por seu elenco, Dodora resignou-se com a peça organizada pela escola. *A paixão de Cristo*, baseada no evangelho de São Marcos, escrita e encenada pela madre Nicole, que trabalha na biblioteca. Que tédio! Ainda lhe deram o papel de um soldado romano que não fazia nada, salvo dar umas espetadas em Jesus (que, por sua relevância, foi interpretado por um ator profissional, pago pela direção da escola, para motivar as alunas). Não, não gosta daquelas carolices piegas. Tem visto peças de Molière, Racine, Corneille e, que Pepé não conte a ninguém, assistiu até a um vaudeville de Feydeau. Foi ideia da Eufrásia. Dissera-lhe que já era tempo de conhecer coisas mais modernas, divertidas. Mas que seus pais não o soubessem. Podiam não gostar que a filha frequentasse teatros populares. Outro dia, ainda sob sigilo, foram ao Teatro de Variedades para assistir a uma ópera bufa. Como riu! Principalmente quando entrou em cena o barão brasileiro! Um personagem muito engraçado, cheio de anéis, colares, pulseiras, vestido com roupas extravagantes, em tons de verde e amarelo. "Parece o Rodrigo", disse às gargalhadas a Eufrásia, sentada na plateia a seu lado.

De teatro, Perpétua não entende nada. Sorri, fingindo prestar atenção ao que Dodora conta, mas acha que a menina está desaprendendo a falar português com todos aqueles nomes que cita em francês. Um dia não conseguirão mais se comunicar. E ainda quer ser atriz! Isso só pode ser coisa da idade, com certeza. Dali a pouco, a patroa, ou o barão, lhe encontrará um bom marido e Dodora sossegará aquele espírito irrequieto, aquela cabeça desatinada.

Quando chegam ao palacete, Ana Maria está na sala de estar à espera das duas.

– Perpétua, esqueceu que hoje Dodora tinha que tirar as medidas?

– E a sinhá pensa que eu posso com essa aí?

A menina intervém, beijando a mãe, dizendo que a culpa não é de Pepé, mas dela. Quis, como sempre, aproveitar o bom tempo para percorrer a Champs-Élysées.

– O Jean-Paul está te esperando na sala de costura. Anda, vai, que estás atrasada – diz-lhe a mãe quando Dodora já corre escada acima para encontrar o costureiro que faz seus vestidos para ocasiões especiais, como aquela festa no palacete da condessa d'Eu.

– Essa menina anda muito agitada – diz depois que a filha as deixou a sós.

– É da idade...

– Não sei o que faremos quando o liceu terminar. As coisas aqui são tão diferentes – desabafa para si mesma, antes de pedir à criada que lhe traga um chá de camomila.

– O chá eu trago, mas não vai resolver – sugere Perpétua, botando as mãos na cintura. – A sinhá precisa parar de cismar. Pensar muito dá dor de cabeça – arremata, saindo da sala, sem completar o conselho: a sinhá precisa encontrar uma trouxa de roupa para lavar.

Sem dar ouvidos à criada, Ana Maria senta-se no sofá, ruminando, sentindo-se nervosa. Não tanto por causa da filha. Naquilo, Perpétua está certa. É coisa da idade. A menina está virando mulher – a menstruação, que começara aos quatorze anos, lhe trouxe muita inquietude. Se estivessem em Ibirapiranga, ou mesmo no Rio de Janeiro, Dodora já estaria casada, com a vida bem aprumada. Aqui os hábitos são outros. A aristocracia francesa há muito definha. A igreja católica foi varrida da vida cotidiana, e com ela se foram valores morais inestimáveis. As tradições familiares haviam sido profundamente abaladas. O costume dos casamentos arranjados, para o bem da sociedade, virou folhetim de jornal. Essa é a grande verdade. Mesmo que tentasse encontrar um bom matrimônio para Dodora, a menina, acostumada às vogas republicanas, poderá se rebelar, encontrando apoio naquela sociedade pagã, cada vez mais decadente. Por sorte, Dodora ainda não demonstra interesse por ninguém. Logo, Ana Maria acha que, pelo menos, aquela preocupação ela pode postergar. Agora, o que realmente a angustia é a situação de Carvalho. Ou melhor, da família toda. Sente no marido um nervosismo, uma ansiedade que não se pode explicar somente pela expectativa do negócio que está a ponto de fechar em Levallois-Perret. Na cabeça do marido lateja, com certeza, o problema do processo no Brasil. Se, por um lado, fala constantemente do seu novo projeto, por outro, torna-se lacônico quando o assunto é o caso da Meridional. Deixaram tudo para trás como se, afastando-se fisicamente do problema, ele estivesse resolvido. Não. Eles podem tentar esquecer a questão, mas a questão não se esquece deles. Lá no Rio de Janeiro, o processo continua a caminhar com suas próprias pernas, independente da presença do réu. Ana Maria teme pelo futuro da família. Por Mariana, bem casada, morando em São Paulo, não tem o que temer, fora suas perigosas gestações. Mas, por ela mesma e pelos filhos, que ainda gravitam ao redor do barão, Ana Maria se inquieta. Se Carvalho for condenado à revelia, não tardará em ser alvo de um mandado de prisão internacional. Se, no Brasil, depois do golpe, os Lopes Carvalho pouca influência tinham, na França, muito menos terão. Ainda não tiveram tempo ou condições de estabelecer uma rede de contatos, aliados, que os possa tirar daquele apuro, caso as coisas cheguem às últimas consequências. Eufrásia, por exemplo, é um bom contato. Tem mais de trinta anos de vida na alta sociedade francesa e um patrimônio de fazer inveja aos Rothschild. Prima, amiga e generosa, é, em contrapartida, rígida, intransigente. Uma mulher difícil de se compreender. Solteira, solitária, tem hábitos liberais, afrancesados, mas, quando se trata de negócios, é de uma lisura a toda prova. Respeita as regras do jogo, diz. Com a diferença de saber jogar melhor do que ninguém. Logo, quando o assunto é a crise financeira no Brasil, Eufrásia sempre assume uns ares superiores, cheia de virtudes morais. Não. Para ajudá-los naquela situação, não poderão contar com a prima. A reputação da casa Lopes Carvalho está em jogo. Cabe-lhes rezar e tentar se defender da melhor maneira possível.

– Champanhe! – anuncia Carvalho do vestíbulo, enquanto Jovelino recebe o chapéu e a casaca do patrão.

– Tão cedo? – pergunta Ana Maria, forçando um sorriso para o marido.

– Tão tarde, queres dizer – retruca Carvalho. – Levou-me uma semana para fechar um negócio que poderia ter sido feito em três dias. Mas me valeu a persistência. Botei-os de joelhos – diz, segurando a mulher pelos ombros. Beija-a suavemente na testa e, mirando em seus olhos, completa: – Negócio fechado por oitenta mil francos! Acreditas? – E, virando-se para Jovelino: – Champanhe!

Capítulo 11

Tino pousou a mão sobre a barra de metal, esticou o pescoço e olhou para baixo. Sentiu-se tonto, fechou os olhos, recuando rapidamente. Depois, recebendo o vento gelado no rosto, agarrou-se com mais força ao parapeito, descerrando as pálpebras lentamente, como se temesse o que veria diante de si. A seus pés, Paris se estendia por quilômetros para todos os lados. Via o rio Sena, correndo pela cidade, como uma serpente entre rochas brancas, iluminadas pelo sol tímido daquele fim de março. À sua direita, distinguia as torres da catedral de Notre--Dame e a abóbada do Panteão no monte de Santa Genoveva. Em frente, a igreja da Madalena, o telhado da Ópera, e, mais além, dominando o horizonte da cidade, a construção da Sacré-Coeur. Por pouco não conseguia ver, abaixo dos andaimes da obra da basílica, o casebre onde morava na colina de Montmartre.

Dois anos haviam se passado desde que repintara a fachada do ateliê de Gustave Eiffel em Levallois. Limpara latrinas, varrera a oficina, organizara ferramentas, carregara caixas, traves e tábuas. Com o tempo, aprendera novas funções, deixando os serviços gerais para trabalhar diretamente na construção da torre. Agora, na semana da inauguração, fazia parte do seleto grupo de doze operários sorteados para visitar o cume da estrutura.

— E quem disse que no Brasil só há pobres, ex-escravos? Este meu brasileiro vem da nobreza. Foi barão do café adulterado. E agora é o rei dos parafusos – caçoava Auclair, o gerente do ateliê, batendo com força nas costas de Tino enquanto os operários admiravam em silêncio a vista de Paris.

Parafuso. Assim Tino chamava os rebites que uniam as milhares de peças daquele quebra-cabeça vertical. No alto da torre inacabada, trabalhando em plataformas a centenas de metros do solo, Tino formara equipe com outros homens, operando em linha. O primeiro aquecia o rebite num fogareiro portátil. O segundo o introduzia no orifício da junção. Tino firmava a cabeça da peça, enquanto o quarto homem achatava a extremidade oposta a marretadas. Concluída a operação, começava-se outra vez, até que trezentos rebites fossem inseridos por dia, dois mil por semana, meta estabelecida para cada uma das vinte equipes que trabalhavam simultaneamente. Em dois anos de trabalho, milhões de rebites conectaram traves, vigas e suportes. Um tempo recorde para a construção daquele gigante de ferro fundido, que consumira as forças de centenas de operários franceses, espanhóis, italianos, e um brasileiro.

Do Brasil, Tino recebera, naquele período, raras cartas. Precisou esperar mais de um ano, desde o seu desembarque na França, para ter notícias de Ibirapiranga. Escreveu primeiro, contando sobre sua chegada, a morte de Louis Bardet, o encontro com Adriano no Rat Mort. Poupou o padre Lalanne e Noêmia dos seus infortúnios. Nada lhes informou sobre o roubo da mochila, o trabalho nas lixeiras, catando e vendendo pó de café coado. Falava de Paris com um entusiasmo forçado, tentando não lhes passar a amargura que lhe queimava o peito. Contava sobre o trabalho no ateliê, a construção daquela torre colossal, uma babel de operários de todas as partes. Descrevia seus colegas, sobretudo os italianos e espanhóis, com quem se relacionava com mais facilidade. Falava das saudades que sentia de casa e da grande vontade que tinha de voltar. Esperava um sinal, uma insinuação que fosse do padre Lalanne, dando a entender que poderia retornar no primeiro vapor. Pedia notícias de todos e, especialmente, de Leocádia. Afinal, aparecera? Contara a verdade? Limpara seu nome?

A resposta tardou a chegar, arrastando-se pelo caminho com o peso das más notícias. O padre Lalanne morreu, escrevia Noêmia, com frases curtas, caligrafia hesitante. Faleceu na cadeia de Ibirapiranga, detido sob a acusação de desvio dos donativos recebidos para a reforma da igreja. A queixa fora apresentada pelo barão de Jaguaraçu. O padre morreu de desgosto, abandonado pelos fiéis, mais tementes ao barão do que a Deus. Leocádia, por sua vez, nunca mais apareceu. Jaguaraçu procurou a polícia da Corte, e já se sabia que Tino havia partido para a Europa. Noêmia percebia no pai da menina a sanha da vingança. Ela mesma sentia-se marginalizada pela população da vila. Estava em dificuldades. Vivia na casa do padre, sem saber por quanto tempo a deixariam em paz. Comia do pouco que colhia na horta, poupando as galinhas. Sem o padre, sentia-se vazia, sem propósito, desamparada. E nem como escrava poderia trabalhar. Sim, era verdade. Acabara-se a escravidão. Os casos de fuga haviam aumentado, a tensão crescera e a princesa acabou por assinar a lei, libertando todos os cativos. Em Ibirapiranga a euforia dos libertos durou pouco. Foi marcada por uma nova tragédia. Cazuza matou o capataz Abílio Fernandes a machadadas. Depois, fugiu, sem jamais ser alcançado. Houve desavenças entre pretos e feitores. Ofensas e escaramuças que só se amainaram com a debandada dos libertos para a Corte. De repente, Ibirapiranga ficou deserta. Uma cidade espectral, povoada pelos fantasmas de uma época gloriosa, e cruel. Noêmia pedia perdão ao filho por não poder lhe dar melhores notícias. Sentia imensas saudades suas, e rezava a Deus que ele pudesse, um dia, voltar para casa, de cabeça erguida, sem ter o que temer. Por ora, contudo, melhor seria que se mantivesse afastado.

Tino dobrou a carta, guardando-a cuidadosamente no bolso do colete. Relê-la-ia todos os dias, durante semanas. Nos momentos de desespero, considerava a hipótese de voltar, apesar dos avisos de Noca. Não poderia deixá-la desamparada. Já lhe bastava a culpa pela desgraça que fizera cair sobre a família. A morte de Lalanne na prisão doía-lhe como uma punhalada. Uma faca penetrada e retorcida, várias vezes por dia, em suas entranhas. À noite, enterrava a cara no travesseiro, abafando os gritos de dor. Morava só, no Maquis de Montmartre, a favela que começava onde a rua Lepic terminava. No verão, acordava de madrugada, sem conseguir voltar a dormir. Sentia-se atormentado pelo passado, ameaçado pelo futuro, sufocado pelo coro de vozes sombrias que lhe descortinava um destino de miséria e sofrimento, punição justificada por seus erros e suas consequências. Desperto, vestia-se, saía de casa, rumo ao topo da colina de Montmartre. Buscava no espaço aberto o desafogo que lhe negavam as paredes do barraco, cercado pelas sarjetas do Maquis. Passava por bares e cabarés, onde a noite seguia embriagada pela pândega de boêmios e prostitutas. Saltando sobre valas de esgoto, cruzava becos e ruelas fétidas, habitadas por ratos e mendigos. Alcançava as obras da basílica do Sacré-Coeur, montava no andaime e, lá de cima, observava a cidade adormecida, o céu esfumaçado, o vulto da torre que ele ajudava a construir. No nascente, o sol de julho, apressado, tingia de azul-turquesa a linha do horizonte. Precisava ser forte. Ver as coisas com clareza. Até o desaparecimento de Leocádia, sua vida correra tranquila como um sonho de infância. De repente, fora arrastada por um turbilhão de acontecimentos imprevisíveis, implacáveis. Se, em Ibirapiranga, levara uma existência despreocupada, sem grandes planos ou perspectivas, agora, seus dias seguiam sem razão, num vazio preenchido pelo trabalho, que lhe permitia tão somente sobreviver. Perdera sua base, sua família, suas raízes. Sentia-se como uma viga da torre, sem o rebite que a pudesse unir a outras peças, dando-lhe coerência e sentido. Uma das tantas peças sobressalentes que, uma vez terminada a construção, restavam descasadas na oficina de Levallois. Esperavam, amontoadas num canto, pela fornalha que as derreteria, amalgamando-as numa larva incandescente, antes de moldá-las para uma nova função, uma nova razão de existir.

Enrolou um cigarro, acendeu-o, observando um grupo de operários italianos que, lá embaixo, passava pela rua em apupos e cantorias. Na oficina, conhecera Emilio Cortonesi, Luca Rizzetto e o espanhol José Mosquera. Com eles aprendera a fumar, fazendo o seu próprio cigarro com fumo de rolo. Os dois italianos, primos, vinham de Palermo. Cortonesi, mais velho, falava baixo, com voz pausada e grave. Ao contrário de Rizzetto, mais eloquente e folgazão, Cortonesi parecia poupar palavras. Escutava muito, observava e, quando achava necessário, pontuava a conversa com a sua opinião. Não perdia tempo nem saliva com casos e anedotas. Usava as palavras como dardos raros e certeiros. No refeitório da torre, a cinquenta metros de altura, os três almoçavam na companhia de Mosquera, um carpinteiro atarracado, de calva precoce, olhos miúdos e um sorriso amigável que dissimulava o seu arroubo político. O espanhol orgulhava-se de ter sido um dos líderes do movimento grevista que paralisara as obras de construção da torre seis meses antes da sua inauguração. Quanto mais alto a estrutura subia, maior era o frio, o vento, o perigo de uma queda. "Maior a altura, maior o salário", reclamavam os operários. Eiffel argumentava que uma queda de trezentos metros não seria pior do que uma de cinquenta. O risco era o mesmo. Os grevistas insistiram e, após uma semana de negociações, o patrão os atendeu pessoalmente. Concedeu-lhes um pequeno reajuste salarial, dando a greve por encerrada. Três meses depois, nova paralisação. Dessa vez, Eiffel não cedeu. A tensão cresceu entre os operários, rachando o movimento. A greve foi suspensa, e a torre voltou a subir, rebite a rebite.

De volta ao trabalho, Mosquera não perdia a oportunidade de questionar o simbolismo do projeto. Uma torre daquele tamanho, vedete de uma exposição industrial que celebraria o centenário da suposta Revolução Francesa. Que revolução? Aquela que substituíra uma elite de parasitas por outra? Que derrubou a aristocracia para levar ao poder uma burguesia reacionária, manipuladora da classe operária? Uma revolução que mantivera o proletariado na sua condição de escravo?

– Liberdade, igualdade, fraternidade, bolas! A exploração do homem pelo homem continua. Como lá na tua terra, cheia de escravos – dizia para Tino, apontado-o com o garfo, com a boca cheia de batatas.

Tino respondia que não era bem assim. Verdade que o Brasil havia sido o último país do mundo a abolir a escravidão, mas, agora, em 1889, não havia mais cativos por lá. No fundo, custava a entender o radicalismo de Mosquera. Não conseguia ver paralelo entre o escravo brasileiro e o operário francês. Achava incoerente que Mosquera falasse em escravidão quando era livre para abrir mão do trabalho, se assim o quisesse.

– E depois fazer o quê? Morrer de fome? – perguntava o espanhol. – Quando todas as máquinas e instalações pertencem ao patrão, a única opção é vender nosso tempo pelo melhor preço. O preço da fome! Setenta e cinco centavos por hora! Um salário que mal basta para nos manter de pé. Ganhamos o suficiente para comermos e voltarmos ao trabalho!

– Quando não estiver chovendo – completou Rizzetto. – Senão, são mais dois ou três dias sem pagamento até que a chuva passe. Como se fôssemos culpados pelo mau tempo!

Mas que Tino não se impacientasse, retomou Mosquera. Era novo, e ainda tinha muito o que aprender sobre aquele mercado imoral da mão de obra. O capitalismo dos novos senhores feudais tinha os seus dias contados. Era um sistema que apresentava falhas. Trazia embutido em si o verme da sua própria destruição – a cobiça e o esgotamento de todos os recursos humanos e naturais. A verdadeira revolução, não aquela da burguesia francesa, mas a dos operários de todo o mundo, não tardaria. Unidos como numa só nação, os trabalhadores fundariam a ditadura do proletariado.

– E substituiremos a burguesia reacionária pelo despotismo de uma ditadura – observou Cortonesi. – De escravos da burguesia passaremos a servos de um Estado proletário, corrompido pelo próprio poder – completou, limpando a boca na manga do macacão.

Mosquera grunhiu um desaforo antes que todos se levantassem, voltando aos andaimes. Trabalhavam em jornadas de doze horas, seis dias por semana, doze meses por ano. No domingo, descansavam na favela do Maquis, nos cortiços de Montmartre ou em bairros da periferia de Paris. No ateliê, começavam o trabalho de rescaldo. A torre estava praticamente pronta. Limpavam as oficinas, despachavam peças inutilizadas, arrumavam as ferramentas. À medida que o trabalho avançava, diminuía o número de operários. Em breve, a oficina de Gustave Eiffel estaria vazia, pronta para uma nova empreitada, fosse uma igreja, um viaduto ou um canal no Panamá. Mas Tino e seus colegas não estariam mais lá. Haveria menos demanda por mão de obra, e os franceses teriam prioridade.

No meio da primavera, inaugurou-se a Exposição Universal que prometia ser a mais espetacular de todos os tempos. Orgulhosa, a França exultava, exibindo seus avanços culturais, científicos e tecnológicos. Eletricidade, teatrofone, balões, fotografias aéreas e a mais alta torre do mundo, enroscada por uma longa fila de visitantes, dispostos a subir mil e oitocentos degraus para ver Paris do alto. Tino, Cortonesi e Rizzetto caminhavam entre os pavilhões, entorpecidos pelo frenesi da multidão, iluminada por milhões de lâmpadas elétricas, fascinada pelos chafarizes, aturdida pelo ronco dos mais diversos motores. Entrecortando a sinuosa fila da torre, Tino encontrou um pavilhão branco, de três andares, decorado em seu topo pelo globo armilar do Império do Brasil. Na porta, quatro estátuas de índios recebiam os visitantes, que se empurravam para ver as maravilhas daquele reino tropical. Deixando-se levar pela multidão, o trio entrou no pavilhão, passou os olhos pela exposição de produtos agrícolas, algodão, fumo, mate, açúcar, cacau e café. Muito café, em grãos verdes, torrados, moídos, em luxuosas caixas de vidro dispostas sobre longos balcões. Visitaram a estufa de plantas tropicais, contornando, na entrada, dois ameaçadores jacarés empalhados. Palmeiras, bananeiras, vitórias-régias e a orquídea *Cattleya velutina* formavam a minifloresta tropical, cuja exuberância surpreendia os franceses. De lá, sobrevoaram a baía de Guanabara, vendo passar diante de seus olhos o Pão de Açúcar, o Corcovado, os morros do Castelo e de São Bento, a serra dos Órgãos, o Dedo de Deus, Niterói. O panorama do Rio de Janeiro, pintado a óleo, girava ao redor dos visitantes, movido por um discreto mecanismo elétrico. Tino sentia um aperto no peito. Uma saudade de tudo aquilo, daqueles horizontes sem fim, daquele calor úmido, daquele cheiro de mato, daquela fala doce e lenta da gente do Vale.

– O que é aquilo? – cutucou-o Rizzetto, despertando-o dos seus devaneios tropicais.

Tino olhou para onde o italiano lhe apontava e, sem resposta, levantou os ombros. Curiosos, aproximaram-se de uma rocha escura, exibida sobre um pequeno palco de madeira.

– Meteorito de Bendegó, réplica. Caiu do céu. No sertão da Bahia – leu em voz alta as informações contidas numa placa. – Transladado para o Rio de Janeiro por determinação de S. M. o Imperador D. Pedro II. Acervo do Museu Nacional.

— O império das contradições — comentou Cortonesi. — Uma monarquia atrasada num continente de repúblicas, com um imperador moderno, interessado por ciências e experiências políticas.

— Os jornais dizem que está velho, e muito doente. Que já não pode governar — observou Tino.

— Uma pena. Nunca tivemos um imperador assim na Europa. Sabias que ele aceitou que um grupo de anarquistas italianos se instale no Brasil? Vão fundar a primeira colônia anarquista das Américas. Que monarca europeu, que burguesia republicana permitiria tal experimento? Aqui, somos perseguidos a golpes de cacete.

Adiante, subindo ao segundo andar do pavilhão, encontraram uma exposição de fotografias sobre a produção de café em São Paulo. Folhetos distribuídos naquela seção informavam as maravilhas oferecidas pelo Brasil aos imigrantes. Italianos, espanhóis, franceses, alemães, todos eram bem-vindos àquela terra de bonança, àquele país de riquezas inimagináveis, um gigante à espera do imigrante para despertá-lo da sua indolência primitiva.

Cortonesi apanhou um dos folhetos, questionando Tino com o olhar.

— Sem escravos, deve faltar gente para colher o café — lembrou-lhe Tino. Depois, pensou em Ibirapiranga. Pensou na fazenda Santo Ovídio, nas infinitas fileiras do cafezal, subindo e descendo as colinas do Vale. O que teria acontecido às fazendas? Haveria imigrantes em Ibirapiranga? A resposta o surpreendeu. Vinha de um homem alto e robusto, com brilhantina nos cabelos, cera no bigode, que fazia uma palestra para um grupo de franceses.

— A cultura do café na província do Rio de Janeiro está falida — explicava o homem. — Os cafeicultores não se atualizaram, não investiram em maquinaria para o beneficiamento da produção. Usaram o solo como se a terra fosse inesgotável. Na sua obtusidade, insistiram na mão de obra escrava, quando o trabalho livre, praticado por imigrantes, lhes sairia mais barato. Enfim, o Vale acabou.

Em seguida, gabou-se de como a terra roxa de São Paulo, explorada com avançadas técnicas agrícolas, estabelecia, safra após safra, novos recordes de produção. E não se aumentava somente a quantidade, mas também a qualidade. Colhido pela mão experiente do imigrante europeu, beneficiado pelas mais modernas máquinas a vapor, o café paulista apresentava uma qualidade superior, que não deixava nada a dever aos mais delicados aromas de Java.

Tino esperou que o homem terminasse sua exposição, despedisse-se dos ouvintes, para abordá-lo, com voz sumida, sufocada pela respiração. Queria saber mais. Hesitante, perguntou-lhe se já ouvira falar de Ibirapiranga.

Surpreso pela abordagem do rapaz de calças rotas e botas sujas, o homem colocou o pincenê, analisando-o atentamente.

– Conheço Ibirapiranga como a palma da minha mão, bem que lá nunca tenha posto os pés – respondeu.

Diante do silêncio de Tino, explicou que conhecia muito bem a família Lopes Carvalho, pioneira na cultura do café no Vale.

Sim, Tino já ouvira falar do barão de Lopes Carvalho. Sabia que era o maior fazendeiro da região. Mas, receoso, temendo uma aproximação indesejada com a gente da cidade, desconversou. Perguntou o que aconteceria a Ibirapiranga, agora que não havia mais escravos, nem café.

– Para Ibirapiranga, assim como para todo o lado fluminense do Vale, não há futuro. Só há dívidas e falências – explicava, ajustando seu pincenê sobre o nariz. – Precisam descobrir uma nova vocação, pois a lavoura do café não lhes dará mais nada.

Reparando no colete encardido sobre a camisa de colarinho puído de Tino, o homem lhe perguntou o que fazia em Paris.

– Sou operário. Trabalhei na construção da torre – disse, com uma ponta de orgulho, omitindo detalhes que pudessem comprometê-lo.

– Um caso raro – comentou o homem. – Com todo um país a ser construído no Brasil, o senhor preferiu emigrar para a França!

Tino abaixou os olhos, sem nada responder.

E o que poderia ter dito?, pergunta-se, deitado na cela, relembrando a exposição que, por algumas horas, o transportou de volta ao Brasil, aquele arremedo de país, aquela terra sem nação, da qual, se pudesse, jamais teria partido. Teria seguido o seu destino de rabequista, filho de padre, num vale que, pelo que ouviu, fora abandonado por senhores e escravos.

Depois, virando-se de lado, disputando com o cansaço as suas últimas horas de vida, lembra-se da camaradagem de Emilio Cortonesi. Uma proximidade que, agora, analisada sob a perspectiva do tempo, parece-lhe forçada, artificial. Como se fosse parte de uma estratégia do italiano para envolvê-lo na militância. Mas, não. Não poderia culpá-lo por coisa alguma. Em nenhum momento Tino foi forçado a nada. Aceitou os riscos, estando plenamente consciente do que faria. Chegando ao fim da linha, assume, sem se vitimizar, a sua inteira responsabilidade por tudo que lhe aconteceu até aquele momento.

Capítulo 12

Recebendo o convite, o arauto lê os nomes impressos e, dando dois passos para trás, anuncia, em voz alta e grave: "Os barões de Lopes Carvalho e família". Os convidados avançam, cumprimentam Isabel e o conde d'Eu com apertos de mão, beijos e sorrisos no hall de entrada do palacete de Boulogne. Dodora recebe da princesa um abraço especial por seu aniversário.

— Os meninos estão à tua espera — diz a condessa, apertando-lhe levemente as bochechas.

Não é a primeira vez que Carvalho e Ana Maria visitam Gastão de Orléans e Isabel de Bragança. Não chegam a ser íntimos, mas os encontros ocasionais nos eventos da comunidade brasileira os aproximam pela cumplicidade do exílio, da cultura e da língua. Ana Maria revigora-se nessas festas, que a fazem voltar no tempo, à antiga Corte do Rio de Janeiro, onde as nobres famílias do Vale se cruzavam nos salões mais sofisticados da cidade. Carvalho, por sua vez, não cultiva nostalgias. Julgava a Corte atrasada, em todos os sentidos, sobretudo em comparação à sociedade parisiense. Não que a modernidade política, o republicanismo, lhe interesse. Admira a vanguarda e o espírito empreendedor da burguesia, mas, acima de tudo, idolatra a aristocracia francesa. Se, um século após a Revolução, os títulos de nobreza perderam o seu valor, sendo preservados apenas pela teimosa tradição das famílias, Carvalho segue o exemplo, mantendo o título de barão, não obstante a Proclamação da República no Brasil. Afinal, se até o barão do Rio Branco integra o governo republicano brasileiro, por que ele haverá de abandonar um título tão arduamente conquistado?

– Senhor Edgar Prates – anuncia o arauto, fazendo com que os Lopes Carvalho diminuam o passo à espera do amigo. Edgar cumprimenta o conde, demora-se com a condessa, antes de se juntar a Rodrigo, apertando a mão do barão, beijando Ana Maria e congratulando Dodora.

– Que maçada! – reclama. – Outra ameaça de bomba. Desta vez no Arco do Triunfo. O trânsito está parado na rotunda da Étoile. Quase que não chego aqui.

Carvalho pergunta a Edgar sobre dona Hortência.

– Mamãe não está bem-disposta. Nada grave. Mas preferiu ficar em casa. Pediu que eu apresentasse as suas desculpas à condessa.

Depois, enquanto o grupo caminha em direção à sala de música, Edgar pergunta a Carvalho sobre os seus projetos. Soube por Rodrigo que o negócio de Levallois-Perret avança a passos largos.

Carvalho, mal disfarçando o orgulho, confirma. Sim, negócio fechado, terreno comprado, o projeto segue de vento em popa. Em breve, Paris terá a maior usina de torrefação de café da Europa: a companhia do Café Carvalho.

– Hoje mesmo estive com os arquitetos – diz enquanto procura um lugar onde possam todos se sentar, antes do concerto. – Quero algo moderno, prático, mas, ao mesmo tempo, grandioso. O edifício deve, por sua dimensão e suntuosidade, exprimir a força da nossa empresa, o volume da nossa produção – diz, já apontando com a cabeça uma fileira de cadeiras próxima às janelas.

– Já pensou na qualidade? – insinua Edgar, sentando-se uma fileira à sua frente.

Essa é a chave do sucesso, responde Carvalho. Não importará grãos do Vale, nem mesmo das próprias terras, onde a produção atual é pífia, irrelevante. Importará o café de São Paulo, de Santos para o porto do Havre. Tendo em conta aquela água suja que os franceses chamam de café, não terá dificuldades para entrar no mercado. Apresentará um produto de primeira linha, torrado em máquinas modernas, vendido em pequenas caixas para o consumo doméstico. Enfim, um café de qualidade, sem que seja necessário alardear a sua origem brasileira, conclui, recostando-se na cadeira, entre Ana Maria e Dodora.

O conde d'Eu pede silêncio aos convidados reunidos no salão de música. Tem o orgulho de receber a cantora lírica Sophie de Grammont, uma menina pálida, de gestos delicados, e o pianista Michel Renaud, um homem maduro, calvo, com um espesso cavanhaque, que interpretarão obras de Bach, Schumann, Berlioz, terminando com algo mais moderno, Saint-Saens, para os ouvidos mais jovens. A plateia aplaude os músicos, faz um silêncio pontuado por pigarros e tossidas preventivas, antes que o pianista comece a dedilhar uma cantata de Bach. Carvalho espia os presentes, observando Eufrásia e o doutor Hilário de Gouveia, que, por terem chegado mais tarde, se sentam próximos à entrada. Ouviu novos rumores sobre a extradição de Motta Barroso. Gouveia pode ter mais detalhes.

A seu lado, Dodora escuta a cantora, observando sua pele clara, seus cabelos louros, presos por um laço negro, que empresta austeridade a um semblante juvenil. Sua boca rosada, executando movimentos precisos, sem transparecer esforço, dá graça e suavidade ao alemão daquela cantata. Dodora não canta, nem tem pretensões líricas, mas na carreira artística imagina o seu destino. Em breve, terminará o liceu. Está chegando a hora de abordar seus pais, falar-lhes sobre os seus planos. Mas como? Precisa elaborar uma estratégia. Sabe que a questão é delicada, e a reação, garantida. Completa naquele dia dezessete anos, e não tem dúvidas. Não fará vaudeville ou espetáculos vulgares. Não, nem pensar. Sonha alto. Almeja a Comédie-Française – o mais nobre palco teatral em todo o mundo. Não envergonhará sua família. Pelo contrário. Quer conquistar o seu apoio, a sua admiração. Terão orgulho dela, aplaudida em cena aberta pelo público mais exigente da Europa.

Além do mais, não se vê no palco somente como atriz, à mercê de um texto que não é seu. Sua formação teatral deverá ser completa. Conquistará o seu espaço na cena e nos bastidores. Quer escrever, criar os personagens que ela mesma encarnará. Sente que sua cabeça fervilha com enredos, histórias de mulheres que desafiam os valores de uma sociedade convencional e hipócrita. Não tem mais tempo a perder. Falará naquele dia mesmo com a mãe. Aproveitará o seu aniversário e o ambiente artístico do sarau. Quem sabe a mãe, emocionada pela música, não estará mais flexível?

Terminada a primeira parte do concerto, os convidados se levantam para os aperitivos no jardim de inverno. Carvalho procura Gouveia, que, inclinando a cabeça gentilmente, escuta Eufrásia e duas outras mulheres, de cabeleiras grisalhas, curvadas pela idade. O barão se aproxima, a roda se abre para acolhê-lo, Eufrásia faz as apresentações. Conversam trivialidades, falam do mau tempo, do Grande Prêmio no hipódromo, da onda de atentados anarquistas. Carvalho então pede licença para privar as senhoras da companhia de Gouveia por alguns instantes. Eufrásia assente, olhando-o de soslaio, por sobre a taça de champanhe. Carvalho finge que não percebeu o olhar, sentindo-se, de qualquer modo, levemente inapropriado. Pouco importa. Não tem intimidade com Gouveia, raramente o encontra. Precisa aproveitar essa oportunidade para interrogá-lo. Leva o médico para um canto do jardim, pergunta-lhe se tinha novidades do caso Motta Barroso.

– Não soube? – pergunta Gouveia.

– Não. Há algum fato novo?

– Foi preso. Ontem. A polícia o encontrou hospedado no Hotel Terminus. Ele e sua senhora. Ambos sob nome falso – completa Gouveia, em voz baixa.

– Como o doutor soube?

– Alegou sérios problemas de saúde. Disse que tem o coração fraco, que não resistiria à viagem de extradição para o Brasil. Só precisava de um médico que o confirmasse. Mandou me chamar.

– Era verdade?

– Não sei – responde Gouveia, encolhendo os ombros. – O Ministério da Justiça não me permitiu vê-lo. Querem que seja examinado por uma junta de peritos. Mas, cá entre nós – disse quase num sussurro –, não tenho muitas esperanças. Cheira-me a artimanhas para escapar das mãos da Justiça.

— Triste fim — murmura Carvalho, sem saber o que dizer, enquanto seu pensamento se acelera, ansioso, projetando em sua mente cenários calamitosos.

— E o seu caso? Como anda? — pergunta o médico, depois de beber o último gole do seu champanhe.

Carvalho vacila. Sente o impacto no peito, uma leve náusea. Por um instante, não sabe o que responder. Não esperava que Gouveia estivesse a par da sua situação. Mas os jornais do Rio de Janeiro comentam, vez por outra, o escândalo da Meridional. Impossível mantê-lo eternamente em segredo.

— Os advogados estão tratando de tudo — responde, seco. — Em novembro, Prudente assume a Presidência e, tenho certeza, a Justiça vai saber separar o joio do trigo. Vão reconhecer, seguramente, as motivações políticas do processo — pontua, tentando não dar margem para novas perguntas.

Um criado toca a sineta e Carvalho, ainda aturdido pela pergunta de Gouveia, volta para o salão de música, deixando o médico na companhia de Eufrásia. Lá dentro, Rodrigo já voltou à sua cadeira, ao lado de Edgar. Não vê a hora de o concerto acabar. Trouxe sua máquina fotográfica, está ansioso para usá-la. Quer fazer uma chapa da mãe ao lado de Isabel, e outra agrupando as duas famílias. Usa o aparelho nesses momentos de lazer, sem abrir mão dos seus projetos comerciais. Desde que revelou os seus planos ao pai, trabalha no desenvolvimento das suas ideias, precisando, todavia, refocá-las. Descobriu nas redações que as gráficas ainda não têm recursos técnicos para imprimir fotografias em jornais e revistas. As rotativas imprimem em cores básicas, enquanto as fotografias são ricas em tonalidades de cinza. Essa é a grande barreira — o meio-tom, as variadas nuances de cor entre o preto e o branco. Por isso, os jornais ainda usam desenhos coloridos, muitas vezes baseados em fotografias, para ilustrar as páginas de moda e, especialmente, as policiais — com tiros, explosões e muito sangue. Rodrigo não se deixou abater. Após descobrir um álbum de fotografias aéreas da última Exposição Universal, concentra suas energias num novo projeto: fotografar cidades e paisagens a bordo de balões de hidrogênio. Sim, é verdade, em Paris muita gente já faz fotografias em balões. No Brasil, ainda não! Pensa que, levando um balão de hidrogênio para o Rio de Janeiro, poderá fazer voos panorâmicos sobre a baía de Guanabara. Imagine, fotos aéreas do Corcovado, do Pão de Açúcar, do Dedo de Deus! Fora as chapas que faria de cidades brasileiras, que poderiam auxiliar na produção de mapas mais precisos. Está agora à procura de balonistas experientes com quem possa trabalhar. Naquela manhã, enquanto seu pai recebia os arquitetos da usina de torrefação, Rodrigo fora a Vaugirard, um subúrbio ao sul de Paris. Informado que ali encontraria a mais famosa fábrica de balões da França, saltou do fiacre na rua des Favorites, na altura do número vinte. Encontrou um galpão, ocupando quase meio quarteirão, fechado por um portão alto o suficiente para deixar passar um paquete. Numa porta menor, ao lado, uma placa: LACHAMBRE & ASSOCIADOS – FABRICAÇÃO DE BALÕES. Tocou a campainha, a porta se abriu, uma mulher, vestindo um avental azul, o atendeu, convidando-o a entrar. Rodrigo a seguiu pelo galpão, já arrependido de estar ali. Cercado por tigres, girafas, jacarés e dois elefantes cor-de-rosa, sentia-se irritado, sobretudo consigo mesmo. Balões, sim. Mas balões de carnaval, para festas populares e infantis. Essa era a fábrica de balões de Henri Lachambre, a mais famosa da França. Haviam lhe pregado uma peça. No fundo do galpão, a funcionária bateu numa porta e, abrindo-a, disse ao patrão que alguém gostaria de vê-lo. Um homem de bigode espesso, trajando um guarda-pó azul-claro, levantou-se da cadeira, fazendo sinal para que Rodrigo entrasse. Apertou com força a mão do brasileiro, perguntando em que lhe poderia ser útil. Hesitante, Rodrigo disse que cometera um equívoco. Errara de endereço. Pedia-lhe desculpas por tomar seu tempo. Já estava pronto para se retirar. Henri Lachambre insistiu, solícito, perguntando-lhe o que procurava. Rodrigo explicou, com palavras pinçadas, pausadas, que buscava um fabricante de aeróstatos, balões de hidrogênio. Mas, vendo os balões para festas, logo se deu conta do seu engano.

– Amigo, se assim me permite chamá-lo, a vida é um compromisso entre o desejo e a oportunidade – respondeu Lachambre. – Leonardo da Vinci não teria feito a metade do que fez se não houvesse cedido, mesmo contra a sua vontade, aos caprichos dos seus mecenas. Os tigres, jacarés e elefantes que o cercam, se não viu também os pierrôs e colombinas, são os meus honoráveis patrocinadores. Sem esta fauna pitoresca, de grande sucesso popular, eu não teria condições financeiras para investir naquilo que realmente me interessa: a navegação aérea – concluiu, pontuando a frase com um sorriso condescendente.

Depois, indagou, sem rodeios, de que parte do Brasil vinha Rodrigo.

– Como adivinhou que sou brasileiro?

– Pelo sotaque. Não é o primeiro brasileiro que nos honra com a sua visita. Agora mesmo estamos fabricando um balão que será entregue no Rio de Janeiro. Uma encomenda do deputado Augusto Severo. Não sei se o senhor o conhece...

Rodrigo disse que sim, para não lhe passar a impressão de ser um neófito ignorante. Na verdade, já ouvira falar de Severo, o deputado, mas ignorava seu interesse pelo balonismo.

– E antes mesmo de Severo, há uns dez anos, construímos aqui o *Santa Cruz* – continuou Lachambre. – Um dirigível projetado por um rapaz chamado Ribeiro de Souza. Era do Norte. Do Pará, se não me engano. Pena que tenha falecido tão moço. Tinha grande futuro no desenvolvimento da navegação aérea. Suas ideias, muito originais, chegaram a inspirar alguns projetistas franceses. Houve até acusações de plágio, espionagem industrial, apresentadas pelo Império do Brasil contra a República Francesa... mas, perdoe-me, são velhas histórias. Vamos ao que interessa: como meus tigres e elefantes podem ajudá-lo?

Rodrigo experimentou o café aguado trazido pela mulher que o recebera, falou sobre as fotografias aéreas, explicou que buscava um balonista experiente para auxiliá-lo naquela empreitada.

Lachambre escutou, pediu que Rodrigo esperasse, levantou-se e foi até a porta. Mandou chamar alguém. Em poucos minutos um homem alto, de ombros largos, assomou ao batente, com um rolo de arame na mão.

– Meu sobrinho, Alexis Machuron, o mais experiente balonista de Paris – disse Lachambre.

Machuron cumprimentou Rodrigo, que sentiu a força da sua mão, calejada pelo trabalho nas oficinas.

— Alexis é o nosso responsável pelo atual projeto do senhor Severo – completou Lachambre. Virando-se para o sobrinho, pediu que ajudasse Rodrigo no que fosse preciso. Poderiam organizar ascensões em Paris ou nos arredores da cidade. Rodrigo, se estivesse de acordo, pagaria pela ascensão, e pelas despesas do transporte na volta para a fábrica.

— Afinal – completou Lachambre –, nunca se sabe onde um balão vai aterrissar.

Em seguida, despachou o brasileiro, pedindo-lhe licença, pois precisava voltar à prancheta. Estava projetando um novo balão para festas.

— Uma anta! Uma homenagem ao Brasil – disse, sorrindo, apertando a mão do novo cliente.

Os aplausos rompem o silêncio que se segue à última nota emitida pelo piano. Rodrigo acompanha o público, levantando-se para aplaudir os músicos que encerram sua apresentação. Enquanto Dodora deixa seu lugar para se encontrar com os filhos de Isabel, reunidos no jardim de inverno, Rodrigo pede a Edgar que o ajude. Somem por alguns minutos antes de voltarem carregando uma mala. Nela transportam o tripé e a máquina fotográfica. No jardim, sugere à mãe que convide a condessa para fazer a chapa.

— Com muito gosto – responde Isabel. – Faz-me lembrar papai. Adorava fotografias. Tinha várias máquinas. Comprou a primeira aos quinze anos! Chegamos a ter uma coleção com mais de vinte mil retratos, paisagens... – diz, posando ao lado de Ana Maria.

Em seguida, Rodrigo pede que as duas famílias se reúnam para fazer uma chapa do grupo. Carvalho e Ana Maria posicionam-se à direita dos condes, acompanhados por seus filhos, Pedro, Luís e Totó, enquanto Rodrigo e Dodora se colocam ao lado dos pais. Edgar bate a chapa que, por gerações, fará parte do álbum da família Lopes Carvalho.

Depois daquela tarde em Boulogne, duas semanas se passam antes que Ana Maria encontre coragem e disposição para abordar o assunto com Carvalho. O barão anda cada vez mais impaciente, irritadiço, sem tempo para questões familiares. Ana Maria, porém, chegou ao limite. Sente que tem uma questão grave nas mãos e, sozinha, não encontra forças para resolvê-la. Além do mais, havendo consequências futuras, o barão a condenará por, agora, ter lhe ocultado o problema. Na biblioteca, debruçado sobre a mesa, Carvalho perscruta os jornais franceses em busca de notas ou artigos que possam comprometer a sua reputação em Paris. Ana Maria entra em silêncio, sem querer molestá-lo, senta-se numa poltrona e espera. Carvalho fuma, deixando que as cinzas do cigarro caiam sobre o tapete. A mulher finalmente pigarreia, fazendo-lhe perceber a sua presença.

– Que tens? Não ias ao chá de caridade? – pergunta o marido.

– Cancelei. Precisamos conversar.

Carvalho não gosta do tom. Olha para a mulher por cima do pincenê, indagando-se que novas contrariedades ela lhe traz.

– É sobre Dodora – completa Ana Maria, sem encarar o marido.

– O que há com ela?

– Está terminando o liceu e… Disse-me que não quer se casar, quer ser escritora, atriz…

– Atriz? – pergunta Carvalho com o cenho franzido, assentado num sorriso incrédulo.

– Pois é. Além disso, a direção do colégio mandou me chamar. Parece que Dodora andou escrevendo uma peça de teatro cheia de imoralidades…

– Infantilidades, queres dizer?

– Não. *Imoralidades*. Pelo menos foi o que disse a madre superiora. Uma bobagem… História de um casamento entre duas mulheres. Tolices de menina – desdenha, erguendo os ombros. – Mas a madre não viu as coisas assim. Disse que Dodora só não será convidada a sair da escola porque o ano letivo já está no fim.

– Bem… Precisamos conversar com ela – responde Carvalho, tentando dar o assunto por encerrado, voltando a olhar os jornais.

– Se estivéssemos no Brasil, já estaria casada, formando a sua própria família – continua Ana Maria. – Aqui, temos uma filha adolescente, de temperamento forte, influenciada por uma sociedade apodrecida pela devassidão.

De que a sociedade esteja apodrecida, Carvalho discorda, mas que a filha seja caprichosa e teimosa, disso ele não tem a menor dúvida. Antes que possa responder, alguém bate à porta pedindo licença para entrar. Jovelino lhe traz um telegrama. O barão recebe o envelope na bandeja de prata, guardando-o no bolso, sem ler a mensagem. O mordomo sai, Carvalho deixa os jornais de lado, aproximando-se da mulher.

– As coisas aqui são diferentes. Ela só tem dezessete anos. Pode ser que isso passe com o tempo. Quando acabar o liceu, nós vamos introduzi-la na sociedade. Ela vai conhecer rapazes de famílias nobres, abastadas, gente de boa linhagem. Tenho certeza de que vai mudar de ideia.

– Eu não contaria com isso – responde Ana Maria. – Ela já fez suas pesquisas, encontrou um conservatório de teatro. Quer se matricular. De nós só espera a bênção.

– Que espere – retruca o barão, abrindo os braços, antes de apontar para o alto com o indicador. – Enquanto morar sob o meu teto, fará aquilo que lhe for determinado. Trabalhar, como uma preta, está absolutamente fora de cogitação. Principalmente no teatro, nessa vida de boemia e escândalo. De estroina, basta-me o teu filho!

– *Nosso* filho, tu queres dizer – rebate Ana Maria.

– Já me chega um parasita, e agora me vem a filha com criancices – desabafa Carvalho, colocando as mãos na cintura, andando em direção à janela. Depois, sem que Ana Maria mais nada diga, ordena: – Diz a Dodora que venha me ver no sábado. Vai ouvir um bom sermão.

A mulher assente, levantando-se da poltrona; pede-lhe licença, deixando-o novamente só.

Carvalho volta à mesa dos jornais, tira o telegrama do bolso, lê o nome do remetente, respira fundo antes de abri-lo. Rasga o envelope, passa os olhos pela mensagem.

CIA MERIDIONAL HABITAÇÃO PT TODOS CONDENADOS VG FRAUDE VG ESTELIONATO VG FORMAÇÃO QUADRILHA PT SENTENÇA PRISÃO VG SETE ANOS RECLUSÃO PT MANDADO PRISÃO INTERNA-

CIONAL EXPEDIDO PT AGUARDAMOS INSTRUÇÕES PT SDS CORDS PT

Carvalho dobra e rasga o telegrama várias vezes, picando-o como confete, que cai dentro e fora da lata do lixo. Toca a sineta que chama a criadagem, manda que Jovelino lhe traga um café. Senta-se à mesa, respirando com dificuldade, tentando se acalmar. Acende um cigarro, percebendo que suas mãos tremem. Corja de canalhas. Isso ainda lhe trará muitas dores de cabeça. Ganharam a primeira batalha. Mas não se entregará. De certo, faltam-lhe aliados. No Brasil e na França. Não lhe falta dinheiro, contudo. Perderá muito, é verdade. Mas não sucumbirá. Precisa de calma, foco e paciência. Já tem problemas demais em suas mãos. E que a família não lhe traga mais dissabores. É só o que faltava – um pai na prisão e uma filha puta.

Capítulo 13

Pelo postigo da cela, Tino percebe que o céu está mudando ligeiramente de cor. O negro da noite dá lugar a um cinza escuro, pesado, que anuncia um dia frio, de nuvens carregadas, quiçá um temporal. Acha triste partir num dia de chuva. Por outro lado, talvez seja melhor assim. Mais difícil seria se despedir da vida numa manhã quente e ensolarada de primavera. O céu de chumbo lhe servirá como cenário apropriado para o epílogo de uma vida que lhe saíra torta desde o começo, quando seu coração infantil se apaixonou por Leocádia, com seus olhos verdes naquele rosto de pele alva, enquadrado pelos cachos negros que lhe escorriam até os ombros.

E que chova no enterro também – sabe lá Deus onde será realizado, assistido por quem quer que seja. Talvez ninguém. Uma cova rasa, um caixão de tábuas. Enterrado por dois coveiros diligentes, indiferentes. Talvez um faça o sinal da cruz antes de assentar a terra molhada com as costas da pá. Ali jazerá Sebastião Constantino do Rosário, 1871-1894. Nome e data pincelados numa cruz tosca, enviesada. Um nome que restará desconhecido, varrido da memória da humanidade. Indesejado pela minoria dos vivos, se juntará à maioria dos mortos. Muito diferente, em tudo, daquele outro funeral. O único que presenciou na França. De igual, só a chuva e o vento frio, que não impediram a presença de uma multidão solene, escutando em silêncio a Marcha Fúnebre, executada por uma banda militar. O caixão, carregado por soldados, saiu lentamente da igreja da Madalena, coberto pela bandeira do Brasil. Nunca imaginou que assistiria, em Paris, ao funeral do imperador. O mesmo com quem, desavisadamente, atravessara há anos o oceano. Durante semanas, antes da morte, acompanhou o drama de dom Pedro pelos jornais. Hospedado num hotel modesto, contava, como Tino, suas horas finais. A imprensa, reverente, ainda que republicana, mantinha o povo informado, como se houvesse um correspondente dentro do quarto. Os médicos estavam pessimistas. Aplicaram-lhe uma injeção de cafeína, ministraram-lhe unguentos e comprimidos paliativos. A família foi reunida, os amigos se acercaram e, como numa cena bem ensaiada, o imperador morreu. Morte indolor, sem sangue, impoluta. Digna de um rei. Como numa tela clássica em que o moribundo, enrolado em lençóis de cetim, despede-se de todos antes do suspiro final. Em seu armário descobriu-se, segundo os jornais, um saco de terra e uma nota redigida a mão: *É terra do meu país. Desejo que seja posta no meu caixão.* Fizeram-lhe um travesseiro de terra brasileira. Pena que, travesseiro, só usa quem tem cabeça. No caso de Tino, mesmo que houvesse terra, como fariam para colocá-la sob um corpo decapitado? Entrará no reino dos mortos como São Diniz, o padroeiro de Paris, carregando nas mãos sua própria cabeça.

Resta-lhe pouco mais de uma hora de vida, resigna-se Tino, deitando-se no colchão de palha, cruzando as mãos sobre o peito. A sentença será executada antes de o sol nascer, de acordo com a lei, no lusco-fusco da aurora. Longe vai o tempo da Revolução, quando a turba excitada corria para ver cabeças rolando em praça pública. Agora, a lâmina cai em cerimônia privada, discreta, como se a pena de morte, à luz do dia, pudesse constranger a nação, obscurecendo o farol da humanidade. Tino respira fundo. Cobre os rostos com as mãos, chora. Melhor seria lembrar-se de coisas boas, coisas que fizeram sua curta vida ter valido a pena. Como, por exemplo, ter tocado tantas noites no Rat Mort. Enquanto o imperador morria, homeopaticamente, Tino sobrevivia praticando o que aprendera na construção da torre. Trabalhava por empreitada como carpinteiro, pedreiro, ao lado de Emilio Cortonesi, Luca Rizzetto e, ocasionalmente, José Mosquera. À noite encontrava-se com Adriano no Rat Mort e, aos poucos, recomeçou a tocar a rabeca. Seus dedos haviam enrijecido com o trabalho braçal, mas nada que a prática continuada não curasse. Num domingo de setembro, quando começava a tocar mais cedo, uma cara conhecida lhe sorriu das mesas. Vasco Leão Pirralho, o homem da concertina que, sem o saber, tanto o ajudara na chegada a Paris.

– Quanto tempo ficas? – perguntou-lhe Tino, segurando-o pelos ombros.
– O tempo que a minha concertina quiser!

Jantaram com o primo Adriano, enquanto Pirralho lhes colocava a par das suas últimas viagens. Estivera nos Estados Unidos, viajara de norte a sul, conhecendo Chicago, Nova York, Nova Orléans. Apresentara-se com a concertina em restaurantes e bares, quando não em plena rua, para garantir o pão. Na Louisiana, tocara com pretos, com quem aprendeu uma música pungente, melancólica, que expressava a dor dos anos de escravidão nas plantações de algodão. Em Nova York, conheceu o *ragtime*, um som vibrante que parecia pautar o ritmo da cidade. Sentiu que a multidão, fluindo pelas ruas e quadras de Manhattan, alinhadas como um tabuleiro de xadrez, pulsava, apressada, ansiosa. Nada comparável a Paris, claro, mas estava pronto a apostar que, um dia, Nova York, erguida por milhares de imigrantes, se imporia como novo farol da humanidade.

– O farol francês já começa a apagar – emendou Adriano. – Escândalo atrás de escândalo, o povo vai-se dando conta da corrupção reinante, especialmente entre deputados e empreiteiros. O canal do Panamá está aí para o provar. Até o Eiffel foi tragado pelo mar de lama. Depois, ninguém é preso. Fica tudo em águas de bacalhau. Resultado: desprezo pela política, desordem social, atentados anarquistas... É o povo a se sentir enojado, não tendo como reagir por modos civilizados.

Tino ouviu calado o discurso de Adriano. Desde que trabalhara na construção da torre, começou a frequentar as assembleias do sindicato. Mais tarde, levado por Mosquera, assistiu a palestras e reuniões no Partido Operário. Gostava do que ouvia, do que lia, identificando-se com a causa operária, tão parecida, agora reconhecia, com a luta pelo fim da escravidão.

Logo, porém, Cortonesi o convenceu a abandonar aquelas reuniões inúteis, infestadas por elucubrações estéreis, conformismo político e submissão à autoridade de meia dúzia de líderes autoproclamados. Aos poucos, Tino começou a entender que, se os fins de Mosquera e sua gente eram nobres, seus meios, em contrapartida, eram espúrios – almejavam a participação política através de barganhas e negociatas com os donos do poder. Achavam que bastaria formar um partido político para, com os votos da maioria proletária, chegar ao controle do Estado. Não admitiam que a política partidária era um jogo viciado. Não chegariam a lugar nenhum. E, se lá chegassem, se tornariam tão déspotas como aqueles que lá estiveram. A questão era muito mais complexa.

– Em primeiro lugar, quem precisa de Estado? – perguntava-lhe Cortonesi.
Tino compreendeu que o governo e suas instituições nada mais eram do que instrumentos da burguesia para a dominação e exploração dos trabalhadores. O homem livre não precisava de governo, desprezava as supostas autoridades que o ludibriavam, cerceando-lhe o caminho da realização pessoal. A liberdade de cada um, contudo, não queria dizer egoísmo. A verdadeira liberdade do homem civilizado só poderia existir em comunidade. Não adiantava ser livre para se esconder na mata. Isolado, na natureza, o ser humano não passava de bicho, macaco despelado. O homem só se humanizava perante outros homens pela influência de tudo que se vivia e se aprendia em sociedade. A cobiça e o egoísmo, no entanto, corrompiam aquela mesma sociedade que o tornava homem. Por isso, a liberdade humana era necessariamente coletiva, igualitária e solidária, livre de hierarquias ou distinções de classe. Significava, enfim, cada um por todos, e todos por um. Quando a humanidade pudesse compreender aquilo, o mundo avançaria em direção a uma sociedade verdadeiramente livre, sem Deus, sem pátria, sem patrão. Uma sociedade internacional formada por cooperativas e associações de trabalhadores, aliadas sem a tutela de um Estado autoritário. Uma sociedade sem aquelas fronteiras políticas que ainda opunham operários contra operários, sob falsas bandeiras nacionais, quando o seu verdadeiro inimigo estava dentro dos seus próprios países – a burguesia reacionária, herdeira da aristocracia e dos senhores feu-

dais. Portanto, não poderia haver negociações, compromissos com os exploradores do povo. Política, de verdade, Tino aprendeu, só podia ser feita nas ruas, através da intervenção direta, da propaganda pela ação. Azar de quem se metesse no caminho da luta anarquista.

– E tu ainda achas que o azar existe? – perguntou-lhe Pirralho, às primeiras horas da manhã, quando as cadeiras do Rat Mort já expunham suas pernas sobre as mesas para que o empregado varresse o chão sujo, regado de vinho e cerveja.

– Nem azar, nem sorte. Tinhas razão – respondeu Tino. – Só há consequências amorais. Por outro lado, também não acredito na capacidade de escolha. Não há livre-arbítrio. Parece que nossos atos não são mais do que a consequência de todos os atos da humanidade, anteriores aos nossos, como numa carreira de dominós.

– Bolas! – respondeu Pirralho, virando o último trago. – E os dados? O que fizeste com os dados?

Tino disse que nunca os usara. Pirralho pediu para vê-los. Tino abriu a caixa da rabeca, retirou os dados de um bolso interior.

– Vamos lá ver isto – disse Pirralho, pegando os dados, soprando-os na mão direita. – Eu tenho o livre-arbítrio e decido lançar os meus dados. Depois, o que farei não será por influência da sociedade, nem de ninguém, mas por sugestão do senhor do destino.

Que pena. Nunca dera atenção às sandices de Pirralho, lamenta-se Tino, antes de assoar o nariz e levantar-se do colchão para recomeçar a dar voltas e contravoltas entre as paredes de sua cela. Talvez, se tivesse deixado Pirralho jogar os dados, se tivesse feito uma pergunta sobre o seu destino, quiçá, não estaria nessa situação final. Mas as peças do seu dominó parecem ter chegado a uma velocidade constante, irrefreável. Não há dados que as possam parar. Continuam a cair, uma empurrando a outra, num circuito sinuoso, porém limitado. Através de Cortonesi, Tino conhecera outros italianos, espanhóis e franceses empenhados em transformar a sociedade pela ação direta. Entre todos, Tino se destacava por ser o único membro do grupo que testemunhara dois modelos de opressão – a escravidão dos negros e a exploração da classe operária. A experiência no Brasil, que se modernizara, removendo a mácula da escravidão, oferecia a Tino uma perspectiva histórica. Permitia-lhe vislumbrar a longa caminhada do povo a caminho da liberdade. Abolida a escravidão no Brasil, restava agora, na Europa, lutar pela libertação dos trabalhadores, alienados, reduzidos a máquinas pela burguesia industrial. Sim, refletia, sentindo o furor da insubmissão dominando-lhe o espírito, enrijecendo-lhe o corpo: os operários de todos os países, aqueles novos escravos, se levantariam contra a opressão, lutariam por uma sociedade justa e igualitária. Mas, diferentemente do Brasil, aquela não poderia ser uma luta pacífica, nem deveria ser longa. Afinal, não tinham pelo que esperar – princesa alguma libertaria aqueles novos escravos. Seu destino estava em suas próprias mãos. Mãos calejadas pela pá, pelo martelo, pela picareta. Mãos que, agora, manipulavam os fios, a dinamite, os detonadores. Tino observou, entendeu que a intenção não era ferir, matar, mas aterrorizar, criar pânico, influenciar a opinião pública. Por fim, colaborou. Até que a verdade explodiu na primeira página do jornal, estilhaçando seu entusiasmo, sua inocência. Dois mortos, seis feridos, num ataque a bomba a um restaurante na praça de la République.

– Não foi um dos nossos. Nada a ver com o nosso movimento – insistiu Cortonesi, respondendo às dúvidas de Tino. – Foi um ato isolado, precipitado. Coisa estúpida, passional. Foi vingança pela execução de um camarada. Esse tipo de ação idiota só pode nos trazer problemas e má reputação. Deturpa o sentido da nossa propaganda revolucionária.

– E que garantias posso ter? – perguntou Tino, observando, sobre a mesa, uma maleta surrada, com as extremidades roídas, reforçada com uma fina corda de palha.

– Todas – respondeu Cortonesi. – Só queremos danos materiais e, principalmente, simbólicos. Nada de sangue. E tu não estarás sozinho. Rizzetto vai contigo. Te dará cobertura. Tu entras, depositas a maleta atrás da cruz e sais. Serviço limpo, seguro.

Rizzetto, que até então permanecia calado, disse que já fizera o reconhecimento da área. Cronometrara tudo minuciosamente. Depois da missa das onze horas, o padre e os sacristães iam almoçar. A igreja ficava vazia, com uma ou outra velha beata, fazendo suas últimas orações. Ajoelhadas, no meio da nave, estariam a salvo do impacto.

Tino suspirou, pegou a maleta, abraçando-a cuidadosamente contra o peito, sem confiar na alça. De Montmartre à igreja da Madalena, teve trinta minutos de caminhada para refletir sobre o que estava à beira de fazer. Rizzetto seguia-lhe os passos, mantendo uma distância de dez metros. Fora do trabalho, não deviam ser vistos juntos. Regras do movimento. Preocupado com a cronometragem, Tino tentava caminhar rápido, sem transparecer que tinha pressa. Evitava movimentos bruscos, temendo pela maleta, que parecia mal preparada, coisa amadora. Seguia em frente, olhando para todos os lados, evitando qualquer encontrão ou, pior, um atropelamento. Atravessava as ruas com pernadas curtas, pouco naturais, como se estivesse agoniado para ir ao banheiro. Sabia que seu ato seria irreversível. Independentemente das consequências, uma vez detonada a bomba, nada mais seria como antes em sua vida. Ali se encenaria o seu rito de passagem, o seu batismo de fogo. Depois da explosão, estaria definitivamente implicado nas atividades do movimento. Se tudo corresse bem, não teria o que temer. Atos de vandalismo haviam esculpido a história da humanidade. Em séculos de revoltas e revoluções, os parisienses nunca hesitaram em violar a sua própria cidade. Destruíram monumentos, profanaram sepulturas, queimaram arquivos seculares. Além do mais, o seu ato de vandalismo seria duplamente justificado. Primeiro, pela causa – a propaganda da luta operária e libertária contra os grilhões da burguesia e do Estado –, segundo, porque o alvo do seu ataque representava quase dois mil anos de farsa e opressão – a Igreja Católica. Igreja na qual fora, literalmente, criado e catequizado. Igreja tão defendida por seu pai adotivo quanto ignorada por seu pai biológico. Fosse lá quem fosse o falecido Bardet, Tino sentia que o ceticismo do pai corria-lhe nas veias. Com os camaradas do movimento, aprendera a história da Inquisição, das guerras religiosas, das alianças inescrupulosas pelo poder. Aprendera como a Igreja se tornara um monstro de mil tentáculos, que envenenara o povo, mas que, agora, agonizava, sob a espada da razão e da justiça. Tino sentia-se parte daquele momento histórico. Tinha ganas de tudo explodir, demolir catedrais, não deixando um santo sequer de pé.

Ao mesmo tempo, receava que algo desse errado. Que no último minuto o padre ou um sacristão voltasse ao altar por um motivo qualquer. Esqueceu a Bíblia, um rosário; foi apanhá-lo, morreu ferido pelo impacto da bomba. Que uma velhota carola, num elã de fé alucinada, se jogasse aos pés da cruz, sendo catapultada para o céu antes da hora. Que fins tão gloriosos poderiam justificar aqueles meios, aqueles riscos? Sem fôlego, parado defronte à Madalena, Tino suava copiosamente. Subiu a escadaria, firmando em cada degrau as pernas que lhe bambeavam. Entrou na igreja sentindo o peito apertado, as mãos inseguras, um frio esquisito apesar do calor. No meio da nave, duas fiéis, juntas, oravam ajoelhadas. Temiam a Deus. O mesmo deus que, em minutos, ele faria voar pelos ares. Não, não faria. Fez meia-volta, deu de cara com Rizzetto, que o observava, de joelhos, fingindo que rezava. O italiano interrogou-lhe com o olhar. Tino aproximou-se, pousou a maleta a seu lado, ajoelhou-se. Disse, em voz baixa, que não podia seguir com o plano. Não se sentia bem.

– Vamos juntos. Eu te ajudo – respondeu Rizzetto, pondo-se de pé, empurrando Tino com o joelho.

Tino se ergueu, pegou a maleta e retomou, vacilante, a direção do altar. Colocariam a bomba o mais próximo possível do Cristo. Tino arrastava os pés, Rizzetto o empurrava, discretamente, com o cotovelo. Caminharam juntos, solenes, como fiéis hipnotizados pela cruz, sob o olhar vago de santos, anjos e querubins. A dois passos do altar, Tino olhou de soslaio para trás, tentando se assegurar de que ninguém os observava. Depois, prostrou-se de joelhos, como se rezasse. Rizzetto estancou, bufou, impaciente com aquela nova hesitação do camarada. Tremendo, sem o encarar, Tino ofereceu-lhe a maleta. Rizzetto a arrancou das suas mãos, marchando decidido para trás do altar. Aos pés do Cristo, surgiu a luz, e o som. Uma luz intensa, resplandecente, e o som de mil trombetas celestiais. O corpo de Rizzetto ascendeu às alturas e tombou inerte, derramando sangue por todas as chagas.

Os primeiros policiais encontraram dois homens ensanguentados no altar. Um, sentado sobre as pernas dobradas, segurava a cabeça do outro, deitado, sem vida. Tino não percebeu a chegada da polícia, das dezenas de homens que vasculhavam a igreja em busca de cúmplices. Olhava para a cruz, absorto em seus pensamentos, ausente no tempo e no espaço. Cercado sob a mira de revólveres engatilhados por dedos trêmulos, não escutou quando lhe mandaram levantar com as mãos erguidas. Não se mexia, não respondia. Os soldados já lhe gritavam quando um sargento avançou, cutucando-o com a ponta do coturno. Tino balançou, sem sair do lugar. Vagarosamente, o sargento puxou seus pulsos sujos de sangue, algemando-os atrás das costas.

Do Rosário, Sebastião Constantino, vulgo Tino, nascido em 20 de janeiro de 1871, brasileiro, filiação ignorada, operário, solteiro, morador do Maquis de Montmartre, foi fichado por um policial sonolento que, no comissariado da Madalena, preenchia o formulário com uma caligrafia rebuscada, molhando a pena no tinteiro. Na perícia, fotografaram Tino de frente e de perfil, borraram seus dedos em tinta preta, passando-os sobre sua ficha, imprimindo uma falange de cada vez. Mediram-lhe a cabeça, as orelhas, a distância entre os olhos estrábicos, o formato do nariz, o comprimento dos dedos. Levado para uma sala sem janelas, iluminada por uma lâmpada bruxuleante, sentaram-no perante um homem largo, de bigode encerado, sobrancelha única, como uma ponte, sobre olhos fundos, apagados. Antoine Babel, comissário de polícia da Madalena, perguntou a Tino, numa voz mansa, monotônica, se queria um copo d'água, se já se sentia melhor, lamentando, por fim, a morte de Rizzetto. Em seguida, levantou-se, acendeu um cigarro, ofereceu outro a Tino, que o recusou. Andando ao redor da mesa, passando por trás de Tino, disse que compreendia a frustração política que levava tantos jovens àquelas ações violentas. Que Tino não imaginasse a polícia como o braço armado da burguesia. Não, senhor. Eram tão mal pagos como qualquer operário da construção civil. A diferença era que, pelo bem da sociedade, arriscavam suas vidas todos os dias, e, quando acontecia o pior, deixavam mulheres e filhos desamparados. Depois, calou-se, encarando o detento através da fumaça do cigarro que sufocava a sala. Esperava mais de Tino. Sua experiência profissional, sobretudo na caça àquele tipo de malfeitor, formara-lhe uma outra imagem do anarquista típico. O rapaz à sua frente parecia-lhe mais um nabo desocupado, do tipo recrutado pelo crime organizado para lhe servir de bode expiatório. Um bode tinhoso, naquele caso. Após duas horas de interrogatório, o comissário já levantava a voz, esmurrava a mesa, dava-lhe tapas na cabeça, berrando-lhe impropérios e ameaças ao ouvido. Nada. O infeliz não abria o bico. Merecia o seu respeito. Arriscava o próprio pescoço, defendendo seus camaradas. Tanto pior. Pagaria caro por sua má vontade. Havia o flagrante e as testemunhas – quase surdas pela explosão, mas determinadas a mandar aquele anticristo para o inferno, pela guilhotina ou pela ilha do Diabo. O comissário as tranquilizara. Faria tudo que estivesse a seu alcance para que o subversivo não tirasse férias eternas além-mar. Redigiria um relatório caprichado para a promotoria, oferecendo-lhe todas as provas necessárias ao requerimento da pena de morte.

Tino ouve passos no corredor. Senta-se no colchão e espera. É chegada a hora. Está pronto. A chave dá três voltas, a porta se abre. Dois carcereiros entram, Tino se levanta, sendo algemado pelas costas. Cada um o segura por um braço, guiando-o para fora da cela. Seguem à direita por um longo corredor, terminado, à esquerda, na porta da sala de execuções. Cai a última peça do dominó.

Capítulo 14

Vimos de nos informar sobre o maior dos attentados praticados até agora pelo anarchismo. Foi victima deste desgraçado feito o presidente da Republica Franceza, que, conforme hontem telegraphámos, aqui chegára em visita á exposição.

Sadi-Carnot assistiu ao banquete que lhe offerecera a camara do commercio, em honra á sua visita.

Terminado o jantar, cerca de 10 horas da noite, o presidente da Republica tomou a sua carruagem, dirigindo-se a assistir o espetaculo de gala.

A carruagem ia lentamente, devido á multidão que se apinhava nas ruas, saudando o chefe de Estado.

A meio caminho, imprevistamente destacou-se de entre a massa popular um moço e rapido saltou para a carruagem e vibrou uma punhalada em Mr. Sadi-Carnot.

A arma assassina penetrou no fígado, causando tal ferimento que o presidente da Republica logo perdeu as forças, desfallecendo.

O attentado, nas circunstâncias em que foi praticado, era impossível frustral-o. O criminoso, porém, não conseguiu evadir-se e mesmo não oppoz resistencia ou tentou fugir.

> *Emquanto a prisão era effectuada, conduzia-se Sadi-Carnot para o edifício da prefeitura, onde não tardaram os mais energicos e solicitos cuidados, prestados por summidades medicas locaes.*
>
> *O ferimento, porém, era mortal e de nada valeram os socorros da sciencia, visto que talvez uma hora depois Sadi-Carnot era cadaver.*
>
> *Com grande dificuldade, o criminoso, um italiano de 21 annos chamado Geronimo Caserio, foi conduzido á repartição central de policia. Por vezes o povo tentou lynchal-o.*

Jornal *O Paiz*, terça-feira, 26 de junho de 1894.

Carvalho fecha o jornal, achando curioso como a imprensa brasileira reportou o assassinato do presidente francês. Na afoiteza do furo de reportagem, o correspondente se esqueceu de informar onde ocorrera o crime. Na falta do local, o editor brasileiro não teve dúvidas – *Carnot Assassinado em Paris*. No dia seguinte, o jornal pediu desculpas aos leitores, esclarecendo que o presidente fora morto, de fato, em Lyon.

Em resposta ao atentado, a turba parisiense saíra às ruas, depredando e saqueando lojas e cafés italianos, como se todos aqueles modestos comerciantes rezassem pela cartilha anarquista. Nos primeiros dias, Carvalho decretou estado de sítio no palacete da rua de Bassano – ninguém saía de casa enquanto a anarquia dos antianarquistas não fosse reprimida pela polícia. Agora, um mês depois do assassinato, a situação começa a se normalizar, ainda que o novo presidente, Casimir-Perier, deixe a desejar, substituindo Sadi-Carnot nos seis meses que lhe restavam de mandato.

Não são, todavia, as notícias da França que Carvalho busca nos jornais cariocas, recebidos quase três semanas após a sua publicação no Rio de Janeiro. Procura artigos, notas ou editoriais que abordem o seu caso. Felizmente, pouco encontra. Volta e meia, uma nota na coluna dos "Tribunaes" registra o andamento do processo. Depois da condenação à revelia, seu advogado brasileiro apelou contra a sentença, mas não conseguiu suspender o mandado de prisão internacional.

Carvalho joga o jornal na cadeira ao lado, puxa o relógio do bolso, confere as horas, bufa. Sentado numa cadeira desconfortável, bate o calcanhar no chão, como se contasse cada meio segundo. Paciência, precisa ter muita paciência. Principalmente numa situação como essa. Prostrado, na antessala de um gabinete, aguarda para ser atendido por Jacques Fournier, o prefeito de Levallois-Perret, cacique de subúrbio, índio pé-rapado na política nacional. Os Lopes Carvalho nunca tiveram essas vaidades. O mais próximo que chegaram dos cargos políticos foi quando seu pai se elegeu vereador em Ibirapiranga, nos primórdios da vila. Coisa rápida, um mandato apenas, para resolver a questão do traçado da nova ferrovia, que deveria favorecer o escoamento da produção das suas fazendas. Ganha a causa, a família deixou a política para os menos preparados, homens oportunistas em busca de dinheiro e poder, prontos para vender os seus serviços pelo melhor preço. Pena que tantos fazendeiros não tivessem aquela visão, que se deixassem levar pelas veleidades da retórica, a tentação da tribuna, de onde ladravam discursos intermináveis, ininteligíveis. Misturavam-se, desnecessariamente, à escória política, quando poderiam controlá-la sem sujar as mãos. A melhor política, dizia o velho Joaquim Pombo Carvalho, era feita nos bastidores, patrocinando e manipulando aquelas marionetes pernósticas que, desprovidas de capacidade para enriquecer pelo trabalho, enchiam os bolsos nos tribofes da Câmara dos Deputados.

– O prefeito pede-lhe desculpas pela demora. Diz que vai atendê-lo dentro de quinze minutos – informa-lhe um secretário que saiu do gabinete, voltando para sua escrivaninha.

Carvalho assente com um leve movimento de cabeça, enquanto acaricia o castão da bengala, sentindo no polegar direito o contorno do ornamento, seus rubis e esmeraldas. A ideia do encontro foi do advogado, recomendado por Eufrásia. Carvalho o contratou logo após ter sido informado, por telegrama vindo do Rio de Janeiro, sobre a sua condenação no processo da Companhia Meridional de Habitação. Sabia que, mais cedo ou mais tarde, receberia uma intimação da Justiça francesa. Jean-Pierre Murat, célebre por lavar a honra de políticos em apuros, é um homem gordo, de bigode encerado, cabelos meticulosamente penteados. No seu escritório, no bulevar

Malesherbes, esclareceu a situação a Carvalho num só fôlego, sem permitir que fosse interrompido. Disse que havia estudado seu caso, averiguado a situação, consultado alguns colegas. Tinha, finalmente, uma boa e uma má notícia para o seu cliente. A boa notícia era que o Brasil e a França nunca haviam assinado um tratado geral de extradição. E havia razões históricas para aquilo, frisou, abrindo parênteses na sua explanação – a República Francesa nunca aprovou o regime da escravidão. Logo, jamais extraditaria um escravo foragido, considerado um criminoso no Brasil. Os dois países haviam voltado à mesa de negociações após a Abolição, mas o acordo ainda não fora assinado. Levaria tempo. Coisas da diplomacia. Na ausência daquele tratado, que agilizaria o trâmite legal, os ministérios da Justiça e dos Negócios Estrangeiros analisavam, caso a caso, os pedidos de extradição. Havendo a menor suspeita de que o pedido ocultasse motivações políticas, a República Francesa seguramente o indeferiria. Considerando os tumultos políticos que se seguiram à Proclamação da República no Brasil, com censura, prisão e degredo de opositores, o barão teria, em princípio, uma chance de ver o requerimento da sua extradição negado.

– E aí vem a má notícia – revelou o advogado, simulando um ar contrariado. – O seu pedido de extradição, que já chegou ao Ministério dos Negócios Estrangeiros, está muito bem fundamentado. Numa primeira leitura, os argumentos parecem irrefutáveis – disse, balançando a cabeça, tamborilando com os dedos na escrivaninha. – O governo brasileiro, através do seu ministro em Paris, pede, claramente, a extradição de um estelionatário, condenado à revelia, e não de um refugiado político. Até porque, pelo que o senhor barão nos relatou, sua família nunca se envolveu diretamente na política. Logo, lamento que o pedido possa ser acatado imediatamente.

Carvalho argumentou que, de fato, não era político, mas, sim, um capitalista bem-sucedido, o que gerava rancores entre os militares, sujeitos pobres, ignorantes, que haviam tomado o poder a golpes de espada. Aquela era a perseguição da qual se sentia vítima. A ditadura, todavia, vivia os seus últimos meses. Se não houvesse sobressaltos, em novembro, o novo presidente, um civil, assumiria o governo. E, provavelmente, todo aquele cenário de caça às bruxas seria alterado.

– Logo, a questão é: por quanto tempo podemos obstruir o acatamento ao pedido de extradição?

– Poderíamos tentar desacelerar o processo *ad eternum*, o que lhe custaria muito dinheiro, e muitas noites mal dormidas. Por outro lado, acho que tenho uma solução menos onerosa e, quem sabe, definitiva – disse o advogado, piscando o olho para Carvalho. – Como o senhor deve ter lido nos jornais, a polícia brasileira acaba de desbaratar uma célula anarquista, liderada por italianos e franceses, no Rio de Janeiro. Dois daqueles indivíduos, Paul Reclus e Benjamin Cahuzac, ambos franceses, são procurados pela polícia da França por cumplicidade no assassinato do presidente Sadi-Carnot. A opinião pública é implacável. As eleições estão chegando, e o governo até agora não prendeu ninguém, salvo o executante do crime, um pau-mandado sem relevância. O governo, portanto, está aberto a negociações para que o Brasil extradite os dois franceses para cá. Em contrapartida, o seu pedido de extradição, feito pelo governo brasileiro, faz parte de uma lista onde constam mais dois nomes: um senhor A. P. da Motta Barroso, também acusado de estelionato, e um senhor... – Murat pôs o pincenê, curvou-se sobre a mesa para ler o documento à sua frente – ... Sebastião Constantino do Rosário, procurado no Brasil pelo rapto de uma adolescente e, na França, à espera de julgamento por cumplicidade num atentado anarquista. Outro lunático – disse, tirando o pincenê, para encarar Carvalho. – Ora, na ausência de um tratado geral de extradição, temos a oportunidade de fechar um acordo *ad hoc* para a troca de foragidos. Observe, porém, que o placar está a nosso favor. São três foragidos brasileiros na França, e dois procurados pela Justiça francesa no Brasil – completou o advogado, rindo da própria astúcia.

– Não compreendi – disse Carvalho, ajeitando-se na poltrona.

– Veja bem: a França não é obrigada a acatar os três pedidos de extradição. Pode trocar dois por dois, guardando um na manga, como trunfo para uma futura negociação. E dos três brasileiros procurados, qual poderia interessar à França?

Carvalho não respondeu, limitando-se a erguer as sobrancelhas.

– O senhor barão está fazendo um grande investimento em Levallois-Perret – continuou o advogado. – Está levando progresso para aquela região, que aspira ser a nova zona industrial de Paris. O prefeito de Levallois lhe será sempre grato pela instalação da usina na sua municipalidade. Ora, o partido do prefeito faz parte da sustentação do governo na assembleia – disse, sorrindo, como quem apresentava o óbvio. – Imagine, senhor barão, que desastre seria para a economia daquele subúrbio promissor se um dos seus mais importantes projetos, a maior torrefação de café da Europa, fosse por água abaixo porque o investidor estrangeiro foi preso e extraditado de volta para o seu país – riu o advogado, diante do absurdo da situação. – Não, senhor, a França não seria tão ingrata. Sendo obrigada a extraditar tão somente dois foragidos em troca de dois anarquistas, a França pode negar a sua extradição, poupando-o em nome do interesse nacional. Pelas informações que eu pude obter, o senhor Motta Barroso, já está de malas prontas para partir. Extradição confirmada. O despacho do juiz determina o seu embarque para o Brasil, acompanhado por dois agentes de polícia, tão logo quanto possível. Resta-nos, portanto, o outro, o tal anarquista que, para o bem de Levallois, poderá ser extraditado no lugar do senhor barão – concluiu Murat, batendo com o punho na mesa, como um malhete que marcava a sentença final e incontestável.

– Mas quem poderíamos abordar? – perguntou Carvalho, lutando contra o seu próprio ceticismo, tentando dar sobrevida à esperança.

– Sugiro-lhe que marque uma audiência, *urgentemente*, com o prefeito. Ele, com certeza, estará muito interessado na sua defesa junto às esferas que eu, enquanto advogado, não posso alcançar. Enquanto isso, eu deixarei tudo pronto para dar entrada no pedido de revisão do processo, na apelação, enfim, todas as manobras protelatórias para frear os autos assim que recebermos a ordem judicial – concluiu Murat.

A campainha soa sobre a escrivaninha do secretário. O homem se levanta, abre a porta do gabinete do prefeito, voltando-se de imediato para anunciar que o senhor barão já pode ser recebido. Carvalho levanta-se apoiando-se na bengala, sentindo as costas doloridas pela espera em cadeira tão dura. Entra no gabinete, seguindo os passos do funcionário, observando o ambiente austero, a ausência de quadros, tapeçarias, ornamentos.

– O senhor barão de Lopes Carvalho – diz o secretário, enquanto o prefeito dá a volta por trás da sua mesa para cumprimentar o visitante.

– Seja muito bem-vindo, senhor barão – diz-lhe Fournier, um homem baixo, calvo, de voz macia, com um aperto de mão frio, lânguido. Pede que Carvalho se sente, oferece-lhe um café, roga-lhe desculpas pela modéstia e desconforto do seu gabinete.

– A prefeitura está instalada aqui provisoriamente, há quarenta anos! – explica Fournier, sorrindo. – Por isso, fiz da construção de uma sede definitiva o ponto de honra deste meu mandato. Na verdade, já poderia estar pronta, se eu não fizesse questão de que tivéssemos a mais bela prefeitura da região parisiense. Organizamos um concurso, aprovamos o projeto vencedor e, agora, se tudo correr bem, as obras começarão dentro de trinta dias. Aí, sim, o município de Levallois-Perret terá uma sede à altura do seu grandioso futuro, como a maior zona industrial da França, na periferia de Paris – gaba-se Fournier, oferecendo um charuto a Carvalho.

Carvalho acende o charuto, recosta-se na poltrona, analisando o homem que, atropelado por sua eloquência, agita as mãos com gestos hesitantes, afeminados.

– Mas em que posso servir o senhor barão? Soube que a construção da torrefação começará em breve. Pergunto-me se a teremos inaugurada antes do fim do meu mandato.

Carvalho confirma, diz que o terreno já está pronto, e que as obras podem começar em, no máximo, duas semanas. Por outro lado, há um certo empecilho, e gostaria de conhecer a opinião do prefeito. Narra a sua trajetória empresarial, fala-lhe de seus empreendimentos, do seu sucesso na bolsa de valores e no mercado imobiliário do Rio de Janeiro. Com certeza, não precisa explicar ao prefeito, grande homem da política, a situação no Brasil após o golpe militar. Basta dizer que, como outros homens de negócios, deixara o país às pressas, perseguido por uma Justiça subserviente, controlada por soldados engalanados. Agora, imagine o senhor prefeito, que acaba de tomar conhecimento que os militares pedem a sua extradição, fundamentada num processo obscuro, forjado pela ditadura para privá-lo do seu patrimônio, fruto de décadas de trabalho na lavoura e na Corte.

– Sendo assim, não tenho outra opção senão adiar as obras da torrefação de Levallois-Perret, a maior da Europa – frisa o barão –, a fim de tratar deste assunto desagradável, deste ataque vil à minha honra e à reputação da minha família.

– Que absurdo! – reage o prefeito. – Estou realmente chocado. Mas essa possível extradição não se daria assim, de forma imediata. Essas coisas levam tempo. Além do mais, não é do interesse da França que um investidor do seu porte se veja embaraçado por essas disputas falaciosas, originadas, como o senhor mesmo diz, em sórdidas maquinações políticas.

– Que assim o seja, senhor prefeito. De qualquer modo, estou suspendendo os meus investimentos aqui no município até que a situação se desanuvie – encerra Carvalho, apoiando-se na bengala, preparando-se para se levantar.

– Não, espere, por favor – diz Fournier, saltando de trás da sua mesa, caminhando em direção à janela. – Dê-me alguns dias para que eu possa refletir sobre a questão. Precisamos encontrar uma solução que atenda aos seus interesses, e aos interesses da nossa municipalidade.

– De fato, esta é a razão da minha visita. A solução existe, estando mais nas mãos do senhor prefeito do que nas minhas – diz Carvalho, retirando um envelope do bolso da sua casaca. – Aqui tem uma carta do meu advogado, apresentando-lhe a nossa proposta, muito justa e coerente.

– Vou lê-la com carinho – responde o prefeito, olhando para o envelope branco pousado sobre a sua mesa.

Carvalho agradece, coloca-se à disposição do prefeito para qualquer esclarecimento que possa ajudá-lo naquela causa. Aperta a mão do homem com força, enojado por aquele cumprimento frouxo, mesquinho, escorregadio. Já na porta do gabinete, vira-se para o prefeito: "Além da proposta, posso garantir que não lhe faltarão recursos para que a nova sede da prefeitura seja inaugurada em tempo recorde".

Na manhã seguinte, Carvalho chega em casa por volta das dez horas. Ana Maria viajou outra vez, indo passar uma semana em Trouville, no litoral da Normandia. Levou Perpétua, Dodora e a cadela Salsicha. Carvalho, por sua vez, aproveitou para se ausentar de seus problemas no suave colo de Joséphine. A francesa o esperava no apartamento da rua de Clignancourt, com vista para as obras da basílica do Sacré-Coeur. Era a primeira vez que Carvalho a visitava a bordo do seu próprio carro. O landau tão sonhado. Um Kellner, comprado na fábrica, equipado com dois cavalos, conduzidos por Nicolas, um velho cocheiro indicado por Joséphine. Um corso, explicou ela. Gente calada, de confiança. Sabe guardar segredos.

    Saltando do carro, Carvalho levantou os olhos em busca da janela da amante no quinto andar. Entrou no prédio, subiu devagar as escadas, parando para recuperar o fôlego em cada patamar. Deveria ter lhe comprado um apartamento no térreo. Assim não deixaria metade das suas forças na subida da escadaria. Joséphine abriu a porta, sorrindo, agarrou-se a seu pescoço, puxando-o para dentro de casa. Ali, naquele apartamento, mobiliado com o que havia de mais luxuoso e moderno, a ruiva despia-o solenemente, começando pela máscara de barão.

    – Chuchu, relaxa. Andas tão tenso – disse, massageando-lhe os ombros.

    Depois, Chuchu e Joséphine saíram de landau para jantar no Café de la Paix e, não indo ao teatro, resolveram voltar para casa, onde passaram a noite fazendo tudo aquilo que Carvalho não fazia com Ana Maria, por razões higiênicas e morais. Gozava, enfim, de todo aquele prazer reprimido pela pose, pelo título de barão e pelo respeito à fervorosa fé católica da esposa, mulher de muitas virtudes e pouca imaginação.

Capítulo 15

Tino abre os olhos, deparando-se com um anjo que o fita de braços abertos, asas fechadas, a cabeça levemente inclinada, como numa saudação misericordiosa. Ao redor, dezenas de querubins velam túmulos e jazigos, garantindo-lhes a bênção divina, aclamando a chegada daquelas almas ao céu. Tino senta-se, olha ao redor e reconhece o cemitério. Sente o corpo doído, as pernas pesadas, os braços arranhados sob as mangas rotas da camisa. Tateando o pescoço, descobre, aliviado, que a cabeça está no lugar. Custa a entender o que lhe aconteceu no roldão daquelas últimas horas. Lembra-se da cela, dos carcereiros e do corredor da morte. Depois, as imagens se confundem, embaçadas pelo inesperado, que contraria o drama da sua execução, tantas vezes mentalmente ensaiado. Em vez de o encaminharem à sala da guilhotina, no final do corredor, à esquerda, os carcereiros o guiaram para a direita, tomando outro corredor, até chegar à sala de Louis Deibler, o carrasco oficial de Paris. Ali, Deibler o aguardava, acompanhado por François Vidal, o advogado recém-formado que defendeu Tino por indicação da defensoria pública. Magro, de cabelos desgrenhados, barba rala e assimétrica, Vidal explicou a Tino que, na noite anterior, o presidente da República lhe concedera a graça, atendendo a um pedido de clemência e extradição do governo brasileiro.

— Em outras palavras, o senhor não será executado, mas será extraditado para o Brasil, onde deverá responder à Justiça pelos crimes lá cometidos — esclareceu Vidal.

O advogado explicou-lhe que agora ele seria transferido para um centro de detenção. Lá permaneceria preso até o dia do seu embarque para o Brasil. Pelas costas, Tino sentiu as mãos de um carcereiro abrindo-lhe as algemas para que pudesse assinar o documento apresentado pelo carrasco. Precisava confirmar, legalmente, que saía do centro de execução vivo, com o pescoço intacto. Tremendo, rabiscou o papel, devolveu a caneta ao diretor, encarou seu advogado sem conseguir dizer palavra. Dois policiais voltaram a algemá-lo, levando-o para fora do edifício. Sob a luz azulada do alvorecer, Paris despertava morosamente: o gato que se espreguiçava na esquina, o comerciante que abria as portas da mercearia, o garçom que varria a calçada diante do café. Pela primeira vez desde que fora preso, Tino via outras pessoas que não fossem policiais, advogados, carcereiros. Um carro com janelas gradeadas, puxado por dois cavalos, estava à sua espera, estacionado a poucos metros do centro de execuções. Os policiais o ajudaram a subir no estribo, empurraram-no para dentro da caçamba, fechando a portinhola. Agachado, tentando se recostar na escuridão daquele espaço exíguo e abafado, Tino sentia o cheiro dos cavalos, misturado ao ranço de suor – marca deixada pelos homens que, transportados naquele carro, faziam a derradeira viagem entre a vida e a morte na guilhotina. Sentado, mal acomodado, com as mãos ainda algemadas pelas costas, o condenado fechou os olhos, ouvindo, lá fora, a conversa entre os dois policiais. Depois, tudo perdeu sentido. Tino escutou tiros, gritos; viu a portinhola abrir-se violentamente, dois braços puxando-o para fora do carro. Os guardas, desarmados, sentindo o toque frio do cano de revólveres na nuca, retiraram-lhe as algemas, antes que Tino fosse agarrado pelo braço e afastado sob a proteção do grupo que atirava para o alto. Ao dobrar a esquina, os homens se dispersaram, correndo para todos os lados.

— Viva a revolução! – gritou-lhe o último antes de desaparecer por um beco mal iluminado.

Tino vacilou, olhou ao redor, sem saber onde estava. Disparou para a direita, sem direção, tentando se localizar. De repente estancou, deu meia-volta, correu para a esquerda, subindo a rua, afastando-se do centro de execuções. Na esquina, encontrou-se. Bulevar de Ménilmontant! Na calçada oposta, reconheceu o longo muro branco do cemitério do Père-Lachaise. Correndo, atravessou o bulevar, escalou o muro, estatelou-se do outro lado, batendo a cabeça numa cruz, caindo desacordado entre dois túmulos empoeirados. Agora, à luz do meio-dia, sente fome, a cabeça dolorida, um grande cansaço. Aos poucos, consegue se erguer, mas ainda lhe faltam coragem e força para sair do cemitério. Volta a se deitar, observando a legião de anjos que o cerca. O que aconteceu? Que anjos tortos foram aqueles que o resgataram? Onde estariam agora? Fecha os olhos. Volta a dormir.

Na sala do comissário, o ordenança coloca duas pastas sobre a escrivaninha, perguntando ao chefe se precisa de algo mais. Antoine Babel responde que não. Está dispensado. Quando o policial sai, recosta-se na cadeira, aspirando um profundo trago do cigarro. Precisa se preparar. O dia será longo e difícil. O primeiro cacete virá da imprensa, em notas e editoriais. O anarquista brasileiro, após receber a graça presidencial, escapou antes da extradição! A polícia será criticada, ridicularizada. Que se fodam os jornalistas! Principalmente os de esquerda, um bando de maricas falastronas que achincalha a polícia, e ainda tenta justificar os atos daqueles subversivos dinamitistas. Grandes filhos da puta. A graça concedida a Rosário não passa de uma gota no oceano de corrupção política que afoga a sociedade, respingando injustamente na corporação. O povo confunde a ação da polícia com os desmandos da política. Babel está farto de tudo isso. Após dois anos de campana, seus homens haviam prendido trinta anarquistas na maior operação policial jamais realizada em Paris. E tudo aquilo para quê? Com uma simples assinatura o juiz absolveu quase todos, desprezando um rigoroso trabalho de investigação, humilhando toda a corporação policial. Pior, expondo a população ao risco de novos atentados. Depois, quando mataram o presidente, a culpa foi de quem? Da polícia, que não monitorou, não reprimiu, não prendeu. Agora, vem o novo presidente e perdoa Rosário, permitindo-lhe voltar ao Brasil, onde cumprirá sua sentença numa ilha, sob a sombra das palmeiras tropicais. Um palerma, claro, doido e tão irrelevante quanto o assassino de Sadi-Carnot. Mas é réu confesso! Serviço limpo, relatório impecável, um pescoço pronto para a guilhotina. Sangue que saciaria a sede de vingança de uma população farta de atentados e desvarios anarquistas. Não, Babel não podia aceitar aquela concessão de graça ao condenado. Discordando da estratégia do governo, o comissário acredita que a extradição de Rosário em troca de Paul Reclus não levará a nada. É trocar um pássaro na gaiola por outro, solto, muito mais esperto, que, defendido pela imprensa de esquerda e acobertado pelos deputados socialistas, acabaria inocentado da sua participação no atentado ao presidente. Não, senhor. O melhor será que, por enquanto, Reclus permaneça no Brasil, mofando numa cela quente e úmida. Além disso, com Rosário nas ruas, novas oportunidades se apresentarão, conclui, apagando a guimba do cigarro no cinzeiro. Em seguida, ajeita-se na cadeira, bebe o último gole do café que esfria na xícara, contorcendo a boca:

– Merda de café! Pior que mijo de gato!

Um café de qualidade superior, de aroma puro, rico em sabor, sem misturas ou adulterações, é o que Carvalho promete aos três jornalistas que se interessaram pelo lançamento da pedra fundamental da Companhia do Café Carvalho, a maior usina de torrefação da Europa.

"... tem a honra de vos convidar para o lançamento da pedra fundamental da Torrefação do Café Carvalho, a ser realizado no dia 9 de agosto de 1894, às 11 horas...", diz o convite enviado aos políticos locais e à elite da comunidade brasileira em Paris, reunidos agora para o evento, sob o céu claro dessa manhã de quinta-feira.

O prefeito Jacques Fournier, trajando cartola e casaca, lê o discurso de inauguração da obra, ao lado de Carvalho, que levou a família e a prima Eufrásia. À sua frente, postam-se Edgar Prates, o doutor Hilário de Gouveia, os condes d'Eu e os doze membros do conselho municipal.

– Dentro de aproximadamente dezoito meses – clama o prefeito, com voz infantil e gestos teatrais –, Levallois-Perret terá orgulho de produzir o melhor café da França. Café vindo diretamente das melhores terras brasileiras, derriçado não mais pelo escravo, mas pelas experientes mãos do trabalhador europeu. Grãos verdes que atravessarão o oceano, galgando enormes vagas, para trazer aos nossos lares o mais puro aroma do café cultivado no continente americano. E será aqui, neste município, que já dá sinais da sua glória futura, da sua pujança econômica, através do plano de desenvolvimento industrial da prefeitura, será aqui, repito, que estes grãos chegarão para serem torrados e embalados na mais moderna maquinaria com a qual a indústria nos tem provido. Em nome dos cidadãos de Levallois-Perret, eu expresso a minha mais profunda gratidão a este homem, este pilar de honradez e trabalho, fruto da melhor sociedade brasileira, que chega à França para nos prestigiar com sua energia, sua coragem e sua determinação – declama Fournier, apontando Carvalho com a mão, sem erguer os olhos do papel. – Ao nobre barão de Lopes Carvalho, o povo de Levallois-Perret, aqui representado na minha humilde pessoa, apresenta os seus mais profundos sentimentos de estima e admiração – encerra o prefeito, sob uma descompassada salva de palmas.

Carvalho aperta a débil mão de Fournier, agradecendo-lhe pelo belo discurso. Em seguida, um operário, bem barbeado, vestindo um macacão limpo e botas lustrosas, aproxima-se do grupo com uma espátula, um pequeno balde de cimento e o primeiro tijolo a ser assentado sobre as fundações do prédio. O protocolo previa que à condessa d'Eu seria dada a honra de cimentar a pedra fundamental. Na última hora, contudo, Carvalho hesitou. Apesar do prestígio, Isabel não lhe transmite bons agouros. Imperatriz sem trono, falida, vivendo às custas da família Orléans, a desavisada redentora dos escravos não pode pôr a primeira pedra daquele empreendimento no qual Carvalho aposta todas as suas fichas. Considerou o filho, mas, tendo em vista a inaptidão de Rodrigo para os negócios, acha melhor passar a espátula a Dodora, a mais jovem, a esperança da família. A filha, porém, sequer olha o pai. Decidido, Carvalho passa a espátula a Eufrásia, símbolo, sem sombra de dúvida, do sucesso de uma mente brilhante para os negócios, apesar de ser mulher. Eufrásia agradece a espátula e, num gesto inesperado, entrega-a a Dodora que, então sim, aceita, encabulada, o instrumento das mãos da prima. A menina enfia a espátula no balde segurado pelo operário, recolhe um pouco de cimento, colocando-o sobre a fundação que emerge do terreno. Depois, assenta o primeiro tijolo, sob os aplausos de todos os presentes. Por um instante, dá-se conta de que, pela primeira vez, é aplaudida. Sem contar, claro, os aplausos de pais e mães que recebeu, junto ao elenco, no encerramento da peça escolar (quando espetara o Cristo com mais força do que o previsto, causando consternação entre as colegas). Aqueles aplausos, todavia, não lhe interessaram. Como tampouco merece, agora, uma grande ovação por colocar um tijolo em cima de outro. De qualquer modo, sente-se o centro das atenções. Por um segundo transporta-se para o palco, sentindo o calor da plateia. Tão quente como a bofetada que recebeu do pai nessa manhã.

Havia uma semana Dodora andava amofinada. Terminado o liceu, voltara para casa fazendo planos, arquitetando enredos, sonhando com a vida na ribalta. Naquele primeiro sábado de liberdade, Carvalho a chamou ao seu escritório, disse-lhe que se sentasse, abriu seu estojo de cigarros, acomodando-se numa poltrona em frente à filha. Após um curto silêncio, que a Dodora pareceu um ano letivo, Carvalho contou-lhe do seu desgosto em saber que a menina andava com minhocas na cabeça, ideias estranhas, de se meter na vida artística, no teatro.

– O palco mais importante da vida, Isadora Antônia, é a família – explicava Carvalho. – No papel de mãe e senhora do lar, tu serás a estrela maior a brilhar.

Dodora argumentou que, se pudesse, preferia não se casar tão cedo. Queria estudar dramaturgia no conservatório, de onde pretendia chegar à Comédie-Française. Não se referia a teatros populares, espetáculos vulgares de cabaré. Falava das grandes damas do teatro francês, como Sophie Croizette e Sarah Bernhardt. Gostaria também de escrever as próprias peças. Sentia a necessidade de colocar no palco as cenas que lhe passavam pela cabeça. Tinha tantas ideias que, à noite, custava a dormir, sentindo-se assaltada por todos aqueles personagens, que lhe exigiam a oportunidade de existir. Carvalho riu, balançou a cabeça, inclinando-se para bater as cinzas do cigarro num cinzeiro à sua frente.

– Uma coisa não impede a outra, Isadora Antônia – comentou. – Uma vez cumpridas as tuas obrigações de esposa e mãe, terás todo o tempo do mundo para escrever tuas peças e, quem sabe, encená-las em casa com as crianças – disse, antes de emendar, em voz baixa: – Se não forem imorais, como as julgam as freiras do teu colégio...

Sobre o casamento, ela não devia se preocupar, continuou, pois não lhe faltariam pretendentes nas altas rodas da sociedade francesa. O cacife dos Lopes Carvalho aumentava a olhos vistos, graças, acima de tudo, ao destaque que a imprensa dava à construção da torrefação em Levallois-Perret. A família era frequentemente citada nas colunas sociais, sempre ao lado de figuras de proa no cenário parisiense, como os condes d'Eu, os Nioac, os Monteiro de Barros e toda a antiga Corte do imperador. Quanto ao noivo, ela, obviamente, não seria forçada a aceitar ninguém.

– Afinal, não estamos em Ibirapiranga, e a vida não é um dramalhão teatral! – explicou o pai.

Ela teria o direito de apresentar um pretendente, ou escolher entre os candidatos indicados pelo pai. Depois, sua decisão seria respeitada, pela felicidade de toda a família.

Dodora respirou fundo, calou-se. Meneou com a cabeça sem muita convicção. Precisava ganhar tempo, recuperar-se daquela chamada imprevista. Sentia-se traída. Não foi aquilo que ficara acertado entre ela e Ana Maria. Esperava que a mãe estivesse presente. Se não para defendê-la, pelo menos para suavizar a intransigência do pai. Por outro lado, considerava aquela conversa como um ensaio. Outros viriam antes que pudesse conquistar o seu público, convencendo-o do seu desejo, da sua necessidade absoluta de estar no teatro, dando vida aos personagens que ela mesma criaria. Aquela era a sua prioridade, que embargava a possibilidade de se casar para "formar família" com um janota qualquer, filho da decadente nobreza brasileira em Paris.

Pai e filha não voltaram a tocar no assunto até essa quinta-feira, quando Carvalho levantou-se mais cedo, ansioso com o lançamento da pedra fundamental. À mesa, durante o café da manhã, acompanhado apenas por Dodora, Carvalho revirava os jornais em busca de notas ou artigos que noticiassem o evento do dia em Levallois-Perret. Nas manchetes, novos atentados, a prisão de um militar por traição, um domador de circo atacado por leões. No *Figaro*, encontrou, na página de negócios, uma nota que celebrava o início das obras da usina, prenunciando um café de melhor qualidade nos lares e restaurantes franceses. A nota, ainda que pequena, lhe agradou. O jornal dera início, sem que ele precisasse gastar um tostão, à campanha publicitária do Café Carvalho, que o barão já antevia dominando o caleidoscópio de reclames nas ruas de Paris. Depois, revirando as páginas do jornal de trás para frente, Carvalho estancou. Na página três, "fuga", "brasileiro", "anarquista". As palavras o atingiram como um soco no estômago. Afobado, leu todo o artigo, prendendo a respiração. Confirmado: Sebastião Constantino do Rosário, seu bode expiatório, escapara da prisão.

Aproveitando o silêncio do pai, Dodora apostou numa nova investida. Enquanto passava geleia no pão, disse-lhe, sem levantar a cabeça, que estivera no conservatório, informara-se sobre o curso de teatro.

– Se o senhor conhecesse o conservatório, talvez...

Não conseguiu terminar a frase. A mão pesada do barão atingiu-lhe a face com um golpe certeiro, mais estalado do que doloroso. Dodora empalideceu, cobriu o rosto com as mãos, antes de se levantar e correr para fora da sala.

O barão amassou o jornal, jogando-o na lata do lixo. Passou a mão pelos cabelos, sentou-se pesadamente, sentindo que o controle da situação lhe escapava.

Na tarde desse mesmo dia, enquanto Ana Maria foi à missa, Dodora desapareceu. Depois do lançamento da pedra fundamental, Carvalho enviou a filha e a mulher de volta para casa. Rodrigo e Edgar partiram apressados para o hipódromo, enquanto o barão explicava que precisava ir ao Automóvel Clube. À noite, de volta ao palacete, sentindo-se mais calmo e relaxado, encontra a família em pânico. Dodora não está em casa, sumiu sem deixar rastros. Ana Maria quer chamar a polícia. Carvalho hesita. É cedo. Melhor esperar até o dia seguinte. Se ela não voltar para casa até o amanhecer, pedirão ajuda às autoridades. Ana Maria não compreende a calma do marido. Insiste. Carvalho tergiversa. Diz que Dodora é atrevida, mas medrosa. Não terá coragem de passar uma noite fora de casa. Correndo entre a sala de estar e a cozinha, Perpétua tenta se acalmar, ocupando-se da patroa. Oferece-lhe copos d'água com açúcar, chá de camomila, pastilhas de terebentina. Jovelino se dispõe a procurar a menina pelas ruas, mas Carvalho o dissuade. Não há onde procurar. Ela pode estar em qualquer lugar. Cabe-lhes esperar.

– Não passa de criancice. Daqui a pouco estará de volta – diz o barão.

Às duas horas da madrugada, quando o próprio Carvalho já cogita a possibilidade de chamar a polícia, o telefone toca. O barão corre para o aparelho antes que Jovelino o possa alcançar. Do outro lado da linha, a voz de Eufrásia o acalma. Sim, Dodora está sã e salva na casa da prima. Eufrásia fora ao teatro e, só agora, após jantar com amigas, encontrou Dodora em casa, adormecida no quarto de hóspedes. A criadagem não suspeitara de que se tratava de uma fuga e, por isso, não mandou informar à patroa. Eufrásia aconselha moderação ao barão. Que deixe a menina passar a noite na sua casa. Na manhã seguinte a levará de volta ao palacete da família.

Carvalho, porém, não pode esperar pela filha. Na sexta-feira, sai de casa apressado, sem tomar o café da manhã. Planeja ver Dodora mais tarde, a sós no escritório, uma vez mais sem a presença de Ana Maria. Agora, precisa resolver algo mais urgente. Entra no landau, pedindo a Nicolas que toque para o bulevar Malesherbes.

– As consequências são imprevisíveis – explica-lhe Jean-Pierre Murat, franzindo o cenho. – O senhor Motta Barroso, já chegou ao Brasil. Benjamin Cahuzac está a caminho da França. Agora, com a fuga desse anarquista brasileiro, o Brasil pode voltar a insistir no pedido de extradição do senhor barão. Como a oposição não perdoa, o governo francês não terá alternativa, senão retomar o seu processo em troca de Paul Reclus, o segundo francês que está preso no Rio de Janeiro. Em outras palavras, estamos empatados. Agora é um por um. E, na ausência desse tal de Rosário, o senhor barão volta à pauta do dia, podendo ser preso e extraditado a qualquer hora.

— E se ele for recapturado? – pergunta o barão, apoiando-se na bengala para se ajeitar na cadeira defronte à escrivaninha do advogado.

— As posições se inverteriam uma vez mais. Não obstante, tendo em vista o barril de pólvora em que este país está se transformando, com atentados a bomba, um presidente assassinado e militares acusados de traição, temo que as suas chances se reduzam drasticamente. A captura desse fugitivo pode levar meses, se não anos. E o atual governo não está em condições de esperar tanto tempo para satisfazer a oposição. Alguns deputados, sobretudo os socialistas, já questionam a lentidão e a falta de transparência nas negociações. Além disso, o povo tem sede de justiça, e espera que o Brasil lhe entregue Paul Reclus imediatamente – diz o advogado, conferindo as horas no relógio de bolso. Depois, suspirando, à guisa de despedida: – Enfim, senhor barão, esperemos que o nosso recurso interposto na Corte de Apelação seja julgado a seu favor. Com isso poderemos ganhar tempo, embora eu tenha poucas esperanças de obtermos um resultado definitivo. O melhor seria, realmente, que a polícia encontrasse esse fugitivo brasileiro.

De volta à rua, Carvalho entra no carro, partindo em direção a Levallois-Perret. Precisa meditar. Quer refletir observando os trabalhos de construção da torrefação. Espera encontrar paredes que sobem, tijolo a tijolo, concretizando seu sonho, antes que tudo o mais se torne um pesadelo.

Capítulo 16

Tino passa cimento no alicerce de concreto, assentando o primeiro tijolo daquela seção de parede. Com o cabo da espátula, bate cuidadosamente no tijolo, alinhando-o com a base. Logo deita uma nova camada de cimento, onde pousa o segundo dos milhares de tijolos que formarão as paredes externas daquele edifício. Teve sorte de encontrar trabalho uma semana após sua fuga. Ainda no cemitério, esperara o cair da noite, saltara o muro, voltando para a rua. Andou por quilômetros, chegou à praça Pigalle, entrando no Rat Mort pelo beco lateral que dá acesso à porta da cozinha. Mandou chamar Pirralho, que, encostado ao bar, acompanhava o concerto de Adriano. Pirralho o abraçou, falando-lhe ao ouvido. Deveriam sair dali. Não era seguro. A polícia estaria à sua procura. Que fossem para fora. Estava com fome? Levariam algo da cozinha.

Vagaram pelas ruas de Pigalle, comendo pão com queijo, driblando bêbados, discutindo a situação. Pirralho caçoava da barba que Tino deixara crescer na carceragem. Dois meses no corredor da morte o haviam marcado mais profundamente do que os sete anos em que vivia em Paris. Já não tinha o ar juvenil, de saloio aparvoado, que Pirralho conhecera no paquete. E não era só a barba que o envelhecia. Tino perdera peso, ganhara uma expressão séria e taciturna, enquadrada por rugas precoces que lhe vincavam a testa e o canto dos olhos. Na nuca, Pirralho apontou-lhe um chumaço de cabelos grisalhos, surgido repentinamente. Aos vinte e três anos, era um homem feito.

Mastigando o pão, Tino contou a Pirralho sobre o atentado, a prisão, a fuga. Agora, precisava reencontrar os camaradas do movimento.

– Pelo contrário! – alertou Pirralho. – Deves evitá-los. A situação piorou muito depois que mataram o presidente. A polícia está a caçar anarquistas como ratazanas. A pauladas!

Tino discordava, mas preferia não argumentar. Sabia que Pirralho nunca aprovara sua militância na propaganda pela ação. O amigo não cria em política, e muito menos em revoluções. Seu ceticismo irreverente desacreditava até os mais sinceros anarquistas.

– A única revolução possível começa dentro de ti mesmo, dentro de cada um de nós – dizia. – Se queres a minha opinião, mantém a cabeça dentro d'água. Espera algumas semanas. Depois, inventa um nome, sai de cara limpa e começa uma vida nova. Toma o destino nas tuas mãos. E, no caso de dúvidas, lança os dados!

Naquela primeira noite de liberdade, Tino voltou ao cortiço da rua Lepic, onde Pirralho era agora vizinho de Adriano. Não podia voltar para casa, o barraco em que vivera no Maquis de Montmartre. Precisava agir com discrição. Passou dias sem sair do cortiço, sobrevivendo do que os amigos lhe traziam do Rat Mort. Pão, manteiga, um pedaço de chouriço, uma garrafa de vinho. Durante o dia, lia os jornais que embrulhavam a marmita, limpava o quarto, tocava a rabeca, zelosamente guardada por Pirralho, como se pudesse prever que um dia reveria o amigo. À noite, Tino deitava-se fitando o teto encardido, tentando rever seus atos, suas culpas, sua improvável redenção. Havia muito não tinha notícias de Ibirapiranga. A última carta de Noêmia chegara um ano antes da sua prisão, numa tarde da primavera de 1893, quando Tino ainda podia se deitar na relva de um parque, com a cabeça leve e despreocupada, para ler e reler a carta que tanto lhe aquecia o coração. O tempo fazia o seu trabalho, esmaecendo o escândalo de Leocádia, como uma fotografia amarelada da época da escravidão. O velho Jaguaraçu, porém, não o esquecia. Martirizava-se na obsessão de reencontrar a filha, por muitos já dada como morta. De boas novas, um pequeno consolo: Noêmia não corria mais o risco de morrer de fome. Encontrara trabalho como criada no solar do barão de Gomes Pinto, um fazendeiro falido. Não era paga, mas comia bem, sob um teto que lhe caíra dos céus quando o novo padre chegou da capital para ocupar a casa paroquial onde Tino nascera. Quanto ao mais, Ibirapiranga continuava sua marcha rumo ao passado.

Ao cabo da primeira semana, cercado pelas paredes do quarto, Tino sentia-se sufocado pela horda de ideias sombrias que o assaltava a todas as horas do dia e da noite. Num rompante, saiu do cortiço, apressado, aliviado por estar de volta à rua, ao espaço aberto. Começar uma vida nova, como lhe dizia Pirralho, parecia a decisão mais acertada. Mas antes precisava colocar o ponto final na vida que se encerrava. Fora covarde uma vez. Não o seria novamente. Precisava encontrar Emilio Cortonesi. Procurou o camarada nos cafés onde antes se reuniam, urdindo complôs, tramando atentados. Entrava, esquadrinhava o salão apinhado por operários, prostitutas e artistas. Saía, errava pelas ruas, buscando e, ao mesmo tempo, evitando caras conhecidas. Ainda não sabia o que diria quando encontrasse Cortonesi. O camarada lhe indagaria, com certeza, sobre o atentado na igreja. O que aconteceu? Como explicar-lhe sua insegurança, seus receios, sua fraqueza?

— Bela barba. Quase não te reconheci — disse Cortonesi, agarrando-lhe o braço na saída de um cabaré, no alto de Montmartre.

Tino assustou-se. Cortonesi indicou-lhe com um gesto de cabeça que o seguisse. Separados, andaram até o canteiro de obras da basílica do Sacré-Coeur, entrando pela porta lateral da nave inacabada. Na escuridão, em que mal podia ver o rosto do italiano iluminado pela brasa do cigarro, Tino agradeceu pelo resgate.

— Que resgate?
— O meu, claro.
— Não fomos nós.
— Como assim?
— Soubemos pelos jornais. Não teríamos como executar uma operação daquele tamanho. Sequer temos armas!

– Então...

– Então, acho melhor que tu te afastes do movimento. Alguém quer te ver livre, nas ruas, seja lá qual for a intenção. E isso não me cheira nada bem...

– Quanto a Rizzetto...

– Sacrificou-se pela causa. É um mártir, um verdadeiro herói – disse, apertando a mão de Tino, pronto para partir. – Só uma coisa: ele sofreu?

– Não... Foi tudo muito rápido. Ele...

Tino não pôde terminar o desabafo. Cortonesi bateu-lhe no ombro em sinal de despedida.

– Avante! – disse, já saindo da igreja, descendo por uma viela escura em direção aos cabarés.

Terminada a primeira camada de tijolos, Tino olha para trás, mirando seu trabalho em perspectiva, procurando algum tijolo desalinhado. Não, não há nada fora do lugar. Fez um bom serviço. Desde a construção da torre, prefere o ofício de serralheiro ao de pedreiro. Todavia, naquela situação, não há muitas opções. Sente a necessidade urgente de um encargo. Não só pela sobrevivência, mas também pela vontade de esquecer o passado recente e o longínquo. Sem Deus nem pátria, resigna-se em ter novamente um patrão, a quem pode vender, por uns trocados, seu tempo e sua força de trabalho, mantendo, por outro lado, sua mente ocupada, e livre de reflexões soturnas.

– Bardet! Almoço! – grita-lhe o chefe dos pedreiros, que supervisiona a obra.

Tino não responde. O homem se aproxima.

– Almoço, Bardet! – repete, esperando por uma reação.

Tino larga a espátula, limpa a mão esquerda na camisa, acenando com a direita para o colega. Censura-se pelo reflexo tardio. É a primeira vez que alguém o chama pelo nome desde que Sebastião Constantino do Rosário morreu na fuga da prisão. Sim, Tino é um foragido da Justiça. Não deve mais existir. Está morto e enterrado. Louis Bardet, o filho, nasceu no cortiço de Pirralho, sem choro, no meio de muita algazarra e discussão. Num domingo à tarde, foi batizado com bagaceira e um charuto cubano que Adriano guardava para uma ocasião especial.

— Parece nome de estrela do teatro — gracejou Pirralho.

— O grande Louis Bardet! — completou Adriano.

Tino ria embalado pela bebida, mas sabia que Louis Bardet não poderia passar o resto da vida escondido num cortiço de Montmartre. Raspou a barba, aparou o bigode e partiu na segunda-feira em busca de emprego. Evitaria Paris e o circuito dos anarquistas. Daria preferência a Levallois, na periferia da cidade, onde a cada quarteirão uma nova fábrica era construída. Conhecia bem a região. Ali vendera café molhado, ali fora empregado pelo ateliê de Gustave Eiffel. De obra em obra, começou a construir o personagem que de agora em diante passaria a incorporar. Na primeira, apresentou-se como Louis Bardet, operário, nascido em Bordeaux. Na segunda, descobriu-se filho bastardo de um marinheiro que vivera em Dacar. Antes de chegar à terceira obra, já tinha uma filiação completa, pronta para contornar a impertinente curiosidade de qualquer mestre de obras: pai francês, mãe senegalesa, ambos mortos. De resto, estava em Paris havia muitos anos, tinha bastante experiência, e aceitaria, sem hesitar, as longas jornadas, a menos de um franco por hora.

No final da manhã, após ter visitado quatro canteiros, Tino foi apresentado a um mestre de obras que lhe ofereceu trabalho como carpinteiro ou pedreiro. Na falta de vigas e rebites, Tino preferiu os tijolos. Começou a trabalhar no mesmo dia, sem que mais questões lhe fossem colocadas. Na hora do almoço, senta-se com os colegas à sombra de um barracão. Sem marmita, come pão com mortadela, repartido entre os operários. Receando que lhe façam perguntas, Tino tenta ocupar o tempo com as suas próprias indagações. O canteiro é enorme. Ocupa um terreno que vai de uma ponta a outra do quarteirão. Afinal, o que estão construindo?

— A maior torrefação de café da Europa — responde-lhe o mestre de obras. — Coisa de um barão brasileiro. Milionário!

— *Eu sou brasileiro, eu tenho ouro! Eu venho do Rio de Janeiro!* — cantarola um carpinteiro.

— *Oh, Paris! Voltei para que tu me roubes tudo o que eu lá no Brasil roubei* — completa um servente a cançoneta que tanto sucesso fizera em Paris.

– Cantem um pouco mais alto, e estaremos todos no olho da rua – diz-lhes o mestre, apontando com um gesto de cabeça a chegada do barão num landau puxado por dois cavalos.

Sem sair do carro, o barão de Lopes Carvalho manda que Nicolas chame o engenheiro, enquanto observa o terreno, as vigas e uma ou outra linha de tijolos que corre sobre as fundações do edifício. O engenheiro sai do barracão, apressado, esquecendo-se de retirar o guardanapo que amarrou ao pescoço. Chegando ao carro, convida o barão a inspecionar a obra mais de perto.

Os arquitetos planejaram a usina de torrefação em quatro níveis. Subsolo, térreo, primeiro andar e sótão. De onde Carvalho e o engenheiro agora se posicionam, o edifício, com tijolos aparentes, será visto como duas longas laterais que se encontram para formar o torreão da esquina, encimado por uma cúpula de ardósia. A fachada da esquerda, paralela à estrada de ferro, se apoiará sobre uma série de colunas, alternadas, no térreo, por onze janelões. No primeiro andar, janelas menores serão enquadradas por arcos de tijolos, enquanto no sótão as janelas avançarão em mansarda sobre o telhado inclinado. Na lateral direita do prédio, mais sóbria, com seis janelas por andar, será instalado o portão principal, grande o suficiente para a entrada das carroças que trarão o café verde da estação de trem, a menos de cem metros dali. Agora, porém, Carvalho suspira diante de um mar de lama, de onde emergem vigas de sustentação como troncos de árvores sem copas.

– Se o tempo continuar assim, pode ser que soframos um pequeno atraso – diz o engenheiro, enfiando discretamente o guardanapo no bolso da calça. – De qualquer modo, pelos meus cálculos, no fim do próximo inverno o senhor barão terá a usina pronta para funcionar.

Carvalho concorda meneando a cabeça, sem deixar transparecer sua irritação com o prognóstico do engenheiro.

– Para falar a verdade, não obstante o atraso, dezoito meses é um tempo relativamente curto para uma obra desta envergadura – arrisca o engenheiro, incomodado pelo silêncio do cliente.

Dezoito meses, dezoito dias, dezoito anos, pensa Carvalho. O tempo é subjetivo. Pode passar lenta ou rapidamente, dependendo das circunstâncias.

No seu caso, se não houver novos atrasos, aqueles dezoito meses se arrastarão como uma década. Sua luta agora é, sobretudo, contra o relógio. Não que a inauguração da torrefação possa de algum modo livrá-lo da prisão, da extradição. Mas sente a necessidade de ver aquela obra pronta, independentemente do que lhe venha a acontecer. Naquele edifício, que deverá se impor na paisagem industrial de Paris, Carvalho projeta a concretização de todos os seus sonhos e ideais. A apoteose de uma saga familiar que germinara nos confins de Portugal, desenvolveu-se nas colinas do Vale do Paraíba e, agora, dará os seus mais belos frutos em Paris. Não, não pode aceitar que aquele momento de triunfo da sua família possa ser difamado pela hipocrisia da Justiça brasileira. Que na corrida contra o tempo, ele fique para trás, sendo injustamente extraditado antes da inauguração da usina de torrefação. Não merece aquele castigo. Está convencido de que não fez pior do que muitos outros empresários, inebriados pela cupidez, pelos ganhos fáceis no lançamento de empresas fantasmas na bolsa do Rio de Janeiro. A seu favor, desafia qualquer pessoa séria a lhe mostrar um grande empresário, brasileiro, europeu ou norte-americano, que não tenha, pelo menos uma vez na vida, interpretado as leis e regras do mercado à sua maneira. Que não as tenha remodelado em sua consciência de maneira que os seus deslizes fossem moralmente justificáveis. Não, ele não fez pior. Teve, simplesmente, a astúcia de vender suas ações da Companhia Meridional de Habitação quando a empresa, de fato, ainda não existia. Um pecadilho, talvez. Mas não matou ninguém. Depois, os compradores deram azar. Foram atropelados pela barafunda do governo Deodoro e seus calamitosos decretos, levando a bolsa brasileira ao maior colapso da sua história. Quando o marechal Floriano assumiu o poder, com a espada na mão direita e uma vassoura na esquerda, Carvalho já lavara as mãos e partira com a família para a Europa, levando na mala todos os recursos necessários para se estabelecer com o conforto e o prestígio que a sua posição social justificava.

– Se o senhor barão voltar daqui a quatro semanas, tenho certeza de que o cenário será mais animador – insiste o engenheiro, tentando sondar o cliente.

Sem responder, Carvalho despede-se, levantando ligeiramente o chapéu, antes de voltar para o carro. Sob um céu de nuvens baixas que prenuncia novas pancadas de chuva, o carro sacoleja pelas ruas de Levallois-Perret em direção a Paris. Naquela manhã, encoberta pelas ideias sombrias, Carvalho busca consolo nos herdeiros. Pessoas que não poderão ser punidas pelos atos do pai; que não terão por que voltar ao Brasil. Pessoas que, numa situação ideal, serão capazes de dar continuidade à saga da família. Obviamente não poderá confiar em Rodrigo. Mas, quem sabe, Dodora, introduzida e casada no seio da alta sociedade francesa, não o surpreenderá? Não que a filha deva trabalhar, sucedendo-o na direção da torrefação. Isso está fora de cogitação. Não precisa de uma segunda Eufrásia na família. Mas um genro capaz e empreendedor poderia substituir o filho que ele perdeu. Além disso, não pode permitir que o nome Lopes Carvalho se extinga. Mariana, a filha que jamais lhe deu problemas, casando-se com um fazendeiro paulista, só conseguia gerar esperanças. Três vezes ficou grávida, três vezes perdeu o bebê. Rodrigo, provavelmente, não se casará e, salvo um milagre, não lhe dará netos legítimos. Não poderá contar com aquele embusteiro para nada. Melhor será reservar suas fichas para Dodora, fazendo tudo para que seus netos recebam o sobrenome Lopes Carvalho, mesmo que tenha que oferecer ao genro alguma contrapartida.

No entanto, não vale a pena se adiantar. A batalha mais importante se trava, no momento presente, na Corte de Apelação, onde Murat apresenta a sua defesa contra o pedido de extradição do governo brasileiro. Carvalho está disposto a empregar todas as suas forças, todos os seus recursos para adiar eternamente a sua partida. Precisa voltar ao prefeito de Levallois-Perret, usando, agora, meios mais persuasivos para obter uma nova intervenção. Sabe, pela imprensa, que as obras de construção da sede da prefeitura estão atrasadas. Com o pires na mão, Fournier seguramente o receberá para uma segunda conversa, sem o fazer esperar por horas na antessala do seu gabinete.

Fora aquelas manobras, sempre haverá a possibilidade de que o anarquista brasileiro seja recapturado. Isso, todavia, está além do seu alcance. Na melhor das hipóteses, considerando a negligência da polícia, poderá contratar um detetive particular... Enfim, Carvalho sente que, não obstante seus esforços, seu destino está, infelizmente, nas mãos da Justiça brasileira e da polícia francesa. Em outras palavras, seu futuro depende de uma Justiça corrupta e de uma polícia incompetente. Que Deus o ajude, roga, sentindo o landau oscilar sob a força do vento, que contorce as copas das árvores na avenida de Wagram.

Depois do almoço, Tino volta ao trabalho de alvenaria, preparando mais cimento, buscando novos tijolos. Acha curioso que um brasileiro seja o proprietário da usina de torrefação que estão construindo. De qualquer modo, não há motivos para espanto. Como aprendeu na Exposição Universal, apesar da Abolição e da falência do Vale, o Brasil ainda é o país do café.

Capítulo 17

Após a largada, Black River avança bem, pondo meio corpo de vantagem sobre o segundo colocado antes de alcançar a curva do padoque. Na reta oposta, o cavalo já confirma os prognósticos com dois corpos à frente de Caracalla, seguida pelo pelotão embaralhado. A égua parece distraída, correndo na esteira do líder, sem dar atenção aos comandos do jóquei.

Atrás do binóculo, Rodrigo ri, observando os animais, cutucando Edgar com o cotovelo.

– Não te disse? Barbada!

Black River segue na carreira, resfolegando, esticando o pescoço, num galope que prenuncia a quebra de um recorde, ou um desastre. Na reta final, o cavalo manca, perde velocidade. É atropelado por Caracalla, que, desperta, dispara em direção à linha de chegada, deixando os demais para trás.

Rodrigo rasga sua pule, encara a pista, evitando o olhar de Edgar.

– Satisfeito?

– Não me amoles – responde Rodrigo, jogando o papel picado ao vento.

– Quanto perdeste? – insiste Edgar.

– Menos do que pensas, mais do que podia.

Muito mais do que podia. Rodrigo investiu em Black River boa parte do dinheiro que reservara para a abertura da firma de fotografias aéreas. Apostou alto na esperança de multiplicar seu capital. Está farto da arrogância do pai, de quem nada mais espera. Vive de uma mesada ridícula, que não cobre metade dos seus gastos essenciais: ingressos para o teatro, jantares no Maxim's, champanhe no Moulin Rouge, presentes para os amigos, joias para as mulheres. Sem querer recorrer a Edgar, calcula seu prejuízo e o tempo que levará para reequilibrar suas finanças. Precisa falar com a mãe. Ana Maria é mais flexível que o pai. Depois, se não der certo, pode sempre procurar um agiota. Tem certeza de que a sorte está a seu lado. Seja no hipódromo ou, mais tarde, na firma, recuperará o montante perdido, com juros, dividendos, lucros. O mais importante é que, apesar da falta de liquidez, o primeiro passo já foi dado. Ou melhor, o primeiro voo, ainda que acidentado. Na semana anterior, voltara ao ateliê de balões de Henri Lachambre em Vaugirard. Levou a câmera fotográfica, as chapas e o tripé. Mas não carregava nada. Jovelino carregava tudo.

O criado atende com prazer aos pedidos de Rodrigo. Não por atenção especial a ele, que pouca consideração merece, mas pela oportunidade de sair de casa, desanuviar a cabeça, livrando-se de Perpétua e suas casmurrices. Quando Rodrigo pediu-lhe que o ajudasse naquele sábado, Jovelino não hesitou. Às sete horas da manhã já estavam em Vaugirard, batendo à porta da fábrica de Lachambre. Alexis Machuron os esperava nos fundos da oficina, onde os portões se abriam para um terreno descampado. Ali estava o *Dédalo*, o balão de hidrogênio que Machuron inflara para aquela ascensão do novo cliente. Jovelino pousou o tripé da câmera no chão, ergueu os olhos seguindo o contorno do imenso balão que oscilava suavemente sob a brisa da manhã.

– O tripé fica – disse Machuron. – O senhor não vai precisar dele lá em cima. Quanto menos pesos levarmos, melhor.

Depois, embarcou no cesto, ajudou Rodrigo, esperando por Jovelino.

– O sinhozinho não vai precisar mais de mim, pois não? – perguntou o mordomo, dando um passo para trás.

– Suba, Jovelino – respondeu Rodrigo. – O senhor Machuron está no comando, e eu preciso que você me ajude com as chapas.

Jovelino entrou no cesto, sentindo as pernas bambas, o coração apressado, uma sensação de vertigem antes mesmo que o balão houvesse levantado do chão. Machuron soltou as amarras, permitindo que o cesto ascendesse suavemente, dando a Jovelino a impressão de que não eram eles que subiam, mas a Terra que afundava.

– Se a brisa continuar assim, sobrevoaremos Paris de ponta a ponta – avisou Machuron, enquanto enrolava o cabo pendente.

– Senão? – perguntou Rodrigo.

– Senão, veremos. Na pior das hipóteses, vamos parar na Rússia. Ou no canal da Mancha. Mas acho que consigo aterrissar o balão antes disso – respondeu o piloto, sem encarar os passageiros.

Sem ter entendido uma palavra do que o francês dissera, Jovelino se perguntava como poderiam fazer aquela geringonça descer. Se deixassem o gás escapar, cairiam como uma pedra, com certeza. Ademais, descer onde? Voando sobre Paris, cruzariam um mar de telhados, domos, torres de igrejas com cumes agudos e ariscos, prontos para espetar o balão, lançando-os pelo espaço. Fechou os olhos, benzeu-se, rezou o pai-nosso e a ave-maria que estais no Céu, tão pertinho dele, ali, naquela barquinha de palha, rumo às nuvens, teto dos homens, tapete de Deus.

Quando o balão já ultrapassava a linha dos telhados, o criado pôde lobrigar, com os olhos semicerrados, a Torre Eiffel, a abóbada dos Invalides, a construção da basílica do Sacré-Coeur na colina de Montmartre. Lá embaixo, carruagens e pessoas moviam-se como formigas errantes num labirinto de ruas e avenidas. Jovelino podia voar. Num estalo, arregalou os olhos, dando-se conta de que, talvez, fosse o primeiro criado brasileiro, um preto, a sobrevoar Paris. Motivado por esta nova perspectiva, respirou fundo, tentou relaxar e apreciar a vista. Sentindo frio, abotoou o casaco até a gola, enrolando o pescoço num grosso cachecol. Diante do horizonte sem fim, tomado por uma sensação de liberdade, pressentia algo mais, que ainda não conseguia identificar. Estranhamente, nada se movia dentro do cesto, como se não houvesse uma brisa sequer. Flutuavam ao sabor do vento, prisioneiros da corrente de ar, enquanto a Terra girava sob seus pés. Ao longe, muito longe, um apito de trem cortou o silêncio da manhã. Depois, tudo se calou. Naquela altura, nada mais ouviam. Latidos, buzinas, o dobrar de sinos se dissipavam no ar. O mundo emudecera.

– Passe-me a primeira chapa – disse Rodrigo, quebrando o encanto que paralisara Jovelino.

O criado se abaixou, apanhando uma chapa na bolsa e entregando-a ao patrão. Rodrigo a inseriu na máquina fotográfica, mirou a Torre Eiffel, buscou o foco regulando o fole e abriu a objetiva. Não precisava de mais do que uma fração de segundo de exposição antes de voltar a fechá-la. Sem tripé, equilibrando-se no suave movimento do balão, segurava a máquina com firmeza para não perder a definição da imagem. Paris faria o resto. Como modelo da sua primeira experiência, era uma cidade fotogênica sob qualquer ângulo. A imponência de uma torre, o esplendor de uma cúpula dourada, o charme de pontes e ilhas no rio Sena. Mas o que faria com aquelas fotografias? Na verdade, ignorava. A fotografia aérea o atraia pela aventura, pela curiosidade por novidades tecnológicas. Sim, dissera ao pai que abriria uma firma que prestasse serviços para departamentos de cartografia. Auxiliaria governos de vários países com imagens detalhadas de regiões pouco exploradas. Como um Livingstone alado, sobrevoaria savanas, pântanos e desertos; faria contato com tribos selvagens nos mais longínquos rincões do globo; enfrentaria tormentas no céu e revoltas na terra, antes de voltar para Paris e descansar nos braços das mulheres da madame Hellewell. Não sabia, contudo, por onde começar. Faltava-lhe um plano de ação. Reconhecia que precisava ganhar experiência, produzir um portfólio, fazer contatos nos serviços cartográficos. Indagava-se, então, se teria capital o suficiente para abrir e manter a firma até que obtivesse os seus primeiros ganhos. Depois, lucraria o bastante para proteger o seu estilo de vida, declarando-se, finalmente, independente do pai? Tinha dúvidas, e muito receio. Com pouco capital, e sem pedir um centavo ao barão, seria obrigado a fazer sacrifícios incomensuráveis para manter-se a si e a empresa nos seus primeiros anos de funcionamento. A princípio, não via alternativas... De qualquer maneira, a equação não era assim tão complicada. Tudo se resumia a uma questão de valores. Com um aporte de capital maior que o necessário, se sentiria seguro para dar os primeiros passos, errar, voltar atrás, insistir até que a firma gerasse lucros. Assim, não era o caso de falta de foco ou motivação, mas de dinheiro. Precisava multiplicar as suas reservas de um modo simples e rápido. E não conhecia melhor lugar para isso do que o hipódromo de Longchamps.

— Perigo à vista — avisou Machuron, apontando as nuvens negras que se formavam no horizonte.

O vento começou a soprar com força, acelerando o balão rumo ao norte de Paris. Machuron puxou o cabo que abria a válvula de escape do gás, dando início à aterrissagem. Após uma hora no ar, dava por encerrado aquele primeiro voo. Rodrigo fora teimoso. O piloto o aconselhara a fazer uma ascensão cativa, com o balão preso a uma corda. Daquela forma, ficariam no ar o tempo que fosse necessário, salvo em caso de ventania ou tempestade. Rodrigo, porém, insistira no voo livre, menos previsível, mais emocionante. Agora, com a possibilidade de serem arrastados pelo vento, Machuron não hesitou em impor a sua experiência contra a vontade do freguês. Aterrissariam assim que possível, por uma questão de segurança. Mantendo a válvula entreaberta, jogou para fora o cabo pendente, enquanto, aos poucos, perdiam altitude. Passada a colina de Montmartre, o balão foi empurrado por uma rajada de vento, que o aproximou rapidamente das fábricas de Saint-Ouen. Atravessando a brecha entre duas sólidas chaminés, que expeliam rolos de fumaça negra, o balão sobrevoou o casario dos operários antes de alcançar um descampado, uma plantação.

— Segurem-se! — gritou Machuron, forçando a aterrissagem.

A barquinha bateu com força contra o solo, emborcou para a frente, expelindo Rodrigo e Jovelino, enquanto Machuron se agarrava às cordas de sustentação. Sem vacilar, abriu a válvula por inteiro, deixando escapar todo o gás, antes de correr para agarrar o cabo pendente, freando a barquinha que se arrastava pelo chão.

Rodrigo se levantou, batendo a poeira da roupa, enquanto Jovelino restava ajoelhado, com as mãos cruzadas em oração. Escaparam ilesos, apesar do impacto. A máquina fotográfica, no entanto, não resistiu. Partira-se em pedaços, expondo as chapas à luz. Cruzando os braços, Rodrigo perguntou a Machuron se não poderiam ter feito uma aterrissagem menos desastrada.

— Essa não foi das piores — respondeu o piloto, sem dar atenção à reclamação do passageiro.

Que desgraça, pensava Rodrigo, roendo a unha do polegar. Destruíra a máquina que havia acabado de comprar. E ainda perdeu as primeiras fotografias que fizera de Paris. Precisava repensar seus planos. Se aquela não foi uma aterrissagem calamitosa, preferia não cogitar o que poderia acontecer numa pior. Mandou que Jovelino juntasse os pedaços da câmera, enquanto Machuron dobrava o balão. Meteram a máquina quebrada e o balão vazio dentro do cesto, partindo em busca de ajuda. Na porta de uma fábrica, conseguiram alugar uma carroça, que os levou até a estação de trem mais próxima. Às três da tarde estavam de volta a Vaugirard.

— E agora? — pergunta Edgar durante o almoço no hipódromo.

— Agora, com o pé no chão, voltei à estaca zero. Sem câmera, sem fotografias, sem dinheiro.

Edgar não oferece ajuda, e Rodrigo prefere não tocar no assunto. Sabe que o amigo tem reservas de sobra na França e no Brasil. Herdeiro de uma das mais nobres dinastias de São Paulo, grandes exportadores de café, Edgar vive com uma perna em Paris e outra no parque Trianon. Pena que tenha se envolvido tanto com a política após a Proclamação da República. Mas até nisso é um diletante. Não leva nada às últimas consequências. Fundou um jornal em São Paulo e, em editoriais raivosos, espinafrava a ditadura militar, exigindo a restauração da monarquia. Mas, ao mais leve toque da espada, fugia às carreiras, embrenhando-se pela mata a cavalo até chegar ao porto mais próximo. Ali, embarcava em primeira classe para Paris. A mãe lhe mandava, então, mais dinheiro, quando não ia ela própria encontrá-lo na avenida des Champs-Élysées. Menino mau. Arrumou confusão e fugiu de novo. Depois, fazia ares de patrono das artes, abrindo o seu apartamento para pintores, escultores e escritores que, vivendo na penúria, buscavam inspiração em Paris, como se a criatividade brotasse da miséria. Enfim, Edgar é generoso, um bom amigo. Mas Rodrigo acha que lhe pedir um empréstimo seria como cruzar uma linha perigosa. Se Edgar não toma a iniciativa, oferecendo-lhe o dinheiro, Rodrigo tampouco o pedirá. Entende que, apesar da amizade, solidificada por anos de aventuras em Paris, Edgar tem os seus limites. E respeitá-los é, na opinião de Rodrigo, uma maneira de preservar a aliança entre os dois.

— Eu pago — diz Edgar, pegando a conta que o garçom trouxera com os cafés.

Rodrigo agradece a gentileza com um discreto gesto de cabeça. São como irmãos que, no longo convívio, dispensam demonstrações formais de cortesia e gratidão. Terminado o café, saem do restaurante e voltam à tribuna. Mesmo sem dinheiro, Rodrigo quer assistir aos páreos da tarde. Edgar, menos interessado em corridas, arrisca uns trocados sem consultar os jornais. Diverte-se com apostas aleatórias, escolhendo um cavalo pelo nome ou pelo número. Investe dois francos em Saragoza e mais dois em Lady Chesterfield.

— Um presente para ti — diz, entregando uma das pules para Edgar.

Relaxados pelo vinho do almoço, assistem ao páreo aos gritos, como se houvessem apostado mil francos. Melhor assim. Saragoza chega por último e Lady Chesterfield não passa do quinto lugar. Rodrigo ri, pensando na repentina maré de azar que monta em sua vida. Tem saudades de Tonico. Enquanto o irmão foi vivo, Rodrigo sentia-se livre das obrigações familiares. Tonico era voluntarioso, admirador e discípulo do barão. Representava uma continuidade natural na história do clã Lopes Carvalho. De certo modo, o irmão mais velho o defendia inconscientemente. Sob a sua sombra, Rodrigo se sentia protegido da descomunal energia do pai. Com o passar dos anos, acomodou-se naquela posição, tornando-se um ator coadjuvante no teatro familiar. Permitia, satisfeito, que a cena fosse dominada pelo pai e pelo primogênito. Sua opinião pouco contava. Estava livre para fazer o que bem entendesse da vida, sem causar grandes embaraços a ninguém. A morte de Tonico, porém, marcou o fim daquele ato. Depois do luto, quando as cortinas se reabriram, Rodrigo voltou ao palco representando um novo papel, tão difícil quanto inesperado. No começo, tentou assumi-lo com seriedade, colocando-se ao lado do pai em todas as questões domésticas e empresariais. Com o tempo se deu conta de que, apesar de seus esforços, nada parecia satisfazer o barão. Sentindo-se inseguro, Rodrigo se questionava sobre sua capacidade de substituir o irmão em todos os aspectos. Tonico era um pragmático, tinha uma visão lógica das coisas, limitada, com certeza, por um espectro curto, que passava rapidamente do preto para o branco. Não percebia o meio-tom, as nuances, não relativizava. Em casa, tornara-se um ardoroso defensor da família. Se o pai não estivesse presente, aglutinava todos sob suas asas, como um gigantesco condor. Arbitrava nas desavenças internas, defendendo o que era justo, conforme a sua visão. Fora de casa, tornara-se um negociante implacável. Balizava suas decisões com dois conceitos básicos: lucro e prejuízo. A lembrança do negócio da rua Dídimo ainda impressionava Rodrigo. Tonico comprara dois cortiços geminados, habitados por famílias pobres, inquilinas do vendedor. Em menos de dois dias, o irmão conseguiu despejar todos os moradores, sem custos judiciais. Tonico ignorava leis e regras, atropelando os meios para alcançar seus fins. Transitando entre o palacete do Catete e o escritório na rua do Ouvidor, tornara-se um respeitável membro da sociedade que ele mesmo desprezava. Como bom mercador, vivia para os negócios e para os seus, como se o resto não existisse. Livre da influência paterna, Rodrigo, por sua vez, considerava-se privilegiado. Arriscara-se fora da parentela, frequentando rodas mais abertas para o mundo. Com a mesada oferecida pelo pai, conhecera o provincianismo da Corte e o glamour parisiense sem jamais sujar as mãos com jogadas imobiliárias, mercancias de café, que endinheiravam os arrivistas de Paris. A distância dos negócios permitira-lhe ganhar, em sua opinião, uma visão mais ampla da vida, mais receptiva, voltada, principalmente, para o prazer imediato. Afinal, a vida pode ser curta, como seu irmão o provou. Lamenta que a sua morte tenha lhe trazido tantos atritos com o pai. Resta-lhe apostar que, mais cedo ou mais tarde, chegue a vez de o barão abandonar a pista, deixando-lhe desimpedida a reta final.

Capítulo 18

Tino trepa na escada e, tentando se equilibrar nos últimos degraus, faz uma breve avaliação do estrago. Poderia ter sido pior. Com o vendaval da noite passada, um pesado galho de árvore caíra sobre o telhado do palacete do barão. Temendo maiores danos, Carvalho mandou chamar alguns operários da torrefação. Que lhe fizessem um balanço da situação. Se fosse algo simples, que o consertassem imediatamente. Caso contrário, chamaria outro empreiteiro. Não queria atrasar a obra em Levallois-Perret, ocupando os trabalhadores na sua casa. Avisado, o mestre de obras convocou Tino, enviando-o à rua de Bassano, acompanhado por dois carpinteiros. Chegaram antes do almoço e, percebendo que o galho só havia quebrado algumas telhas, decidiram fazer o conserto, passando a tarde de segunda-feira na propriedade. Agora, sob uma garoa constante, sobem e descem a bamboleante escada que, apoiada contra o beiral, termina poucos centímetros acima do telhado.

Pela janela da cozinha, Perpétua acompanha o trabalho, enquanto lava a louça, seca os pratos, guarda-os no armário. Lá pelo fim da tarde, pede a Yvonne que leve café bem quente aos operários. Mas a francesa não entende ou, segundo Perpétua, faz-se de desentendida.

– Não se amole, não – diz, empurrando a criada para fora da cozinha. – Vá passar roupa. Eu mesma levo o café.

Embaixo da escada, Perpétua entrega a bandeja a um dos carpinteiros, que assovia para que os colegas desçam do telhado. O homem diz qualquer coisa, Perpétua não entende, mas sorri, voltando para a cozinha, protegendo-se do chuvisco com um pano de prato. Saltando da escada, Tino recebe a xícara quente que o carpinteiro lhe passa. Bebe o primeiro, o segundo e o terceiro gole, sem mais nada ouvir do que dizem seus companheiros. Escuta a banda de pretos, o piano de Leocádia, a risada irreverente de Torresmo. Brinca no terreiro, corre pelos cafezais, pesca lambari no riacho. Sente o aroma do café que emergia da cozinha de Noêmia. Vê seus dentes brancos, suas mãos negras e gordas descascando-lhe uma banana, limpando a fruta, retirando os seus fiapos. Sente no peito a familiaridade, o aconchego da casa simples em que nascera. Enxuga os olhos e, embaraçado, afasta-se dos colegas para devolver as xícaras à cozinha.

– Obrigada – diz Perpétua, recebendo a bandeja das mãos de Tino.

– Não há de quê – responde, já mordendo a língua pelo lapso cometido.

– O senhor fala português? – pergunta, colocando a mão na cintura.

– Um pouco – diz, acanhado, tentando encontrar uma justificativa antes que a curiosidade da criada vá longe demais.

– Por conta de quê?

Arrastando as palavras, como se as traduzisse mentalmente, Tino explica que é filho de um caixeiro-viajante. Que seu pai trabalhou por muitos anos no Brasil. E que lá conheceu sua mãe, uma forra. Mais tarde, mudaram-se para a França, onde ele nasceu.

– E sua mãe? Nasceu onde?

– Perpétua, há meia hora que eu estou tocando a sineta – diz Ana Maria entrando na cozinha, deparando-se com o mulato alto e viçoso, com vasto bigode, que conversa com a criada. – E o senhor, quem é?

Perpétua pede-lhe desculpas, explica que é um dos moços que veio consertar o telhado. Fora levar-lhes café e, por isso, não ouviu a sineta. Antes que Ana Maria responda, Tino pede licença, agradece uma vez mais pelo café, escapulindo porta afora.

– Um brasileiro? – pergunta Ana Maria a Perpétua.

– É francês. Mas a mãe é brasileira – explica a criada.

– Traga-me um café com biscoitos, e um chá para Eufrásia. Estamos na biblioteca – ordena Ana Maria, sem dar atenção à resposta da criada. Depois, voltando-se da porta da cozinha: – Já me esquecia, o barão não janta em casa hoje. Jantarei só, se Dodora não me der a honra da sua companhia.

As coisas parecem ir de mal a pior, reflete, atravessando o longo corredor que leva à biblioteca. Além das birras da filha, ainda tem que suportar um marido ausente. Em todos os sentidos! Aos cinquenta anos, Ana Maria se ressente da falta de interesse demonstrada por Carvalho. É um homem bom, mas a vida toda se dedicou mais aos negócios do que à família. Há anos tratam-se como irmãos. Dormem em quartos separados, guardam a privacidade no toalete, mal se tocam. Um beijo na testa, selando o boa-noite, é o clímax da sensualidade entre os dois. Tem consciência de que nunca foi bela, mas soube satisfazer Carvalho sempre que requisitada, embora ela mesma não desfrutasse muito da ocasião. Agora que a situação do marido se deteriora, com o pedido de extradição apresentado, minguam-se as esperanças de Ana Maria de poder, um dia, reaquecer a vida amorosa do casal. Pior, sente-se isolada, sem ter com quem compartilhar seus sentimentos. Não somente seus temores pelo futuro da família, mas, também, a sensação que tem de desperdício, de tempo perdido. Sente-se frustrada, insatisfeita, como se passasse a vida na plataforma de uma estação à espera de um trem que nunca passará.

– Há um trem às sete horas, sem demora na baldeação em Calais – diz Eufrásia, consultando os jornais, quando Ana Maria volta à biblioteca. – Chegaríamos a Londres às quatro da tarde.

Ana Maria não vai, mas consente com prazer que Dodora parta com a prima. Após desaparecer, refugiando-se na casa de Eufrásia, Dodora escapou dos castigos paternos graças à intervenção da mãe. O plano agora é afastá-la de casa, enquanto os nervos de Carvalho estiverem à flor da pele. No mais, ficará a sós com o marido por alguns dias. Será uma boa oportunidade para tentar acalmá-lo e, quem sabe, oferecer-lhe algum prazer, recebendo, em troca, um pouco de atenção.

Alguém bate à porta e, com a licença de Ana Maria, Perpétua entra na sala, colocando a bandeja de café e os biscoitos sobre a mesa dos jornais. Eufrásia agradece à criada, enquanto a patroa manda-a preparar as malas de Dodora. Que tudo esteja pronto para que a filha parta na quarta-feira, bem cedo.

– Vestidos de outono, com algo mais quente para a noite, o suficiente para duas semanas de viagem – precisa a patroa.

Perpétua escuta a ordem, pede-lhe licença outra vez, saindo da biblioteca rumo ao quarto de Dodora. Aquela é a grande diferença entre gente rica e gente pobre, matuta enquanto sobe as escadas. Quando há uma briga numa família pobre, tudo é resolvido ali mesmo. No tapa, no choro e na reconciliação. Com os ricos, tudo se resolve com uma viagem. Bate-boca com o marido? Viagem de reconciliação. Filhos rebeldes? Viagem para acalmá-los. Crise em família? Viagem para dar tempo ao tempo, como se, evitando-se a questão, ela se resolvesse por si só. Perpétua e Jovelino não viajam a lugar nenhum, e tampouco o carecem. A vida em Paris já é uma longa viagem, sem prazo para acabar, sem passagem de volta ao Rio de Janeiro, e muito menos a Ibirapiranga. Ano que vem Perpétua completa sessenta anos. Já é mais velha que sua mãe e sua avó. Partiram cedo. Ela tem sorte, sente-se bem, robusta e saudável. Ainda assim, tem medo de morrer antes de voltar para casa, seja lá onde essa casa for. Que bom foi conhecer aquele rapaz na cozinha. Havia meses, acaso mais de um ano, que Perpétua não falava com ninguém que não fosse da família dos patrões. Às vezes conversa com a governanta de dona Eufrásia. Uma francesa esbranquiçada, quase transparente, que fala um pouco de português, mas que não lhe dá muita trela. Deve ser convencida, tal qual a Yvonne, conclui, batendo à porta do quarto.

Dodora grita-lhe que entre. Perpétua abre a porta, encontra a menina deitada na cama, escrevendo em seus cadernos, com Salsicha dormindo aos seus pés. Senta-se a seu lado, acariciando seus cabelos castanhos, sempre rebeldes.

– Ainda estás amuada com teu pai?

Dodora vira a página do caderno sem lhe responder.

No embalo de um suspiro, Perpétua levanta-se para arrumar as malas.

– Não vejo a hora de sair desta casa. É pior do que o colégio interno – diz finalmente, enquanto a criada retira os vestidos do guarda-roupa.

– Só casando – sugere Perpétua.

Dodora não responde, nem acha graça da observação de Pepé. A bofetada que recebeu abriu um abismo nas suas relações com os pais. Há mais de uma semana responde à mãe em monossílabos, e não dirige sequer uma palavra ao barão. Passa a maior parte do tempo em seu quarto, lendo, ou escrevendo a sua nova peça (em que o espírito de uma filha morta aparece durante um jantar, desconcertando uma família aparentemente perfeita). Só desce ao térreo para as refeições, voltando para o quarto logo após a sobremesa. Há dias não se aproxima do piano, e muito menos lê na biblioteca. Eufrásia fez a sua parte tentando convencê-la a ceder. A prima desaprova a rudeza do barão, mas acha que a atitude de Dodora pode piorar as coisas. A menina, contudo, não abre a guarda. Está certa das suas decisões, e da violência que sofreu. A prova disso é o apoio que recebe de Rodrigo, de Pepé e da própria Eufrásia. Se os pais não são capazes de compreender os seus desejos, entender que já é grande o suficiente para cuidar da própria vida, pior para eles.

– Queres levar qual destes dois? – pergunta Perpétua, segurando dois vestidos de veludo em cores sóbrias.

– O verde – responde Dodora, levantando-se da cama em direção à janela.

Lá embaixo, três operários deixam a propriedade pelo portão principal. Colocaram a escada sobre uma carroça e, enquanto dois se põem à frente, Tino prefere se sentar atrás. Tocando Platão, um pangaré veterano das guerras napoleônicas, os colegas riem, fazendo piadas e celebrando o dia tranquilo, longe da obra em Levallois. Tino os escuta, sem os entender. Calado, mirando o macadame que passa sob a carroça, reencena o diálogo que teve na cozinha do palacete. Repete mentalmente o que disse, censurando-se, corrigindo-se, arrependendo-se agora, tarde demais. Faltou-lhe presença de espírito para contornar a situação sem se meter em apuros. Quem conversou com a criada foi Louis Bardet, o filho do marinheiro com a senegalesa que, agora, é filho de um velho caixeiro-viajante com uma forra brasileira. Precisa tomar cuidado. Ainda há um anarquista à solta, um brasileiro procurado pela polícia. Ao mesmo tempo, sente uma euforia que não consegue justificar. Uma simpatia por aquela mulher de sorriso cândido e olhar generoso que tanto lhe lembrou Noca. E não foi somente pelo fato de falar português. Tino nunca perdeu contato com a língua desde que conhecera Pirralho e, mais tarde, Adriano. Há algo mais na cozinha daquele palácio burguês, um calor, uma luz, um aroma de Brasil que o remeteu a Ibirapiranga, prolongando a sensação experimentada quando bebeu o café.

– Andam à tua procura – diz-lhe Pirralho quando Tino chega ao Rat Mort, onde quer tomar um trago antes de ir para casa.
– Polícia?
– Não. Pior. Um homem desconhecido, de fala mansa. Deixou um cartão de visitas.
Fabrice Delcourt, Detetive, lê Tino no cartão.
– Prometeu recompensa para quem souber do teu paradeiro – continua Pirralho.
– Outra vez? – desabafa Tino.
– Outra vez o quê?
– Nada – responde, preferindo esquecer o barão de Jaguaraçu e a sua fuga de Ibirapiranga.

Tino pede um conhaque, enquanto Pirralho sobe no improvisado palco do restaurante. Tocará a concertina acompanhado, dessa vez, por um sujeito de cabelos ruivos e cara sardenta que passa de rosada a escarlate quando toca o bombardino. Na frente do palco, as mesas ainda estão ocupadas pela turma do fim de tarde, operários e malandros que aquecem as cadeiras antes da chegada dos artistas, burgueses e cocotas. A segunda-feira promete. É a noite em que o Rat Mort recebe uma clientela mais sofisticada, que encontra fechadas as portas de outros cabarés. Tino conhece de vista quase todos os frequentadores mais assíduos. Há o conde alemão, o magnata de Chicago, um ou outro brasileiro, filho de gente rica, estudando em Paris. Todos recebidos de decote e braços abertos por Séverine Lafontaine, que preside o bordel no segundo andar do mesmo edifício. Mais tarde chega o anão – ainda que Pirralho lhe garanta que não se trate de um anão, mas, sim, de um homem de pernas muito curtas. Um ricaço cujo saldo na conta bancária é inversamente proporcional à sua estatura. Chega, cumprimenta a clientela, fica na ponta dos pés para beijar as mulheres e, depois, senta-se ao balcão, onde, balançando as pernas no ar, começa a desenhar. Passa a noite bebendo, esboçando os fregueses, especialmente as mulheres, com carvão sobre papel canson. Desenha até se afogar no absinto que, segundo dizem, bebe para curar a sífilis. Tino o observa de longe, sempre impressionado pela popularidade do anão junto às mulheres. Há quem garanta: a natureza o compensou no membro a curteza das pernas. Inteligente e avantajado, Henri, como se chama, parece magnetizar o sexo oposto, que se encanta por aquele homem diminuto, com cavanhaque e pincenê.

Tino não compartilha da mesma sorte. Operário mal pago, cercado de homens durante toda a semana, tem pouco ou nenhum contato com mulheres. Na premência do instinto, recorrera, a princípio, às veteranas ou necessitadas, que vagam pelas calçadas da esquerda para a direita e da direita para a esquerda sem chegar a lugar nenhum. Arrebicadas com muito talco, sombra azul e batom encarnado, camuflam as amarguras que lhes vincam o rosto e a alma. Trabalham, sob a proteção de cafetões, na base da pirâmide do amor a varejo. Atendem àqueles que, por falta de condições, não chegam aos salões mais modestos e sequer sonham ter uma cocota, exclusividade, no topo da pirâmide, de barões, políticos e milionários.

Mais tarde, com Pirralho, começou a frequentar, aos sábados, um bordel na rua Saint-Vincent, do outro lado da colina de Montmartre. As meninas da madame Martine Fourchon atendem homens menos abastados num ambiente reminiscente da Corte de Luís XVI após a decapitação – tapetes rafados, cortinas puídas, papel de parede amarelado como as velhas páginas de um alfarrábio sobre as virtudes morais. No salão de espera, cheirando a suor, mofo e cigarros Hongroises, Tino e Pirralho dividem o combalido canapé, fazendo fila ao lado de outros clientes, sob a supervisão do gato Mandu, que só abandona seu posto, no alto do piano, para se aninhar no colo da madame.

– Boa tarde, senhoritas! – saúda em voz pastosa o velho René, antes de beijar todas as mulheres, esticando os beiços num bico lascivo, alongado pela boca banguela. Depois, olha com azedume para a fila, principalmente para Armand, o alfaiate corcunda que, sabe Deus como, chega sempre antes dele.

Não há, porém, por que brigar. Com paciência e diversão, há amor para todos, provido por mulheres experientes, carentes de frescor, mas fartas em pó de arroz e água-de-colônia. Nem por isso menos alegres do que aquelas que animam a noite do Rat Mort ou do Moulin Rouge. Com menos pompa e mais honestidade, entretêm os clientes com um deleite natural, incrementado pelo talento de Martine Fourchon ao piano e por dezenas de garrafas de vinho, conhaque e absinto.

— E ainda as chamam de mulheres de vida fácil — dizia Pirralho, abanando a cabeça. — Na vida delas, amigo, não há nada fácil. Se aceitas o meu convite, já conheces as condições: respeito absoluto pelas raparigas! — repetia, catequizando Tino antes que fossem pela primeira vez ao bordel.

Da francesa de olhos lânguidos à africana de carnes rijas, Tino conheceu todas as mulheres no plantel da madame Fourchon antes de escolher sua preferida: Dolores Jiménez, uma espanhola de Alicante, que lhe lembra vagamente Mazé, mais pelo sotaque valenciano do que por qualquer traço físico. Regulam na idade, mas Dolores parece cansada, como se carregasse às costas um touro bravo para o centro da arena. Já no quarto, anima-se, fazendo da saia sua capa de toureiro para entreter o mulato francês que lhe dá preferência. Tino bufa, avança sobre a carne macia, mordisca-a apressado antes de inverter os papéis, espetando-lhe bandarilhas, cravando-lhe o estoque. Dolores geme, uiva de prazer na pantomima que garante e acelera a satisfação do freguês.

Depois, exausta, dá o expediente por encerrado. Enquanto Tino se veste, a mulher procura, sob a cama, a caixa de madeira onde guarda a seringa, a ampola e o garrote. Faz o torniquete, procura a veia e injeta a morfina. Tino deixa-lhe um franco ou dois sob o cinzeiro, mas Dolores já não os vê. Está na Espanha, visitando sua mãe e seus filhos.

Capítulo 19

Com um cigarro no canto da boca, Carvalho tamborila o parapeito da janela, observando, do quinto andar, o movimento noturno da rua de Clignancourt. Fiacres, carroças, pedestres passando apressados, correndo para casa antes que a chuva os surpreenda. Na fachada do prédio em frente ecoam o alarido da quitanda, a algaravia dos jornaleiros, o bater ritmado das ferraduras contra o macadame, fazendo da rua um vale cacofônico, amálgama sonora da vida urbana em Paris. Carvalho traga profundamente, prende a respiração antes de soltar uma longa baforada contra o vento glacial que lhe bate no rosto. À esquerda, vislumbra na escuridão o vulto do inacabado domo da basílica do Sacré-Coeur. Obra de igreja. Começou há mais de vinte anos, e sabe Deus, literalmente, quando ficará pronta. Em Levallois-Perret, graças ao mesmo Deus, a obra avança. Após os atrasos causados pelo mau tempo, o canteiro, finalmente, ganhou impulso. Já se veem, altos e sólidos, como num labirinto de tijolos aparentes, os muros de contenção e as paredes exteriores do edifício. Em breve começará a construção do telhado e da cúpula sob a qual ficará o seu escritório, no segundo andar.

– Chuchu, que frio! – diz Joséphine, saindo do banheiro, enrolada num robe que o barão lhe comprou na Samaritaine. – Fecha essa janela e vem aqui me aquecer.

Carvalho puxa o último trago, antes de jogar a guimba do cigarro pela janela. Vira-se para Joséphine, adivinhando seu corpo sob o robe branco, pressentindo os prazeres que aqueles contornos prenunciam. Fecha a janela, cerra as cortinas, despe-se, ficando apenas de ceroula. Atira-se sobre a cama, enfia-se sob o cobertor, rosnando, em busca das longas pernas da mulher, que ri entremeando gargalhadas com afetados gritos de pavor.

– Espera, espera. Precisamos conversar – diz Joséphine, tentando recuperar o fôlego.

– Agora? – pergunta Carvalho, sentindo no púbis a tensão do prazer adiado.

– Sim. É coisa séria – diz, abaixando a cabeça, fazendo um beiço infantil.

Carvalho suspira, recosta-se no travesseiro, enquanto Joséphine lhe explica que precisa lhe pedir um favor. Disse que tem um irmão, um rapaz muito honesto e trabalhador, que, infelizmente, está desempregado. É casado, tem duas filhas pequenas, uns anjinhos, que andam malnutridas por conta das dificuldades financeiras do pai.

Carvalho enxerga o pedido a distância, mas deixa que Joséphine termine o seu rodeio.

O irmão é muito habilidoso, diz, e, não tendo emprego, quer começar o seu próprio negócio. Uma ferraria, coisa pequena, onde possa ganhar o pão ferrando cavalos...

Rodrigo também quer abrir o seu próprio negócio, reflete o barão enquanto Joséphine desfia, com voz embargada, o drama do irmão. Não por falta de emprego, mas por falta de juízo. As pessoas incapazes, na visão do barão, deveriam se contentar em trabalhar para os outros. Aí está o mérito da Natureza: se todos os homens nascessem iguais e tivessem, na infância, as mesmas oportunidades, quem trabalharia para quem? Quem lustraria as botas de quem? Mas a criação divina é perfeita. Do barro fez homens mais ou menos capazes, ricos e pobres, de modo que sempre haverá o líder e os liderados, o senhor e os servos. Arrojo e liderança são talentos raros e inatos, acalentados no seio das famílias mais abonadas. Agora, se um sujeito, além de pobre, é incompetente ao ponto de não conseguir se empregar, de não conseguir servir aos mais capazes, como ousará abrir o próprio negócio? Além do mais, a falta de emprego é conversa fiada. Há, sim, falta de vontade de trabalhar. O trabalhador francês está mal-acostumado, sob a influência maléfica de sindicatos, anarquistas e partidos operários, que, infelizmente, já chegaram ao Brasil. Exigem justiça social como se o conceito de justiça fosse algo unânime e absoluto. A justiça, no seu entender, é relativa, um contrato social para favorecer os líderes, nascidos em boas famílias, sendo providos de maior capacidade intelectual e melhor condição financeira. Essa é a verdadeira justiça, que privilegia os mais capazes pelo bem de toda a sociedade. Resta aos pobres e incompetentes aceitarem, com humildade, o seu papel de servos na grande pirâmide social.

— Então, eu pensei que, talvez, tu pudesses lhe emprestar dois mil francos... — sugere Joséphine, puxando fios soltos do roupão, sem encarar o barão.

— Dois mil francos? Teu irmão quer abrir uma ferraria ou montar uma fábrica de ferraduras?

Joséphine não precisa insistir. Enquanto explica que aquelas coisas são caras, que haverá aluguel e taxas a pagar, além da aquisição do equipamento, Carvalho se levanta, apanha o livro de cheques no casaco e senta-se, despido, ao toucador. Resignado, tem o pudor de não se olhar no espelho, evitando encarar o velho no que dá adeus a dois mil francos, assinando um cheque que, seguramente, não terá volta.

Joséphine beija o cheque, beija Carvalho, apertando-lhe as bochechas, deixando rolar uma ou duas lágrimas de gratidão. Em seguida, seca o rosto, assoa o nariz e salta sobre o barão. É sua vez de rosnar. Mas Carvalho não ri, nem solta gritos de pavor. Domina a fera num coito selvagem, que dura mais tempo do que Joséphine teria desejado.

Saciado, vira-se para o lado, dorme, ronquejando até as onze horas, quando Joséphine o desperta. Está na hora. Precisa voltar para casa. As reuniões do clube nunca terminam tão tarde. Veste-se, despede-se da amante na porta do apartamento e desce, na penumbra, os cinco lances de escadas.

Na rua, Nicolas abre-lhe a portinhola do landau, protegendo-o com um guarda-chuva. Carvalho entra, aconchega-se num canto, acende um cigarro.

Com um resmungo do velho corso, os cavalos despertam, puxando o carro vagarosamente colina acima. Carvalho abre uma fresta na janela, sentindo novamente o vento úmido da noite. Preocupa-se. Até agora não recebeu notícias do detetive que contratou. Encontrou-o, pela primeira vez, no restaurante do Grand Hotel, o Café de la Paix. Prefere tratar a questão fora de casa, evitando que Ana Maria se inteire das suas manobras. Quanto menos a mulher souber, menos pressão ele sentirá. Melhor será pô-la a par da situação aos poucos, e com certo atraso. Num futuro próximo poderá informá-la sobre o detetive, em função das suas descobertas. Mas, por enquanto, não. Basta que saiba que o pedido de extradição foi aceito. E que o advogado está a tratar do caso. Até aqui Carvalho opera na defensiva. A contratação de um detetive particular, contudo, sinaliza uma mudança de estratégia, empregando agora a defesa e o ataque. Fabrice Delcourt lhe foi recomendado por seu advogado. Seu aspecto, a princípio, não lhe inspirou confiança. Chegou a pensar em chamar outro. Mais tarde, porém, achou que poderia contratar um, dois ou três simultaneamente. O serviço é caro, mas seu futuro está em jogo. Delcourt é um homem alto, corpulento, com quadris mais largos do que os ombros. Veste roupas apertadas, amarrotadas, que parecem ter encolhido em seu corpo. O queixo retraído e o nariz adunco conferem-lhe uma feição que mais lembra um bibliotecário do que um sagaz detetive particular.

– O senhor barão há de reconhecer que Paris é uma cidade grande, com mais de dois milhões de habitantes – argumentou Delcourt à mesa do restaurante.

– Por isso estou contratando o senhor. Se fosse fácil, eu mesmo encontraria o bandido e o levaria à polícia – respondeu Carvalho, seco, sem oferecer espaço aos artifícios do detetive.

– E a polícia? O que diz?

– Pouco. Ou quase nada – Carvalho explicou que Sebastião Constantino do Rosário era um elemento menor no movimento anarquista. Participara de um atentado frustrado, que terminou com a morte de um comparsa. Ao que tudo indicava, a polícia não tinha pressa ou competência para recapturá-lo.

– E, se não se importa com a pergunta, qual é o interesse do senhor barão em ajudar as autoridades francesas?

– Esse foragido, que a França, aparentemente, não considera um elemento perigoso, é procurado pela Justiça brasileira. Cometeu atrocidades no Rio de Janeiro. Não estou ajudando as autoridades francesas, mas sim a Justiça do meu país. Como patriota e homem de negócios bem-sucedido, não faço mais que o meu dever de cidadão.

Delcourt assoou o nariz com um lenço encardido e, meneando a cabeça, deu sinal de que aceitava o caso. Como adiantamento, cobrou quinhentos francos para as despesas iniciais. Precisaria pagar seus informantes e antigos colegas na polícia. Tentaria conseguir uma descrição de Rosário e, quem sabe, uma fotografia. Depois, correria os redutos anarquistas em Paris e nos subúrbios. Mas que o barão estivesse preparado: o fugitivo poderia estar em qualquer lugar na França, ou até mesmo no exterior. Aquilo, obviamente, não o impediria de continuar a busca, mas, por uma questão de transparência, lembrava ao cliente que a conta poderia ser alta.

– Custe o que custar – respondeu o barão. – E acrescente uma recompensa para quem nos leve à captura do foragido.

O landau atinge o cume do morro, desce a rua de Clignancourt e vira à direita, tomando o bulevar de Rochechouart em direção a Pigalle. Em vinte minutos Carvalho estará em casa. Não que isso lhe proporcione uma sensação de segurança, conforto ou aconchego. Se na rua luta contra as garras da lei, em casa enfrenta as cobranças de Ana Maria, as birras de Dodora e as tensas, bem que esporádicas, visitas de Rodrigo. Dodora, especialmente, o preocupa. De criança alegre e extrovertida, tornou-se uma adolescente desaforada, insuportável. E, agora, inventa aquelas modas de teatro. Mesmo assim, nunca a tocara – até o dia em que perdeu a paciência, aplicando-lhe um tapa bem merecido. Agora, todavia, sente remorsos. Bater num filho é, como se diz, sovar a própria carne. Sentiu em si mesmo, embora tardiamente, a dor da bofetada, o ardor da vergonha. Naquele instante, porém, Dodora se tornou uma impertinência, um embaraço que o impedia de se concentrar na notícia que exigia sua atenção: a fuga de Sebastião Constantino do Rosário. Uma evasão absurda, que derrubou Carvalho, como numa gangorra, em que a fuga de quem está em baixo faz despencar quem está em cima. Quantas vezes não vira Tonico e Rodrigo na gangorra do jardim, quando ainda moravam no Catete? Tonico, mais velho e mais pesado, não perdia uma chance de trapacear Rodrigo, que despencava na gangorra e corria para chorar no colo da mãe.

    Carvalho joga fora o cigarro, fecha a janela, recosta-se no assento e cerra os olhos. Sente falta do primogênito. Quer lhe prestar algum tipo de homenagem na inauguração da torrefação. Mencioná-lo no discurso ou, quem sabe, mandar fazer um busto do filho para colocá-lo em seu escritório. Com tantos idiotas no mundo, reflete o barão, observando uma mulher que revira as latas de lixo na rua, como pôde o destino usurpar-lhe um homem com tanta disposição, tanto talento para os negócios? Como tudo poderia ter sido tão diferente se Tonico estivesse vivo. Carvalho, provavelmente, estaria então aposentado, dividindo seu tempo entra a agitação de Paris e o repouso na fazenda de Ibirapiranga. Mas o destino lançou seus dados para outro lado. Ceifou-lhe a vida do filho. Amputou-lhe o futuro, deixando-o prostrado diante de um abismo sem propósito. Custou a se recuperar da perda. Só mais tarde, com as mudanças políticas, sentiu-se revigorado, reassumindo a liderança dos empreendimentos da família, que, paulatinamente, havia legado a Tonico. Pena que, talvez, tenha sido impetuoso demais. Quem sabe, tenha passado dos limites e, por isso, está agora aqui, em Paris, nessa situação absurda. É como se a morte do filho o tivesse privado de uma certa temperança para os negócios. Afinal, seus anos estavam contados e seu herdeiro deixara de existir. Carvalho sentira que não tinha mais nada a perder. Deu asas a seus demônios na esbórnia financeira dos republicanos. Mergulhou, como muitos, nas grandes jogadas da bolsa, nos conchavos e na falcatrua, com a sofreguidão de um viciado. Não em álcool ou morfina, mas em ganhar dinheiro, muito dinheiro, despudoradamente. Depois que a bolsa quebrou, o processo na Justiça e a fuga para Paris não passaram de consequências. Não poderia, contudo, ficar parado. A pujança econômica da França lhe abriu novos horizontes. Agiria, porém, com mais prudência, e menos cupidez. Até porque o futuro da família estava garantido com os lucros que fizera na jogada da Companhia Meridional de Habitação. Em Paris, precisava recomeçar suas atividades de uma maneira mais sólida e, ao mesmo tempo, mais vistosa. Não lhe basta ser um magnata, especulador na bolsa de valores, como Eufrásia. Carvalho não tem tempo, nem paciência para isso. Quer ser considerado e prestigiado como um homem de visão, que traz para a França a firmeza e o dinamismo do empresário brasileiro. A usina de torrefação do Café Carvalho é sua ponta de lança neste processo de assentamento da sua família na sociedade francesa. Não, Antônio Lopes Carvalho não é um rastaquera brasileiro que dissolve fortunas nos bordéis de Paris. É um honrado barão do Império que, após o golpe republicano, deixou o seu país por razões políticas, como um exilado, caluniado e perseguido por conta de seus ideais monarquistas. Esse discurso a aristocracia francesa pode entender e aceitar sem maiores questionamentos. Apesar do regime republicano, dos socialistas e dos anarquistas, a possibilidade de restauração da monarquia francesa continua viva nos corações de muitos daqueles que detêm e controlam a riqueza nacional. Sim, senhor. Carvalho sente-se um membro dessa elite que, passado um século de golpes e contragolpes, resiste a todas as torpezas perpetradas por políticos oportunistas em nome do povo, ou melhor, dos pobres. Políticos cafajestes, sacripantas, como o prefeito de Levallois-Perret.

– Já soube da fuga do anarquista – dissera Jacques Fournier havia seis meses, quando Carvalho o visitou pela segunda vez. – Um revés realmente lamentável.

– Deveras, senhor prefeito – disse Carvalho, apoiando-se na bengala para se sentar. – Temo pelos meus projetos no seu município.

– Não há o que temer – respondeu Fournier, esfregando as mãos. – Tenho certeza de que podemos encontrar uma solução.

– Meu advogado suspeita que haja um desacordo entre a Presidência e o Ministério da Justiça – observou Carvalho.

– De fato, não há unanimidade em relação a seu caso. O presidente já deu claros sinais de boa vontade, concedendo a graça ao anarquista brasileiro, seguida de extradição. Mas é verdade que, depois da fuga desse elemento, o Ministério da Justiça não vê alternativa senão extraditar o senhor barão em troca do segundo francês preso no Brasil.

– Podemos voltar ao presidente? – insinuou Carvalho.

— Por ora, não vejo como — respondeu Fournier, balançando a cabeça. Em seguida, apoiou os cotovelos sobre a mesa, inspirando profundamente em busca de argumentos. — Veja bem: o problema é a opinião pública, que está sendo manipulada pela imprensa. Os editoriais cobram do governo a prisão dos anarquistas franceses detidos no Brasil. Um já está a caminho, depois da extradição daquele empresário brasileiro... como se chamava?

— Motta Barroso — lembrou-lhe Carvalho.

— Sim, com a extradição desse senhor, metade do problema foi resolvida. Falta a outra metade, que será resolvida com uma segunda troca de foragidos. Até agora, toda essa negociação tem sido mantida em sigilo pelo governo. Mas temo que, mais cedo ou mais tarde, isso acabe vazando para a imprensa. Para os jornais, sobretudo os mais conservadores, tanto fará que a França extradite o senhor barão ou um reles baderneiro metido a anarquista. O que importa é trazer à Justiça, o mais rapidamente possível, Paul Reclus, que está preso lá no Rio de Janeiro.

— Podemos calar a imprensa — sugeriu Carvalho.

— Uma tarefa hercúlea, senhor barão! — disse Fournier, abrindo os braços. — São dezenas de jornais em Paris, das mais diferentes linhas editoriais, e com os mais variados interesses políticos e econômicos. Pode-se calar um ou dois, mas sempre haverá um terceiro para acusá-los de cooptação.

O barão suspirou, baixou a cabeça, batendo com a ponta da bengala no chão.

— No entanto, mantenho-me esperançado — continuou o prefeito.

Carvalho encarou o homem, sem fazer comentários.

— Se, como o seu advogado alega, o pedido de extradição feito pelo governo brasileiro já foi aceito pelo Ministério da Justiça, a expedição de uma ordem de prisão se dará em questão de dias...

Mudo, Carvalho continuava a mirar Fournier, dando-lhe espaço para que continuasse sua argumentação. Antes de fazer sua proposta, tentava perceber que intenções o prefeito camuflava com a sua sinuosa prolixidade.

— Posso, contudo, tentar atrasar um pouco o trâmite burocrático no Ministério da Justiça... — sugeriu o prefeito, meneando a cabeça. — Tenho aliados de monta por lá. Acho que podem perder um papel, acidentalmente, o senhor me compreende... Essas coisas, porém, funcionam melhor quando se oferece uma contrapartida, um agrado, por assim dizer... Além disso, o senhor barão não desconhece o fato de que o orçamento da construção da nova sede da prefeitura está defasado... Não corresponde ao custo real da obra, que cresce a cada mês. Os conselheiros da oposição já falam em abrir uma sindicância... Enfim, essas impertinências que sempre alvejam os mais atuantes e ilibados homens públicos. É o preço que pagamos por servir, acima de tudo, ao povo.

– Um agrado? – perguntou Carvalho, aderindo ao eufemismo do prefeito.

– Sim... Com uma doação de... digamos, trinta mil francos, acho que o barão estará garantido por algum tempo.

Carvalho espremeu o castão de prata, refreando o ímpeto de saltar sobre a mesa para rachar o crânio de Fournier com a bengala. Se, por um lado, sentia-se aliviado porque o prefeito havia chegado, por conta própria, onde ele, Carvalho, havia planejado, por outro, surpreendia-se com a desmesurada ganância de Fournier.

– Com quinze mil, acho que o senhor prefeito já pode fazer avançar as obras da prefeitura, não?

– Sem dúvida! Embora trinta pudessem resolver o problema de maneira... como posso dizer? De maneira mais *duradoura*, digamos assim.

– Fechemos em vinte, e, havendo necessidade, voltaremos a conversar – sentenciou Carvalho, levantando-se, antes de acrescentar que a quantia lhe seria enviada em espécie, na manhã seguinte.

– O povo de Levallois-Perret lhe agradece e promete não medir esforços para que o senhor barão continue a nos prestigiar por muitos anos – disse Fournier, já abrindo a porta de seu gabinete para o barão, oferecendo-lhe a mão fria e molhada.

O landau vira à direita na avenida des Champs-Élysées, subindo-a até a esquina da rua de Bassano. Os cavalos entram à esquerda e, em meio minuto, chegam ao palacete da família Lopes Carvalho. Nicolas abre a portinhola para que Carvalho salte. O barão sobe as escadas em direção à porta principal, onde Jovelino o recebe com uma expressão grave, inescrutável. Carvalho supõe o pior: Ana Maria está acordada, irritada com a criadagem, ou, simplesmente, doente, de cama, lamentando-se da vida.

– Tem gente aguardando o sinhô barão – diz Jovelino, ajudando o patrão a despir o casaco.

– Quem? – pergunta Carvalho, num tom contrariado.

– Uns senhores desconhecidos – responde o criado, emendando em voz mais baixa: – Dizem que são da polícia.

No alto da escada, Carvalho vê Ana Maria, parada, à sua espera. Lá de cima, a mulher levanta os ombros, sinalizando que desconhece o motivo da visita. Carvalho entra no salão, cumprimenta os homens, que não perdem tempo com cortesias.

– Senhor barão Antônio Lopes Carvalho?
– Sim.
– Antoine Babel, comissário da Madalena – apresenta-se. – Este é meu assistente – diz, apontando o colega. – O senhor está preso – anuncia, finalmente, entregando a Carvalho uma cópia da ordem de prisão.

Capítulo 20

– Em verdade, em verdade vos digo que um dentre vós me trairá.

O anúncio cai como um petardo na mesa. Tomé quebra o silêncio, levantando um dedo e a dúvida. Quem? Que o mestre o aponte!

Destemperado, o velho Pedro saca a faca, pronto para degolar o traidor, enquanto Tiago temporiza, pedindo calma aos confrades.

– Mestre, quem? Diz-nos! Quem dentre nós seria capaz de tal perfídia? – reitera Felipe, levantando-se, pisando acidentalmente na túnica de Mateus.

– Judas, não estou vendo o saco de moedas. Podes colocá-lo um pouco mais à vista, por favor? – pede Rodrigo, enquanto acerta o enquadramento da cena no visor da sua nova câmera fotográfica.

Não é o primeiro jantar de quadros vivos do qual Rodrigo e Edgar participam, mas esse, na mansão de Samuel, filho do banqueiro Isaac Silbowitz, promete ser o mais animado. Edgar, encarnando o apóstolo Bartolomeu, mantém-se imóvel, no extremo esquerdo da ceia, esperando por Rodrigo, ou Simão, o Zelote, que se colocará no lado oposto, assim que terminar de ajustar o foco da máquina.

– Atenção! Não se mexam! – grita Rodrigo, correndo para sua posição, antes que a Monalisa, uma italiana roliça e rubicunda, acione o obturador, deflagrando o flash de magnésio.

Depois, Jesus reparte o pão, pedindo que Judas lhe passe a manteiga e as azeitonas. Como Cristo e anfitrião, Samuel Silbowitz concebeu, e agora dirige, *A última ceia*, principal quadro da festa. Notórias e concorridas, as soirées de quadros vivos de Sam já fazem parte da agenda social dos herdeiros da elite parisiense, muitos dos quais são seus credores, em operações de empréstimo discretas e informais.

De todos os quadros desta noite, *A última ceia* é o mais prático, uma vez que, feita a fotografia, os convivas podem permanecer à mesa, prontos para o jantar. Do outro lado do salão, montam-se cenas mais complexas. *A Liberdade guiando o povo* causa, por exemplo, um certo embaraço entre os intérpretes. Edgar e Rodrigo se perguntam quem representará a Marianne, que marcha, impávida, sobre os cadáveres das barricadas, sem se dar conta de que seu decote tombou, revelando seus seios aos revoltosos de 1830. Um grupo minoritário de convivas defende a dignidade da modelo, enquanto outro, mais exaltado, reclama a igualdade dos sexos e a liberdade do corpo. Enfim, decidem que, por amor à arte e fidelidade ao original, Céline Dupré deverá despir os seios, o que não chega a ruborizar a cocota, que começou sua carreira como dançarina de cancã no Moulin Rouge.

Num salão contíguo, onde o vinho chega com um pouco de atraso, os intérpretes andam mais pudicos, com ideias menos controversas. Próximo à janela que dá para os jardins da mansão, uma escrava serve café à sua ama, numa minuciosa encenação de *Madame Pompadour como sultana*, incluindo almofadas, tapetes turcos e serviço de prata. Ao lado, um grupo de rapazes e moças, vestidos como fidalgos de outra era, forma um círculo ao redor de um cadáver, interpretado com apuro por um rapagão pálido e magricela. Aqui a questão mais polêmica é se devem usar vinho ou tintura para reproduzir tendões e músculos na *Lição de anatomia do doutor Tulp*. Nem todos os convidados, porém, compreendem o espírito da patuscada. Uma garota com um copo de vinho e outra com um brinco de pérola discutem, num tom solene e altaneiro, os méritos da luz e da perspectiva na escola holandesa. Pena que a discussão seja subitamente interrompida pelo alarido do salão principal.

Um novo debate surge, provocando gritos e apupos. Quatro amigos se propõem a interpretar o *Almoço na relva*, com dois rapazes vestidos a rigor e duas moças completamente nuas. Depois que Céliné Dupré, carregando um fuzil e a bandeira da França, passou a desfilar com seios descobertos pelo salão, poucos ainda fariam objeção às garotas peladas na tela de Manet. Logo, não se trata de pudor ou censura de espécie alguma.

– É uma questão de coerência com o tema da festa! Pinturas clássicas, com o devido respeito aos grandes mestres – salienta Jesus que, como dono da casa, foi convocado a intervir na questão. Depois, argumenta que Manet morreu, mas ainda é um artista moderno, e sua tela, pintada há trinta anos, é relativamente recente em comparação às obras já consagradas nos museus mais importantes da Europa. Não, o *Almoço na relva* não pode fazer parte daquela festa e, portanto, seus intérpretes deverão encontrar uma outra tela. E o quanto antes melhor, que estão todos com fome e não veem a hora de começar o banquete.

Feitas as fotografias, Rodrigo e Edgar deixam *A última ceia* para se sentar à mesa de Salomé e João Batista, que tirou a bandeja de papelão do pescoço para jantar com mais conforto. A princesa e o decapitado são filhos de José Martín Sanchez, um fazendeiro argentino que fez fortuna com a exportação de couro antes de se mudar definitivamente para a França. Na chegada, há mais de vinte anos, causou sensação na imprensa, desembarcando do paquete acompanhado pela família, alguns criados e Riqueza, uma vaca leiteira. Recomendação dos médicos, explicava Sanchez aos curiosos. Salomé, batizada Maria Lúcia, era então uma menina frágil e adoentada. Seus pais se desdobravam em cuidados, seguindo a receita médica literalmente: que a menina bebesse leite da mesma vaca, onde quer que fosse. Por muitos anos, Riqueza foi a única vaca a ocupar uma baia, ao lado de cavalos puros-sangues, nas cocheiras do Bois de Boulogne.

– Então, Simão? Ouvi dizer que vais casar... – insinua Maria Lúcia.

– Calúnia de algum fariseu invejoso – responde Rodrigo. – Custou-me caro ter escapado da primeira. Desde então, tenho conseguido me manter imune às chantagens de meus pais.

Salomé sorri, cobrando, com os olhos, um comentário de Edgar.

– Não olhes para mim. Já sou noivo. E o rapaz não faz meu tipo – responde Edgar, erguendo sua taça de champanhe num brinde ao celibato.

Pouco antes do amanhecer, um ou dois convivas já cochilam nos canapés, indefesos e vulneráveis em suas armaduras medievais, enquanto outros mantêm o tênue equilíbrio das pernas, defendendo, com voz pastosa, sua opinião sobre uma questão política qualquer diante de um interlocutor que dormita apoiado às estantes. Rodrigo e Edgar terminam a última garrafa de champanhe e, dando-se por satisfeitos, levantam-se das poltronas, apoiando-se um contra o outro, rumo à saída. No vestiário improvisado na sala de costura, encontram Napoleão agarrado a Maria Madalena num coito inusitado que mistura o sagrado e o profano numa tela jamais vista. Trocam-se em silêncio, ouvindo o arrulho napoleônico, e partem sem se despedir do dono da casa, que, certamente, ainda não ressuscitou depois do último gole de absinto.

Só ao meio-dia Rodrigo, com um saco de gelo na cabeça, rasga o envelope que alguém deixou à porta do seu apartamento na noite anterior. Uma mensagem da mãe, escrita com caligrafia trêmula e apressada, informa que seu pai foi detido, e que ele deveria ter com a família assim que possível.

Rodrigo amassa a mensagem, senta-se na poltrona mais próxima, sentindo a cabeça latejante e o estômago revirado. Que espeto! O barão de Lopes Carvalho preso! Com certeza, algo a ver com o escândalo da Meridional e o pedido de extradição. O velho, entretanto, lhe parecia tranquilo. Apesar de irritadiço e mal-humorado, o que é habitual, Rodrigo não percebeu, ultimamente, nenhum comportamento anormal no pai. Ou, talvez, não. Engana-se. Aquele tapa em Dodora já prenunciava que algo não ia bem com os nervos do barão. Pena que Rodrigo desconheça os trâmites do processo de extradição. Não que subestime a questão, que diz respeito a todo o clã Lopes Carvalho. Mas seu pai mantém um mutismo hermético sobre o assunto, como se tudo estivesse bem, não tendo a família com o que se preocupar. Agora, de repente, essa notícia. Rodrigo, contudo, não pode perder a calma. Precisa se apresentar à mãe, oferecendo-lhe todo o apoio de que ela necessitar. Quer, também, questioná-la. O que saberá sobre o processo? Estará, pelo menos, um pouco mais informada do que ele mesmo? Sobretudo, precisa avaliar o impacto disso tudo na sua própria vida, independentemente dos demais. Na pior das hipóteses, o pai poderá ser imediatamente extraditado, o que deixaria Rodrigo em sérios apuros. Precisa, portanto, inteirar-se da situação financeira da família. Na ausência do barão, quem terá o controle das contas bancárias, dos títulos e cartas de crédito? E a torrefação em Levallois-Perret? Como andarão as obras? Arrepende-se, tardiamente, do desinteresse que sempre demonstrou pelos negócios do pai. Verdade que já pensou na herança e em como viverá após a morte do barão. Mas nunca refletiu sobre os pormenores, o lado prático da questão, as minúcias jurídicas e burocráticas. Afinal, a morte do pai parece tão certa quanto longínqua. Está dissimulada na realidade cotidiana, como se se tratasse de uma ideia abstrata, vaporosa, pouco relevante no momento presente. Talvez porque pensar na morte do pai, ou na sua própria, seja como assistir a um número de mágica pelos bastidores. Descobre-se o truque, destrói-se a ilusão. A vida, rica ou pobre, feliz ou sofrida, seja qual for, termina, fatalmente, no caixão. É como numa partida de cartas marcadas, em que se entra no jogo pelo divertimento, sabendo que a derrota é inevitável. Por isso, na visão de Rodrigo, a vida deve ser uma festa, cheia de mágica e ilusão, da qual só se sai quando dela se é expulso. De qualquer modo, o barão não está morto. Ainda não, corrige-se, levantando-se em direção ao banheiro. A situação urge providências que salvaguardem a família e, principalmente, a si mesmo.

– Sua mãe está no quarto, com enxaqueca – alerta-lhe Jovelino, quando, horas depois, Rodrigo entra no vestíbulo do palacete. – Ficou aguardando o sinhozinho até de madrugada.

– E meu pai? – pergunta, despindo o casaco, entregando-o ao criado.

– Melhor perguntar à sua mãe. Mas vá devagar. Ela acabou de tomar umas pastilhas.

Jovelino guarda o casaco e o chapéu de Rodrigo, que sobe as escadas em direção ao quarto da mãe. Como sairão daquela situação, indaga-se o criado, voltando à cozinha. Graças a Deus, Dodora não está em casa. Foi passar o final de semana com dona Eufrásia. Se estivesse em casa, só serviria para aumentar o pânico e o desalento. Na cozinha, senta-se à mesa, defronte a Perpétua, que cata o feijão que a família recebe do Brasil.

– Acendi uma vela para São Judas Tadeu – diz a mulher sem levantar a cabeça.

– Acende uma dúzia – responde Jovelino.

– É grave assim? – indaga, erguendo os olhos para encarar o marido.

– Não sei – responde, encolhendo os ombros. – Mas, pelo estado de dona Ana Maria, parece coisa muito séria.

– E Rodrigo? – pergunta Perpétua, separando um grão de feijão disforme.

– Parece preocupado... Se não é fingimento.

Dos negócios do barão, Jovelino não entende coisa alguma. Sabe que está construindo a torrefação de café, que se tornou o seu maior projeto. Tem também uma leve suspeita de que a partida do Rio de Janeiro foi feita às carreiras, como se a família do barão estivesse sendo vítima de alguma perseguição. Quiçá tivesse algo a ver com as notícias que Jovelino lera nos jornais cariocas. Mas, naquela época, havia tantos escândalos que o criado nunca conseguiu discernir o papel do barão no quiproquó que chamavam de Encilhamento. De qualquer modo, tem total confiança na honradez do patrão. O homem é poderoso e rico além da conta, desde os tempos de seu pai, o velho barão de Ibirapiranga. Ademais, é um patrão bom e generoso. Sempre os respeitou, tratando tanto ele quanto Perpétua com atenção, desde moço, quando ambos eram escravos de dona Preciosa. Mas aquilo faz muito tempo. Parece-lhe que aconteceu numa outra vida, do outro lado do mundo, naquele vale distante, coberto pelos cafezais. Observando Perpétua catar o feijão, dá-se conta de como a mulher está envelhecendo. Ainda tem a cara redonda e a pele lustrosa, mas os olhos baços e a testa encarquilhada já lhe passam uma certa canseira.

– Teu aniversário está chegando – lembra Jovelino. – Já escolheste um presente?

– Presente? Hum... Uma passagem para o Rio de Janeiro?

– Deixa de piada!

– Eu queria ter uma echarpe – confessa Perpétua, com um sorriso tímido. – Dessas que dona Ana Maria compra nessas lojas chiques.

– Estás muito atrevida. Imagina, se eu entrar numa loja dessas, botam-me para fora a botinadas!

Um ano mais novo que a mulher, Jovelino reconhece que, apesar das aparências, também está envelhecendo. Nas manhãs de inverno, sente que os ossos lhe doem, as juntas rangem, as mãos tremelicam. Perpétua tem razão. Ele também não quer passar o resto dos seus dias na friúra de Paris. Acha a cidade bonita, mas sente que seu coração carece do calor do Vale, do cheiro da terra molhada, da sinfonia do amanhecer tocada pela passarinhada sob a batuta dos galos. E agora? Que surpresa lhes prepara o destino? Que consequências a prisão do barão poderá acarretar na vida dos criados, importados do Brasil, sem ter, agora, a quem recorrer? Sente a falta de dona Eufrásia. Enquanto dona Ana Maria tomba doente a cada má notícia, dona Eufrásia parece ser a única que mantém a cabeça no lugar. O que dirá a prima daquela situação?

Antes que Jovelino possa deduzir uma resposta, a sineta soa, chamando-o ao salão. Rodrigo o espera, já vestido com casaco e chapéu, pronto para sair. Diz que a mãe voltou a dormir e que não deve ser incomodada. Ele sairá com o landau, mas voltará para jantar por volta das sete horas. Sem esperar que Jovelino lhe abra a porta, parte apressado, falando sozinho, com palavras desconexas.

No jardim lateral, Rodrigo acorda Nicolas, que cochilava dentro do carro, dizendo-lhe que toque para Levallois-Perret. Tem pressa. Depois, recosta-se no assento da cabine, roendo a unha do polegar, pensando na arrogância do advogado ao telefone. Sendo sábado, fizera vários telefonemas antes de, finalmente, encontrar Jean-Pierre Murat num almoço no Clube dos Advogados. O francês disse que já está a par da prisão do barão e que as providências estão sendo tomadas. Enquanto isso, se Rodrigo estiver disponível, poderá encontrá-lo no comissariado, à tarde. O pai ficará feliz em vê-lo, sugeriu Murat.

Ainda sentindo o engulho da noite anterior, Rodrigo dispensa o almoço, calculando que terá tempo de fazer uma rápida visita à obra da torrefação antes de passar no comissariado. Uma nota sobre a prisão do pai, em qualquer jornal que seja, poderá alarmar a empreiteira, que, por cautela, suspenderá temporariamente os trabalhos. Rodrigo precisa tranquilizar os engenheiros. O barão teve um pequeno problema, um equívoco da Justiça, mas, na semana seguinte, tudo estará resolvido. Enquanto isso, ele estará ali, substituindo o pai, para auxiliá-los em qualquer decisão que seja necessária.

Em pouco menos de trinta minutos, os cavalos desaceleram o trote na rua Victor Hugo, que delimita os fundos da usina. Pelo soar dos martelos e a movimentação dos operários, Rodrigo percebe que os trabalhos continuam em ritmo normal, a despeito dos últimos acontecimentos. A obra, na verdade, o impressiona. Desde o lançamento da pedra fundamental, há pouco mais de seis meses, o canteiro deixou de ser um mar de lama para se transformar num formigueiro de operários que parecem trabalhar contra o relógio para salvar a formiga-rainha. Rodrigo observa as paredes externas, seccionadas pelos vãos das futuras janelas, como cenários de ópera, encerrando o interior vazio do prédio. No alto, as vigas do telhado, já instaladas, sugerem o alinhamento das telhas sobre a mansarda, enquanto, mais além, na esquina, os andaimes esboçam a cúpula que dará magnitude ao edifício, como uma coroa imperial.

Sentado sobre uma viga, Tino trabalha com martelo e pregos, reforçando a estrutura do telhado. O compasso da ferramenta ritma a modinha que martela sua cabeça desde cedo, quando um colega a assoviou a seu lado. Aos sábados Tino sente que o ambiente na obra sofre uma sutil alteração. Trabalha-se com mais afinco, não por amor ao patrão, mas pela perspectiva do descanso dominical e, principalmente, do lazer de sábado após o expediente. Hoje à noite tocará, pela primeira vez há muito tempo, ao lado de Pirralho no Rat Mort. Não ganha nada com isso, mas sente que é um dos raros momentos em que consegue relaxar, abstraindo-se na música, que o afasta dos pensamentos funestos. Seja por desinteresse ou incapacidade, a polícia de Paris parece não se empenhar na sua procura. Em contrapartida, preocupa-se com o detetive particular que abordou Pirralho. Esse, sim, pode representar uma ameaça. Além da polícia, alguém mais o procura. E com tanto interesse que chegou ao ponto de contratar um detetive. Acha pouco provável que essa procura tenha alguma relação com as suas antigas atividades anarquistas. Julga que nunca fez mal a ninguém. Não consegue se ver como objeto de uma vingança pessoal. Logo, em não se tratando de um engano, a investigação particular só pode estar relacionada ao seu passado no Brasil. O pensamento traz-lhe uma espécie de náusea, desequilibrando-o, quase o fazendo cair da viga. Depois, respira fundo e ri. Não, não pode acreditar que, sete anos após o desaparecimento de Leocádia, o barão de Jaguaraçu o persiga do outro lado do oceano... Não, corrige-se. Já estão em 1895... São oito anos! Dá-se conta do tempo exato num clarão de memória que mistura o arrependimento com a sensação de vida desencaminhada, extraviada do seu destino original e previsível. Daria tudo do pouco que tem para voltar ao Brasil. Ao mesmo tempo, percebe que mudou. Sente que o Tino que deixou Ibirapiranga a contragosto não é aquele homem escarranchado sobre as vigas do telhado, consciente da sua condição de operário. É como se, a cada dia, movesse-se vagarosamente para fora do casulo que se chama Sebastião Constantino do Rosário. Louis Bardet deixa de ser um disfarce para se tornar uma realidade, como um ator dominado por seu personagem, conclui, martelando o último prego. Depois, desce pelos andaimes, observando o landau estacionado do outro lado da rua. É o barão. Ou, talvez, não. Alguém mais novo que conversa com o engenheiro da obra.

– Se não sofrermos nenhum revés por conta do clima ou... – explica o engenheiro, baixando o tom de voz – ... por causa das greves, acho que lhes entregaremos a torrefação, equipada e pronta para funcionar, daqui a doze meses.

– Greves? – pergunta Rodrigo, surpreendendo o engenheiro, mais habituado ao laconismo do barão.

– É a lei do mercado – responde o francês, apontando para os trabalhadores com um discreto gesto de cabeça. – Com tantos canteiros em Levallois, a demanda por mão de obra é maior que a oferta. Os operários se aproveitam da situação para nos chantagear, nos extorquir mais dinheiro.

Esse é um revés que Rodrigo jamais considerou. Acostumou-se, desde a infância, a ter escravos e criados, pretos modestos e submissos, que não fazem mais que obedecer ao senhor e patrão. De repente, dá-se conta de que, na França, as coisas são diferentes.

– Quanto ao senhor barão, espero que as coisas não sejam graves... – diz o engenheiro, quando Rodrigo já se prepara para partir.

– Não há problema – responde, pego de surpresa pela observação do engenheiro. – A partir de agora, eu estarei à frente dos negócios da usina – completa, batendo a portinhola do carro, antes de partir apressado rumo ao comissariado.

Capítulo 21

O comissário Antoine Babel recosta-se na cadeira, bebendo um gole do "mijo de gato" que o ordenança lhe serviu. Não costuma trabalhar nos finais de semana, mas, com a presença de um milionário estrangeiro, um barão, preso no seu comissariado, adiantou-se aos aborrecimentos que a situação prenuncia – imprensa, advogados, parentes que se presumem acima da lei. Acordou mais cedo que de costume, chegou ao serviço pouco depois das oito, surpreendendo os plantonistas, que não esperavam vê-lo antes de segunda-feira. Agora, lendo os jornais, procura notas que possam ajudá-lo a entender o que está em jogo nessa prisão do barão de Lopes Carvalho, e quais poderão ser as suas consequências.

Os matutinos, impressos antes da meia-noite, não tiveram tempo, todavia, de noticiar a prisão do empresário brasileiro. Por outro lado, *Le Rappel* publicou uma nota que deixa Babel intrigado.

> *A legação do Brasil faz declarar que, contrariamente ao noticiado por um jornal matutino, a extradição de Motta Barroso foi acordada sem dificuldades pelo governo francês. Seguiram-se os procedimentos de praxe, mediante a apresentação de documentos oficiais, demonstrando que o senhor da Motta Barroso, acusado do crime de estelionato, previsto no artigo 338 e seus pa-*

rágrafos do Código Penal Brasileiro, era objeto de um mandado de prisão expedido pelo tribunal competente.

O ministro do Brasil em Paris acrescentou, na mesma nota, que, no curso das negociações necessárias, jamais se tratou da suposta extradição do anarquista francês Paul Reclus.

> Jornal *Le Rappel*, 11 de fevereiro de 1895.

Babel cruza os braços sobre a escrivaninha, aproximando os olhos do jornal. Talvez não tenha lido bem a nota. Precisa lê-la novamente, com mais calma, detendo-se em cada palavra para decifrar não o que o texto claramente informa, mas o que tenta dissimular. Ora, a legação do Brasil desmente, através de um comunicado oficial, que a extradição de Motta Barroso tenha qualquer relação com o pedido de extradição de Paul Reclus, preso por atividades anarquistas no Rio de Janeiro, suspeito de participação no assassinato do presidente Sadi-Carnot. Essa é a notícia, a obviedade impressa naquele jornaleco da esquerda radical. Agora, que manobras e artimanhas a nota camufla?, pergunta-se Babel, cofiando o bigode.

Não que a nota minta, mas seu redator, definitivamente, omitiu certos elementos. É verdade que a extradição de Motta Barroso para o Brasil não tem relação direta com a extradição de Reclus. Há uma relação, contudo, com a extradição de *outro* anarquista, Benjamin Cahuzac, que já está a caminho da França! Reclus, por sua vez, teria sido trocado por Sebastião Constantino do Rosário se o dinamitista brasileiro não houvesse escapado. E que belo trabalho foi aquele, congratula-se Babel. Uma operação muito arriscada, mas bem executada pelos rapazes do comissariado.

— Até hoje o cretino deve estar se perguntando quem o resgatou — murmura Babel, virando a página do jornal.

O comissário aposta que, solto nas ruas, Rosário se tornará uma boa isca. É minhoca pequena, mas o pescador tem esperança e paciência. Foragido, procurará seus camaradas, com certeza. Precisa dar-lhe tempo, permitir que se sinta seguro para voltar a circular nos meios anarquistas. Seguindo-o, a polícia chegará ao núcleo da célula, aos mentores dos atentados. Pelo menos parte deles. Anarquistas, afinal, não têm chefes. Logo, não há uma célula, mas várias, antagônicas, beligerantes, como toda aquela corja de comunistas e socialistas, cães raivosos brigando entre si pelo controle dos operários, homens ignorantes que caem nessa esparrela.

O problema, admite para si mesmo, é que seis meses já se passaram e Rosário continua retraído, afastado, sem entrar em contato com seus antigos camaradas. Agora, o que Babel não consegue compreender é por que Rosário, monitorado pelo serviço de inteligência, está, também, sendo seguido por Fabrice Delcourt, um detetive expulso da polícia por corrupção. Mais cedo ou mais tarde precisará intervir, reflete. Teme, acima de tudo, que essa besta do Delcourt bote tudo a perder.

Babel dobra o jornal, levanta-se da cadeira para abrir a janela, respirando o ar frio daquele sábado de inverno. Contrariamente ao que previu, a manhã passa tranquila no comissariado, onde guardas e oficiais se ocupam dos boletins de ocorrências da noite anterior. Brigas, arruaças, furtos e assaltos, a rotina de uma noite de sexta-feira em Paris. Só depois do almoço, quando Babel luta contra o sono, bebendo outro café, o ordenança entra em sua sala para lhe avisar que o advogado do barão chegou ao comissariado.

– Senhor Murat, falhei em não ter previsto que o seu escritório tomaria conta desse caso – diz Babel apontando a cadeira para que o advogado se sente.

– Os barões são a minha especialidade – responde o advogado. – Ainda mais quando são injustiçados por questões políticas – completa, entregando um envelope ao comissário.

Babel abre o envelope, passa os olhos pelo documento, deixando escapar um leve suspiro. A ordem judicial determina que o barão seja solto, imediatamente. O brasileiro deverá aguardar o julgamento do seu recurso em liberdade. Enfim, um ministro manda prender, e uma ordem judicial, despachada às pressas, deixa o homem voltar para casa. Quanto terá custado, indaga-se Babel, analisando o documento assinado por Guillaume Casta, um juiz notório por suas sentenças controversas.

– Não esperava que a liminar pudesse chegar ainda hoje...

– Há advogados e advogados – responde Murat. – Clientes meus não dividem celas com meliantes e vagabundos.

– É compreensível. Meus vagabundos também não suportam barões estelionatários.

– A que horas o meu cliente poderá ser posto em liberdade? – pergunta Murat sem rebater a provocação do comissário.

Antes que Babel possa responder, o ordenança abre a porta da sala para informar, agora, que o filho do barão está na recepção. O comissário levanta-se, pedindo que a visita seja conduzida à carceragem.

– Não acho que seja necessário expor o meu cliente a sua família nestas circunstâncias – interrompe Murat. – O rapaz pode aguardar na recepção, não?

– Pelo contrário – responde Babel, indicando a porta ao advogado. – Faço a alegria do pai ao ser solto perante o filho.

Juntos, policial e advogado saem da sala, tomando o corredor da carceragem, logo seguidos por Rodrigo, acompanhado pelo ordenança.

– Problema resolvido – diz Murat após se apresentar ao filho do barão.

– Vai ser liberado? – pergunta Rodrigo, seguindo os homens até o fundo do corredor.

– Imediatamente – responde o advogado.

O grupo para em frente a uma cela, onde três homens fumam, jogando cartas sob o beliche da esquerda. No da direita se senta o barão, pensativo, aparentemente resignado. Ao ver o grupo diante da cela, Carvalho ergue-se, esboça um sorriso para o advogado, mas sente o sangue subir-lhe à nuca assim que percebe o filho atrás do comissário.

Rodrigo nunca viu o pai desse jeito. O cabelo desalinhado, a roupa amassada... poderia parecer que dormiu vestido, se os olhos não sugerissem uma noite passada em claro.

– Desculpe-nos pela demora – diz Murat, enquanto o carcereiro abre a cela, com um molho de chaves.

Carvalho agradece ao advogado, cumprimenta o comissário com um aceno de cabeça, sem jamais encarar o filho. Depois, na sala de Babel, assina dois papéis e recupera, pelas mãos de um guarda, sua carteira, o chapéu e o relógio de bolso.

Na rua, o landau parte a trotes rápidos para cumprir em poucos minutos o trajeto entre o comissariado e o palacete na rua de Bassano. Carvalho, fechado num mutismo pálido, fuma, mantendo o olhar em linha reta. Rodrigo julga que deve dizer algo. Perguntar como o pai passou a noite, se tem fome, como resolverá aquele problema. Não, ainda não é hora de tocar no assunto. Que falem de trivialidades. Mas como falar de trivialidades num momento como esse? Sente-se compelido a oferecer algum conforto ao pai, mas receia, ao mesmo tempo, o constrangimento da palavra, do contato físico com o homem a seu lado. Quem sabe seja melhor respeitar a sua dignidade, não deixar que pense que tem pena do barão. No fundo, Rodrigo sente-se tolhido, embaraçado, como se uma parede de vidro os separasse. Tudo é visível, transparente, sem que haja, contudo, a possibilidade de comunicação. Num estalo, dá-se conta de que não sabe como tocar fisicamente o pai. E qualquer tentativa parecerá forçada, canhestra, como um gesto teatral interpretado por um mau ator. Sufocado pelo silêncio, espremido entre a parede de vidro e a portinhola, abre a janela, tentando concentrar o olhar nos plátanos desfolhados que, alinhados ao longo da Champs-Élysées, emprestam um ar solene e triste à avenida.

Ao escutar a entrada dos cavalos no jardim do palacete, Jovelino corre para abrir a porta do vestíbulo, vendo o barão desembarcar da cabine, seguido por Rodrigo.

– Bem-vindo, senhor barão – diz o criado, evitando dar um tom dramático às palavras. – Dona Ana Maria está no quarto dela – informa, hesitante, como se precisasse dizer algo, enquanto ajuda o patrão a despir a casaca.

– Ela está melhor? – pergunta Rodrigo.

– Prepare o meu banho, Jovelino – corta Carvalho, sem esperar pela resposta do criado.

Carvalho não vê a hora de tomar um banho, esfregar-se com a esponja, barbear-se, pôr uma roupa limpa e perfumada. Passou a noite naquele beliche fétido, onde se deitam os piores membros da sociedade. Ladrões, bilontras, bêbados malcheirosos, infestados de piolhos e percevejos. Enojado pelo cobertor, tentou dormir vestido, com paletó e casaca. Tiritou de frio a noite inteira, sem conseguir pregar os olhos. Antes houvesse pago os trinta mil francos!

– Graças a Deus! – diz Ana Maria, surpreendendo o marido no patamar do primeiro andar.

– Está tudo resolvido – diz Carvalho, segurando o rosto da mulher para beijá-la na testa, evitando a interrogação em seus olhos. Depois, sem acrescentar palavra, afasta-se em direção à porta do seu quarto.

– Espera, Carvalho! Como assim, tudo resolvido?

– Mais tarde conversaremos – suspira, como num pedido de clemência, antes de se trancar em seu quarto.

Missão espinhosa será aquela de pôr Ana Maria a par dos últimos acontecimentos, pensa Carvalho, apoiando-se contra a porta. Não, não lhe contará nada em detalhes. Mas tampouco pode passar uma noite na cadeia sem esclarecer a mulher sobre as circunstâncias, e os próximos passos a serem tomados. Deve-lhe alguma satisfação, embora atrasada e incompleta. O prefeito de Levallois-Perret lhe pedira trinta mil francos. Carvalho lhe pagara vinte. Papéis se perderam, audiências foram canceladas e remarcadas, enfim, ganhara seis meses antes que o juiz, finalmente, indeferisse o recurso na Corte de Apelação, confirmando a ordem de prisão. Agora, com a liminar, ganha um pouco mais de tempo para esperar o julgamento do novo recurso em liberdade. Se vinte mil francos compraram-lhe seis meses de espera, quanto lhe custará uma decisão favorável na instância superior, a Corte de Cassação? Poderá voltar a Jacques Fournier? Não sabe. Não confia no prefeito, nem em ninguém. Não poderá, todavia, passar o final de semana afogando-se nas mais estapafúrdias conjecturas, conclui, ouvindo o jorrar da água que enche a banheira da suíte. Precisa esperar. O advogado só terá mais informações sobre o processo na segunda-feira. Então, sim, farão uma avaliação da situação. Por ora, se acalmará. Em um ano a torrefação estará pronta. Quando começar a funcionar terá ainda mais apoio dos políticos que leva no bolso...

– Aqueles filhos da puta! – desabafa, batendo com o punho contra a ombreira da porta do banheiro.

– O senhor barão me chamou? – grita Jovelino sobre o barulho da torneira. – O banho está pronto – informa, antes de sair pela porta do banheiro que dá acesso ao corredor.

Bom ter o barão de volta, pensa Jovelino, descendo as escadas. É como se o pastor voltasse ao seu rebanho. A casa sem Dodora e o sem o barão não tem pé nem cabeça. Na cozinha, encontra Perpétua arrumando a bandeja de café para duas pessoas.

– Chegaste bem na hora. Rodrigo e dona Ana Maria estão na sala de música – diz-lhe Perpétua. – Leva o café, por favor.

Jovelino bate suavemente à porta, aproximando o ouvido, segurando a maçaneta. Sem ouvir resposta, entra, encontrando Rodrigo de pé, junto ao piano, e Ana Maria sentada numa poltrona, com ar abatido, olhos marejados. Pede-lhes licença, deixa a bandeja na mesa de centro, junto às partituras e revistas de moda que Dodora coleciona.

– Não se esqueça de que Dodora volta amanhã – diz-lhe Ana Maria, com voz sumida, antes de assoar o nariz.

– Perpétua já arrumou o quarto dela – responde Jovelino, logo perguntando se precisavam de algo mais.

– Não. Pode ir – responde Ana Maria, mirando o tapete, sem levantar a cabeça.

Depois, espera em silêncio que o criado se retire para que possam retomar a conversa. Não podem continuar assim, retoma Rodrigo. Chegou o momento de exigir-lhe a verdade. Que o pai os deixe a par de tudo o que está acontecendo. A família não pode mais suportar essa falta de informação, quando toda sua estabilidade está ameaçada.

Ana Maria aproxima-se da bandeja, enchendo a xícara vazia com uma pequena colher de açúcar. Enquanto Rodrigo dedilha o piano, a mãe serve-se do bule de prata, vertendo o café fumegante nas duas xícaras.

– Deixa o piano em paz, por favor – diz. – A cabeça ainda me dói.

Com a mão trêmula, Ana Maria aproxima a xícara do rosto, aspira o café fazendo um bico com os lábios esticados. Rodrigo senta-se na poltrona ao lado da sua, sem tocar no seu café.

– A senhora não diz nada? – pergunta, perante o silêncio da mãe.

– Sei tanto quanto tu sabes – responde, pensando que, talvez, não seja verdade.

– Então, não sabe nada, pois é tanto quanto eu sei.

– No ano passado, teu pai consultou o Ruy Barbosa – emenda-se, oferecendo algo novo a Rodrigo, recolocando a xícara sobre o pires. – Barbosa achava que não corríamos perigo iminente. Mas a situação pode ter mudado...

– E o Motta Barroso? Foi extraditado, não foi?

– Parece que sim. Só acompanhei pelos jornais. Talvez teu pai o tenha encontrado antes da partida. Não sei. Nunca tocou no assunto...

– Se foi extraditado, meu pai também pode ser...

– Nem penses nisso, Rodrigo. Sabe Deus o que poderia nos acontecer...

Antes que Rodrigo possa responder, a porta da sala de música se abre. Carvalho, penteado e barbeado, para na soleira, vira-se para trás mandando que Jovelino lhe traga café também. Depois, entra, senta-se no sofá, soltando um longo suspiro.

– Não há corridas hoje, Rodrigo? – pergunta, finalmente, desviando o olhar para a janela.

– Há, com certeza. Pena que não pude ir, porque meu pai estava na cadeia – estoca.

– Rodrigo! – reprime-o Ana Maria.

– Não sejas insolente – responde Carvalho, levantando-lhe o indicador. – Até porque eu não contava com a tua ajuda para nada. Meteste-te onde não eras chamado!

– Então? E a sua família? – retruca Rodrigo. – Ficaríamos aqui à espera de alguma notícia, sem saber para onde o haviam levado, quando o soltariam? Se sequer o libertariam...

– Espanta-me a tua curiosidade – diz Carvalho, arqueando as sobrancelhas. – Nunca te interessaste por nada...

– Verdade, pai. Nunca me interessei por seus negócios obscuros, desde que eles não ameaçassem a nossa família. Mas, agora, a coisa foi longe demais... O que dirão os jornais?

– Não sabes do que estás falando...

– Sei mais do que pensa. Sei das suas jogadas inescrupulosas, seus sócios e amigos, abutres de plantão que dividiam com o senhor a carniça dos papéis podres, das empresas fantasmas...

– Cala-te antes que eu te arrebente as fuças! – grita Carvalho, levantando-se do sofá. – És um bosta! Não sabes do que estás falando. Foram esses negócios obscuros que pagaram pelos teus médicos na infância, pela tua educação na Europa e, até hoje, pagam pelas tuas roupas afeminadas.

– Carvalho, chega!

– Sai! Sai daqui imediatamente! – grita, apontando a porta. – E não voltes a meter os pés nesta casa enquanto não aprenderes a respeitar o teu pai. Cachorro imbecil!

Rodrigo se levanta, encarando a ira do barão. O pano finalmente cai após uma longa encenação. Anos de animosidade dissimulada pela hipocrisia da convivialidade, pelo silêncio do desprezo mútuo.

– Peço licença à minha mãe – diz, fechando o paletó. – Quanto ao senhor barão, que me esqueça – conclui, partindo em direção à porta.

– Rodrigo, espera! – pede Ana Maria.

O filho já não a ouve. Bate à porta com força, enterrando a sala de música num silêncio sepulcral.

– Não te preocupes – diz Carvalho, voltando a se sentar. – O patife não tem onde cair morto. Amanhã estará de volta com o rabo entre as pernas.

Ana Maria não o escuta. Enterra o rosto entre as mãos, deixando desaguar o choro que, desde aquela manhã, represava. Carvalho acende um cigarro, traga profundamente, percebendo que as mãos lhe tremem mais que de costume.

Uma nova batida à porta. Jovelino, outra vez, pede licença para trazer o café. Carvalho assente, o criado entra, com passos vacilantes, sentindo-se constrangido pelo choro da sinhá. Pousa a bandeja sobre a mesa, recolhe as xícaras sujas. Sem saber o que dizer, pergunta à patroa se se sente mal, se precisa de algo. Pode chamar Perpétua se ela quiser. Sem levantar o rosto, Ana Maria balança a cabeça, dizendo-lhe que não.

– Deixe-nos a sós, Jovelino – ordena Carvalho.

Assim que Jovelino fecha a porta, Carvalho levanta-se, põe as mãos nos bolsos, andando em direção à janela. Sem olhar para a mulher, diz-lhe que as coisas se resolverão em breve. Que, na verdade, o governo francês não tem interesse em extraditá-lo. Precisam, contudo, extraditar um brasileiro se quiserem receber um francês preso no Rio de Janeiro. Esse brasileiro existe, e não é ele, Antônio Lopes Carvalho. Trata-se de um anarquista, um destrambelhado que anda foragido. Uma vez que ele seja encontrado, haverá a troca de prisioneiros e o governo francês não terá mais por que os incomodar.

– E se ele não for encontrado? – pergunta Ana Maria, enxugando o rosto com um lenço de seda.

– Será. Tenho certeza – diz Carvalho, afastando-se da janela, caminhando em direção à mulher. – Mas não confio na polícia, nem nas manobras do governo francês. Coloquei um detetive particular no seu encalço. Custa-me caro, mas, como tudo o mais que tenho gasto, é o preço que pago pela nossa liberdade.

Capítulo 22

Quando Pirralho sobe no pequeno palco, ao lado da porta da cozinha, Tino já está sentado, afinando a rabeca, pronto para começar o concerto desta noite no Rat Mort. O português senta-se a seu lado, apanha a concertina, passando a mão pela alça do instrumento que apoia sobre as pernas.

Um, dois, três, quatro... Tino e Pirralho atacam uma polca que, por alguns minutos, baixa o volume do bulício que domina o salão. De repente, surge dentre as mesas a voz de Jean-Claude Joffé, jornalista, alegre e galhofeiro, cantor depois da segunda garrafa. Joffé canta e a clientela o acompanha, fazendo em coro o refrão da polca gaiata. A história da mulher e seu amante, surpreendidos pelo marido, enquanto namoravam num fiacre. Entre uma estrofe e outra, os frequentadores riem, batem palmas, e, quando a música chega ao fim, não dão tempo para que os músicos descansem. Assoviam, vaiam, pedindo bis aos gritos e impropérios. Sem sair do palco, Tino aproveita a pausa para beber um gole de vinho, enquanto Pirralho vira uma dose de bagaceira, limpando os lábios na manga da camisa.

– *Dolce. Dolcissimo!* – grita para Tino.

Tocam então uma valsa, mais serena, que ergue das mesas um ou outro casal para dançar no espaço exíguo entre as mesas do salão. Só mais tarde Adriano, que trabalha como vigia, junta-se ao grupo, sentando-se ao piano.

O concerto ganha então magnitude. Os primeiros acordes de *Fru-fru* fazem levantar a clientela, hipnotizada pela inesperada canja de Thérésa Valladon. A estrela aposentada frufrulha sua saia, revivendo glórias da juventude, quando seu brilho ofuscava toda a concorrência.

> "A mulher com ares de menino
> Nunca foi interessante.
> É o fru-fru da sua saia
> Que a faz mais excitante.
> De calças, elas me dizem,
> É melhor na bicicleta.
> Mas garanto, sem fru-fru,
> A mulher não está completa."

Fru-fru, fru-fru... cantam todos o refrão da música, que encerra o primeiro set. Depois, o trio deixa a cena, sob as vaias da plateia, para jantar na pequena mesa, comprimida entre o palco e a parede lateral do salão. Robert, o patrão, traz-lhes a sopa, o pão e a manteiga, antes de lhes servir o prato do dia, um cassoulet com muito feijão e alguns vestígios de carne.

– O Henri não está muito animado hoje, pois não? – pergunta Adriano, apontando com o queixo o pintor que, sentado no tamborete, com as perninhas penduradas, ressona, a cabeça apoiada sobre o balcão do bar.

– Dizem que está apaixonado – explica Pirralho, amarrando o guardanapo no pescoço. – Fartou-se das mulheres, no plural. Só pensa numa, mas não é correspondido...

– Contra isso estou vacinado – comenta Tino.

– Então? Perdeste o interesse? – pergunta Adriano, cutucando-o com o cotovelo.

– Os amores só me meteram em confusão.

– Faz parte – diz Pirralho. – Os sarilhos amorosos dão colorido ao cotidiano. A paixão desenfreada e a encrenca andam de mãos dadas. São amantes no teatro da vida. Mais tarde, quando ficas mais velho, as luzes apagam-se e tudo se acalma.

— Por um rabo de saia vim parar em Paris — emenda Adriano. — Uma francesa que passou por Lisboa, dançando numa companhia de cancã. Simone, chamava-se. Estávamos apaixonados, fazíamos planos, íamos nos casar. Vendi roupas, partituras, o meu piano, tudo do pouco que tinha em Portugal, para poder viver ao pé dela em França. Na primeira semana, em Paris, tudo se passou bem. Morávamos cá perto, em Clichy, no cortiço de uma velha sovina que nos cobrava até pelo copo d'água. Na segunda semana, as coisas começaram a desandar. De repente, ela tornou-se seca, desinteressada, até o dia em que me deu um pontapé. Assim, sem a menor explicação.

— Que bom — comenta Pirralho. — Se não fosse a Simone, não estarias agora conosco!

— Pelo menos não vieste para Paris a contragosto — emenda Tino, servindo-se do feijão que fumegava à sua frente.

— Pelo contrário. Foi minha a decisão de vir, mesmo que, no auge da paixão, tenha sido ela quem me convenceu, a fazer beicinhos e súplicas de amor. Na verdade, não guardo rancores. Sem ela, minha vida teria tomado outros rumos. Quem sabe teria ficado em Portugal a dar aulas de piano, a viver à míngua... Há pessoas que cruzam o teu caminho, causam uma revolução na tua vida e, depois, desaparecem! Deixam-te a sós com os teus botões para que reflitas e amadureças. Se calhar, foi esse o papel da Simone...

— Por essas e por outras, eu proponho um brinde — diz Pirralho, levantando a sua taça de vinho. — Um brinde à Simone, às confusões de Tino e a todas as mulheres que já passaram, que passam e que ainda passarão pelos nossos caminhos.

— Às mulheres, a origem do mundo, que nos dão à luz, e ainda nos dão sentido à vida! — completa Adriano.

Após o jantar, Tino não volta ao palco, deixando que Pirralho e Adriano terminem o concerto. Do lado de fora do Rat Mort, risca um fósforo para acender o cigarro e, encostado a um poste, exala a fumaça erguendo os olhos para o céu. Nuvens torvas, ameaçando chuva, o impedem de ver as estrelas. Em Paris, acostumou-se àquele céu baixo, nublado, que reflete num tom amarelado as luzes da cidade. Muito diferente de Ibirapiranga, onde, em noites de lua nova, podia ver as estrelas mais distantes brilhando num mar de pérolas celestes. Com o padre Lalanne, aprendeu a distinguir as principais constelações. Escorpião, no inverno; Pégaso, na primavera; e Órion, no verão, centrada nas Três Marias. No outono, via-se com toda a clareza o Cruzeiro do Sul, cintilando na vastidão do Universo.

– Na Europa, a estrela Polar, fixa e luminosa, indica a direção norte. Aqui, é o Cruzeiro que nos aponta o Polo Sul – explica Lalanne, apontando o firmamento.

Depois, pedia silêncio a Tino e, fechando a mão em concha atrás da orelha, parecia tentar escutar algum som distante e abafado. Tino repetia o gesto, mas só conseguia amplificar o coaxo dos sapos e o cricrilar dos grilos, marcados pelo pio ocasional da coruja.

– Não estás ouvindo? – perguntava Lalanne.

– Os sapos?

– Não. O som das estrelas!

Tino prendia a respiração e, em silêncio profundo, esticava o pescoço, tentando captar o que os ouvidos do padre alcançavam.

– Não é possível que estrelas tão gigantescas viajem caladas pelo Universo – argumentava Lalanne. – Cada uma produz um som diferente, formando uma espécie de orquestra universal. Pelo menos, é o que diziam os gregos antigos...

– Eu não estou escutando nada – respondia Tino, duvidoso.

– Claro! Como poderias apreciar a luz se não conhecesses a escuridão? Com o som das estrelas acontece a mesma coisa. Desde o teu nascimento viveste constantemente sob o som dessa orquestra, dos corpos celestes. De noite, soam a Lua e as estrelas. De dia, o Sol! Por isso, agora, mesmo te esforçando, tu não a percebes! Mas a música está aqui, chegando aos nossos ouvidos, vibrando em cada parte do nosso corpo. Uma composição tão harmoniosa quanto divina. A primeira e única sinfonia de Deus!

A música no Rat Mort se cala. Pouco depois, Pirralho sai à porta do restaurante, ajeitando a boina, deixando o paletó para trás, aproveitando o clima suave daquele início de setembro.

– Vamos?

Tino assente com um gesto de cabeça, acompanhando Pirralho, que já atravessa a rua em direção à colina de Montmartre. Juntos cortam o bulevar de Clichy, subindo em frente pela rua Houdon. Farão uma visita ao salão de Martine Fourchon. Há algum tempo Tino não vê sua preferida, Dolores, a espanhola de Alicante. Às vezes, quando o pagamento da semana ainda parece muito distante, volta a frequentar as mulheres que sobem e descem as calçadas do bulevar. Nesse sábado, porém, Tino recebeu o salário semanal. É hora de se distrair, mesmo que forçosamente. Precisa escapar da sombra da ansiedade que o segue. A obra da usina está entrando em fase de acabamento, o que o preocupa. Em breve todos serão dispensados. Com sorte, retomarão as ferramentas no dia seguinte, em outro canteiro qualquer, no mesmo bairro. Caso contrário, ficarão desempregados, sem ter a quem recorrer. Felizmente Tino não tem mulher, nem filhos, ao contrário de muitos dos seus companheiros. Homens que, mantendo cinco, seis pessoas, recebendo nove francos por jornada de trabalho, não podem cogitar a hipótese do desemprego por um dia sequer.

– Já sabes o que vais fazer quando acabar a obra em Levallois? – pergunta Pirralho, como se pudesse ler os seus pensamentos.

– Ainda não – responde Tino. Mas ouviu comentários entre os colegas. Quando inaugurada, a empresa do barão brasileiro precisará de mão de obra. Alguns operários da construção poderão ser aproveitados na torrefação. Tino acha engraçado. Não tem a menor ideia de como funciona uma torrefação de café. Nasceu, todavia, no Vale, em São Sebastião do Ibirapiranga. A cafeína corre-lhe nas veias desde que, quando era moleque, roubava e comia grãos de café, torrados em pequena quantidade por Noêmia, o suficiente para o consumo da semana. Agora, experimenta uma leve sensação de euforia diante dessa possibilidade. Trabalhar, sentindo, durante todo o dia, o aroma do café torrado, em toneladas! Melhor ainda, café vindo do Brasil.

— Não desconfiam que tu és brasileiro? – questiona Pirralho, ofegando na subida da ladeira. – Não estás a te expor demais?

— Não, na obra ninguém suspeita de nada. Louis Bardet é francês, e bem-aceito entre os seus companheiros – diz, sorrindo. De qualquer modo, continua, precisa se informar. O que um operário com a sua experiência faria numa torrefação? Na pior das hipóteses, poderia carregar sacas de café, conduzir uma carroça, limpar os fornos. Fará qualquer coisa. Está cansado e, quando o inverno chegar, quer trabalhar num lugar aquecido, sob a proteção de um telhado, em vez de passar a vida pendurado em andaimes, exposto à chuva, ao vento e ao frio.

— Não pensas em voltar ao Brasil?

— Todos os dias. Mas acho que ainda não está na hora – responde, sem mirar Pirralho. – Não me sinto seguro para voltar. Não enquanto a minha cabeça estiver a prêmio.

— Aqui também não tens segurança. Tens a polícia e o tal detetive no teu encalço.

— Verdade, mas... é tudo muito estranho. Sou procurado, mas sinto que nada mudou. A polícia, na verdade, me incomoda menos que esse detetive. Afinal, quem o contratou? Quem, além da polícia, quer me encontrar a ponto de pagar um detetive particular? Esse, para mim, é o grande mistério.

— Não importa *quem* te procura – argumenta Pirralho. – Por um motivo ou por outro, estás a andar na corda bamba, sem rede de proteção. Precisas reagir. Retomar as rédeas da tua própria vida!

— Neste aspecto, nunca foste um bom exemplo.

— Pelo contrário – diz Pirralho. – Não estou a falar de planos e projetos futuros. Nunca os tive. Sempre vivi a vida aqui e agora. Mas um "aqui e agora" inteiramente sob o meu controle. Ou, às vezes, sob o controle dos meus dados. Meus dias jamais foram a consequência de uma fuga cega e desenfreada. No teu "aqui e agora", há mais fuga do que vida!

— É minha sina – responde Tino, encolhendo os ombros.

— Deixa-te de asneiras! – repreende-o, enquanto se afastam para dar passagem a dois policiais que descem pela mesma calçada. – Falta-te coragem para reagir. Estás a permitir que o medo te controle. Vives como um camundongo escondido na toca!

Cabisbaixo, subindo a ladeira com as mãos nos bolsos, Tino ouve a provocação de Pirralho, preferindo não lhe responder. De certa forma, o amigo tem razão. Foge desde que partira de Ibirapiranga. Poderia ter levado uma vida mais tranquila na França, enquanto esperava pela oportunidade da volta. Paris, entretanto, abriu-lhe as portas de um mundo novo. Descobriu e aprendeu coisas que jamais imaginara. Trabalhou na construção da torre, conheceu gente de todos os cantos, entendeu a luta operária e a injustiça de uma sociedade que se autoproclamava o farol da humanidade. Envolveu-se, deixou-se levar, permitindo que sua vida tomasse outros rumos. Por sorte ou azar, não teve a coragem de ir às últimas consequências. Tornou-se, de qualquer modo, um criminoso aos olhos da sociedade. Agora – e nisso Pirralho acertou em cheio – está na corda bamba, sob a máscara de Louis Bardet, não podendo cair para a direita, nem para a esquerda. Anda pé ante pé, vivendo um minuto atrás do outro. Sente-se tenso, como se a qualquer momento o equilíbrio pudesse lhe faltar, arremessando-o contra o chão de pedras do mais profundo calabouço. Pirralho fala em reação. Mas reagir contra o quê? De que modo? A ideia de escapar para outro lugar parece-lhe uma nova evasão dentro da fuga que a sua vida se tornou. Entregar-se à polícia é, na verdade, a única solução que Tino consegue vislumbrar. Mas e depois? O que aconteceria? Seria deportado para o Brasil, como lhe foi dito pelo advogado? Ou o seu resgate, organizado sabe-se lá por quem, agravou a sua situação perante a Justiça francesa? Nesse caso, talvez fosse desterrado para a ilha do Diabo. Ou, pior ainda, enviado outra vez à guilhotina. Por outro lado, se conseguisse, por um milagre, economizar dinheiro o suficiente, poderia comprar uma passagem e voltar, como migrante, ao Brasil. Procuraria refúgio no Rio de Janeiro até que as coisas se resolvessem em Ibirapiranga. Mas que diferença faria? Com oito anos de vida na França, agora sob a identidade de Louis Bardet, sente-se mais à vontade em Paris do que no Rio de Janeiro, onde não conhece ninguém. Além do mais, viver em Paris não lhe desagrada. Fosse um homem livre, tomaria as rédeas da sua própria vida, como diz Pirralho.

Na sua circunstância, porém, o cavalo do seu destino galopa sem direção ou controle algum. Na garupa, leva Louis Bardet e Sebastião Constantino do Rosário. Um homem, duas identidades. O problema é que Tino ainda é mais forte do que Bardet. A transformação, que começou externamente, não se concluiu internamente. Na maior parte do tempo, Tino ainda se sente Tino, o foragido da Justiça. Bardet cresceu no canteiro da obra, onde se fortificou no contato diário com os colegas. "Bardet, o café com leite", como o chamam em referência à cor da sua pele. Mas em casa ou no Rat Mort, perante Pirralho ou Adriano, Tino sente que Bardet sucumbe à realidade dos fatos. É uma farsa, um personagem daquela comédia sem graça, na qual Tino entrou como ator involuntário.

– Boa noite, senhores! – saúda-os Martine Fourchon, abrindo a porta para que Tino e Pirralho entrem no apartamento da rua Saint-Vincent. No hall, os clientes tiram as boinas, despem os casacos, entregando-os a Annette, a congolesa que há anos acompanha a madame.

– Bem-vindos! – diz Armand, o alfaiate corcunda, sentado no canapé, bebericando vinho com Paulette, uma francesa de seios fartos, que já impressionou Tino com seus forçados arroubos de prazer.

Cumprimentando a todos, Pirralho aboleta-se numa poltrona de veludo surrado, apontando outra para que Tino se sente.

– Chegaram tarde, os amigos – diz René, exibindo com um sorriso as gengivas desdentadas.

– René, não seja desagradável – repreende Martine Fourchon. – Os senhores trabalham. Não são como tu que vives da caridade alheia... Não se preocupem – diz a mulher, voltando-se para Tino e Pirralho –, as meninas estão ocupadas, mas daqui a pouco estarão liberadas.

– Não temos pressa – diz Pirralho, assentando o bigode com as mãos.

– E Dolores? – pergunta Tino. – Não trabalha hoje?

– Ah, não – responde a madame, sentando-se ao piano. – Voltou para a Espanha.

– Não foi isso que me contaram – diz René, erguendo uma taça vazia para que Annette lhe servisse mais uma dose de conhaque.

— Ela voltou para a Espanha — repete, sem dar atenção à intromissão do velho.

— Não me disse nada. Pensei que fosse ficar em Paris — comenta Tino.

— Pegou-nos de surpresa também — confirma. — Custou-me tanto educá-la... E agora, com tantos salões, a concorrência é grande. Não que haja falta de candidatas. Há muitas perambulando pelas ruas. Muita quantidade, sem qualidade. Está cada vez mais difícil encontrar meninas honestas, bonitas, refinadas, que saibam tratar com carinho os clientes.

— Um brinde a Dolores — sugere René, solene, erguendo a taça e o queixo, ao mesmo tempo em que pisca um olho para Tino.

— Mas não há com o que se preocupar — diz Martine, ignorando o brinde do banguela. — Temos novidades no salão. E acho que os senhores não vão se decepcionar...

A madame não chega a completar a frase, interrompida por risadas vindas do longo corredor que leva aos quartos. Uma porta se abre, deixando passar dois homens que, após se despedirem com discretos acenos de cabeça, são acompanhados por Martine até a saída.

— Não te apaixonaste pela espanhola, pois não? — pergunta Pirralho em voz baixa, com um sorriso preso no canto da boca, enquanto Armand e Paulette pedem licença para deixar o salão.

Tino mira Pirralho de soslaio sem lhe responder. Gostava de Dolores. Com ela, não se sentia embaraçado. Estavam acostumados. Caíam nos braços um do outro sem maiores rodeios ou inibições. Às vezes chegava a pensar que ela também se divertia, que desfrutava do encontro, tratando-o de um modo especial. Mas, quiçá, tivesse se deixado enganar. De qualquer modo, fazia-lhe bem pensar que, talvez, não se tratasse somente de um negócio. Que houvesse na espanhola uma pontinha de admiração por ele, um sentimento, por menor que fosse, além da venda de um serviço.

Martine volta ao salão, pedindo a Annette que faça companhia aos clientes enquanto ela vai aos quartos chamar as meninas. Cinco minutos depois, ressurge trazendo pela mão uma loura polpuda, de cabelos presos num coque, com olhos azuis, miúdos, muito próximos um do outro.

– Apresento-vos Aurélie. Acabou de chegar de Toulon – diz a madame, empurrando a menina para o centro do salão.

A loura simula uma timidez teatral, que não convence o velho René.

– Que beleza – comenta o banguela sem entusiasmo.

Sem saber o que fazer, Aurélie cumprimenta a todos com um aceno de cabeça, pinçando o vestido com a ponta dos dedos. Diante do silêncio dos clientes, aproxima-se do piano, apanha Mandu, que marcha sobre as teclas, e vai se sentar com o gato num divã perto da janela.

– O senhor Bardet não quer ir buscar a outra? – sugere Martine. – O nome dela é Gabriela. Mas aqui em casa é Gabi – diz, sentando-se novamente ao piano. – Deve estar pronta. No quarto que era de Dolores.

– Conheço bem o caminho – diz Tino, levantando-se da poltrona. Depois, avança pelo corredor do bordel, excitado pela curiosidade, ouvindo, numa porta à esquerda, os arrebatados gemidos de Paulette ritmados pelo ranger de uma cama de molas. Ao mesmo tempo, tenta moderar a sua excitação. Com certeza, se decepcionará... É apenas mais uma das meninas de Martine Fourchon, pensa, entrando no quarto, observando a mulher que, de costas, se penteia no toucador.

– Gabi? – pergunta.

A mulher se vira, fazendo Tino perder o equilíbrio. Um rosto familiar, um relâmpago de imagens na memória, um nome que lhe foge. Tino se apoia contra a ombreira da porta, fixando-se naqueles olhos verdes, na cabeleira negra, no sorriso forçado, não acompanhado pelo resto do rosto.

– Leocádia? – balbucia Tino.

O sorriso da mulher se desfaz, transformando-se, aos poucos, numa expressão de medo, senão de horror.

Capítulo 23

Quando Joaninha assoma à porta da igreja de Santo Agostinho, o organista ataca a *Marcha nupcial*, dando o sinal para que os convidados se levantem. Ana Maria volta-se para a porta observando a noiva, que entra acompanhada por seu pai, o conde de Araçaí. Mais apoiado no braço da filha do que ela no dele, Araçaí avança com passos hesitantes, como se arrastasse o peso de um passado glorioso, morto e enterrado. Um dos últimos Grandes do Império, o velho foi frequentador assíduo da família imperial na Corte e em Petrópolis. Com a Proclamação da República, seguiu o séquito do imperador, exilando-se em Paris. Levava a família, a criadagem e toda a fortuna amealhada por seus antepassados nos engenhos de açúcar de Campos dos Goytacazes.

– Está envelhecido, o Araçaí, não? – comenta Carvalho, na ala esquerda da igreja.

– Deve estar aliviado. Dizem que tinha medo de morrer sem ver Joaninha casada – responde Ana Maria, em voz baixa.

– Pudera... – observa Carvalho, apreciando a noiva, que, dizem à boca pequena, já passa dos vinte e cinco anos.

Morena, redonda, apertada num vestido branco que lhe parece um número menor, Joaninha avança sobre a passadeira vermelha distribuindo sorrisos aos convidados e um aceno de cabeça mais explícito para Ana Maria.

— Que Deus nos livre desse ridículo com Dodora — sussurra Ana Maria, sorrindo sempre, sem perder a pose de convidada deslumbrada pela beleza da noiva e a riqueza do casamento.

— E teve muita sorte — murmura Carvalho. — O noivo é pobre, mas tem ascendência nobre...

— Shh... — faz Eufrásia, virando-se para trás, pedindo silêncio ao casal.

Ana Maria suspira, desviando a vista para o altar, onde o noivo, em uniforme militar, espera por Joaninha. Há meses, desde que a prima levou Dodora para Londres, Ana Maria se sente cada vez mais incomodada pelas atitudes de Eufrásia. Na Gare du Nord esperou ansiosa pela chegada da filha acompanhada pela prima. O trem de Calais, que trazia os passageiros do vapor da Inglaterra, chegou com meia hora de atraso, fazendo com que Ana Maria se agitasse, andando de um lado para o outro da estação, seguida por Salsicha, que arrastava Perpétua. Durante toda a viagem, que durara duas semanas, Ana Maria recebera apenas um telegrama de Eufrásia, informando que a filha se divertia, que tudo estava bem. Então, vendo os passageiros desembarcando em meio ao vapor e à fumaça expelida por todos os poros da locomotiva, Ana Maria procurava por Dodora na multidão que avançava pela plataforma.

— Lá vem dona Eufrásia — apontou Perpétua, esticando o pescoço sobre a turba de chapéus.

Ana Maria adiantou-se, seguindo ao encontro da prima, esbarrando em passageiros, desviando-se de carroceiros que transportavam malas e baús. Eufrásia abriu-lhe um sorriso ao mesmo tempo em que diminuía o passo, permitindo que Dodora chegasse a Ana Maria antes dela. A menina, entretanto, não correu para abraçar a mãe. Beijou-a com a frieza da obrigação, sorrindo para Pepé, a quem abraçou com carinho antes de afagar Salsicha que, aos pulos e ganidos, exigia atenção. Ana Maria cumprimentou Eufrásia, lançando-lhe um olhar questionador. A prima arqueou as sobrancelhas, premiu os lábios, parecendo lhe pedir que tivesse paciência com a filha. Ana Maria, porém, sentia-se esgotada. Os problemas de Carvalho, a desavença com Rodrigo, enfim, não precisava, para além de tudo aquilo, ter uma filha que a desprezava.

Agora, na igreja, Ana Maria observa Dodora à sua frente, outra vez ao lado de Eufrásia. A menina cochicha no ouvido da prima, que lhe sorri, concordando com a cabeça. Como podem se dar tão bem? Talvez porque Eufrásia não seja mãe; não saiba educar uma criança; seja complacente demais. A ela, à verdadeira mãe, cabe o infeliz papel de educadora, severa e repressora. Eufrásia, por outro lado, permissiva e indulgente, mima Dodora, estraga a menina. Depois, pode lavar as mãos – afinal, a filha não é sua. Será ela, a mãe, que arcará com as consequências: as manhas, os caprichos, a impetuosidade de Dodora, desafiando a sua autoridade e colocando-a, sempre, na desgastante posição de mediadora nas disputas com o pai.

O padre pede aos convidados que se sentem, dando início à liturgia, que mal chega aos ouvidos de quem se encontra mais atrás, naquela nave com quase cem metros de comprimento, obra recente, construída no império de Napoleão III, destronado antes que a igreja fosse consagrada. Rodrigo, sentado ao lado de Edgar na ala direita da igreja, observa o que resta da família imperial brasileira, nos primeiros bancos, próximos ao altar. Isabel e Gastão, acompanhados por Totó, o caçula dos seus três filhos. Ao lado, Eugeninha Penha e Mariquinhas Tosta, amigas inseparáveis da condessa.

– Às vezes tenho pena de dona Isabel – comenta Rodrigo em voz baixa. – Acho que nunca se recuperou do exílio forçado, das mortes da mãe e do imperador.

– Nem ela, nem o Brasil – responde Edgar. – Trocamos uma monarquia respeitada em todo o mundo por uma republiqueta de marechais autointitulados, com o apoio de uma seita positivista.

– Dás muito crédito à política. Na verdade, a família imperial foi a única a perder com o golpe. Fora isso, as moscas continuam as mesmas.

– Falando em moscas, leste o artigo do Aristides Lobo no *Jornal do Commercio*? Fala de teu pai.

– Dizia o quê? – pergunta Rodrigo, aproximando-se ainda mais de Edgar.

– Falava em escândalo, em condenação, *et cetera*. Cobrava não só a extradição do barão, mas, também, o confisco de todos os seus bens no Brasil e no exterior.

— Patifes — sussurra Rodrigo, levantando-se para o rito do matrimônio, seguido pelo "Pater Noster", rezado em coro pelos convidados.

Após a cerimônia, quando Joaninha e seu oficial francês já haviam trocado as alianças, jurando amor eterno até que a morte ou a bancarrota os separasse, Rodrigo aproxima-se da família à saída da igreja, onde o tráfego de cavalos, carruagens e bicicletas é intenso, na intersecção dos bulevares Haussmann e Malesherbes. Cumprimenta a mãe, Dodora e Eufrásia com beijos, e o pai com um imperceptível aceno de cabeça, evitando, no entanto, que seus olhares se cruzem. Diante da insistência de Ana Maria, que lhe suplica que vá almoçar em casa, o filho se desculpa, dizendo que aproveitará o dia ensolarado para almoçar com Edgar no Bois de Boulogne.

— Faz muito tempo que não vamos ao Pré-Catelan — explica, antes de se despedir erguendo a cartola.

Sentar-se à mesa com o pai está, ainda, fora de cogitação. Rodrigo foi escorraçado do palacete da rua de Bassano e não tem a menor intenção de lá voltar enquanto o barão não lhe pedir desculpas. Tendo em vista a casmurrice do pai, prevê que aquela situação poderá durar muito tempo, se não for para a vida toda. Rodrigo pode estar acostumado ao desprezo, mas então o barão foi longe demais, ofendendo-o, humilhando-o ao colocá-lo porta afora. No fiacre, rumo ao Bois de Boulogne, volta a tocar no assunto com Edgar. Há meses rumina sobre o ocorrido, emperrado num pensamento cíclico, repetitivo, como um cão que corre atrás do rabo. Começa pela reconstituição da briga, nela introduzindo ajustes e correções, como se pudesse voltar no tempo para remendar o que não tem conserto. Talvez não devesse ter comentado nada sobre os negócios do pai. Melhor teria sido ficar calado, guardando na manga aquelas acusações para um momento mais grave. Logo volta atrás: não, pelo contrário, deveria ter falado mais, ter sido mais contundente, enterrado a faca mais fundo ainda. Deveria ter respondido ao pai que, se ele, Rodrigo, se beneficiara dos seus atos desonestos, das suas torpezas e falcatruas, o fizera de maneira inocente e indireta. Um filho não pode ser responsabilizado pelas ações do pai. Uma criança não tem como questionar moralmente a origem de todos os confortos da sua infância. Em seguida, avalia novamente as consequências daquele rompimento. Com certeza, tem menos contato com a família. Lamenta pela mãe e por Dodora. Quanto ao barão, pouca diferença lhe faz. O pior, contudo, é a sua nova situação financeira. Seguramente, não pode mais contar com nenhum tipo de auxílio financeiro do pai.

– Mas ainda tens a mesada – argumenta Edgar.

– Por ora – responde Rodrigo, meneando a cabeça enquanto roía a unha do polegar – Sabe-se lá o que se passa pela cabeça do barão.

– Não acredito que ele te deixe na penúria. Com a mesada poderás levar uma vida tranquila até que as coisas se resolvam.

– Uma vida tranquila é pouco para mim... – responde, cuspindo pela janela um naco de unha.

Depois, prefere se calar. Não quer dividir com Edgar o mais sério de todos os seus problemas. Após o acidente com o balão e a perda de uma fortuna no hipódromo, Rodrigo buscara, finalmente, a ajuda de um agiota. Não um escroque, agiota de pobres e operários, mas alguém com bom trânsito nas rodas financeiras. Foi salvo por Jesus, ou, melhor dizendo, por Sam Silbowitz, o anfitrião e Cristo na festa de quadros vivos, herdeiro de uma das maiores fortunas da França. À sombra dos negócios do pai, Sam opera uma rede de agiotagem que facilita a vida dos amigos – gente jovem que, por um motivo ou por outro, prefere pedir empréstimos na surdina, sem recorrer aos bancos. Agora, Rodrigo deve a Sam mais do que pode pagar. E não pode sequer contar com a ajuda do barão. Se antes negociou o empréstimo sabendo que, na pior das hipóteses, o pai o socorreria, agora, depois daquela pendenga, Rodrigo se vê sem rede de proteção. Está só, à beira do abismo, sem ter onde se apoiar.

O fiacre freia bruscamente, sacudindo os passageiros dentro da cabine. O cocheiro salta para abrir-lhes a portinhola, pedindo-lhes desculpas pelo solavanco. Edgar sai primeiro, cobrindo a cabeça com a cartola, enquanto Rodrigo enfia a mão no bolso em busca de moedas para pagar a corrida.

– Tens dinheiro? – provoca Edgar.

– Não sejas tonto – responde Rodrigo, entregando ao cocheiro as moedas antes de saltar da cabine, batendo a poeira que lhe cobria a casaca.

Entre as alamedas do Bois de Boulogne, o Pré-Catelan não é o único restaurante sofisticado que disputa a clientela de frequentadores do hipódromo de Longchamps. No inverno, Rodrigo e Edgar dão preferência à Grande Cascade, antigo pavilhão de caça de Napoleão III, com sua suntuosa lareira, onde se come sob o olhar faminto de animais empalhados. Agora, no fim do verão, decidem-se pelo Pré-Catelan, com seu salão arejado, onde taças de cristal e talheres de prata faíscam sob a luz do sol, que penetra por janelões envidraçados. Aqui normalmente encontram o maior número de caras conhecidas da alta sociedade ou da aristocracia parisiense, que agoniza na modernidade republicana, agarrando-se com unhas e dentes a antigos títulos de nobreza. O barão disso, o conde daquilo, quando não um ou outro brasileiro mais ou menos nobre.

– Não é o Ricardinho Mendes, ali perto da janela? – pergunta Rodrigo, apontando com os olhos um rapaz robusto, de cabelos encaracolados e faces rosadas.

– Ricardinho, não! Visconde da Silva Mendes... – corrige Edgar, em voz baixa, fingindo consultar o seu cardápio.

– Desde quando?

– Desde que o pai lhe comprou o título em Portugal. Nobreza nova, comprada a peso de ouro! Diz que não bota mais os pés no Brasil...

– Não me surpreende – comenta Rodrigo, fechando o seu cardápio.

– Por mim, ele pode comprar até o título de imperador – arremata Edgar. – Vai ser sempre o filho do João Mendes, rei dos porcos e galinhas.

– Edgar! Você por aqui? – diz, numa voz fina, um rapaz franzino de bigode ralo e cabelos emplastrados com brilhantina.

– Alberto! Como tem passado? Conhece o Rodrigo, filho do barão de Lopes Carvalho?

Rodrigo se levanta para apertar a mão do recém-chegado, que, entrando no restaurante, parou ao lado da sua mesa.

– Alberto Santos Dumont – apresenta-se o rapaz com um aperto de mão suave, inclinando ligeiramente o corpo para a frente. Em seguida, explica a Edgar que está terminando os seus estudos e que, mais cedo ou mais tarde, voltará ao Brasil. Antes, porém, quer realizar um sonho: sobrevoar Paris num balão de hidrogênio.

– A minha experiência não foi das melhores – corta Rodrigo. – Tivemos uma aterrissagem bastante acidentada...

– São os riscos de toda aventura – argumenta Alberto, explicando que participa de corridas de automóveis, nas quais os perigos não são menores. Já houve até casos de morte. – Imaginem que, na semana passada, corri a mais de trinta quilômetros por hora! Um acidente numa velocidade dessas pode ser fatal.

Rodrigo e Edgar desejam-lhe boa sorte, antes que Alberto peça licença, com um gesto de cabeça, afastando-se da mesa para sentar mais além, acompanhado por duas mulheres.

– São as irmãs dele. Moram em Portugal – explica Edgar.

– Não é filho do Henrique Dumont? – pergunta Rodrigo.

– Sim. Herdou uma fortuna do pai. O velho foi inteligente. Andava doente e resolveu distribuir a herança entre os seis filhos antes de morrer. Evitou disputas em família e, depois, despachou o caçula para a França. O Alberto chegou aqui com meio milhão de dólares no bolso. Agora vive de rendas e aventuras... Roupas da moda, triciclos, automóveis... Qualquer dia sai voando por aí num balão...

– Meio milhão de dólares?

– É o que dizem – responde Edgar, usando o palito para espetar uma azeitona. – Agora tu multiplicas esse valor pelos seis filhos e descobres a fortuna que o pai colheu nos cafezais de São Paulo... E tudo isso sem escravos! O Dumont preferia os imigrantes italianos.

– Não foi à toa que São Paulo arruinou o café fluminense...

– E teu pai? Já abordaste com ele alguma vez a questão da herança?

– Estás doido! Faz mais de seis meses que não nos falamos...

– Por isso mesmo. Se o velho morresse hoje, qual seria a tua situação? Já pensaste no impacto dessa briga sobre o teu quinhão?

– Sim e não. Pensei antes, mas, agora, as coisas pioraram – responde Rodrigo, levantando a cabeça para chamar a atenção do *sommelier*.

— Devias pensar melhor nisso. Afinal, tens um bom argumento. Se a Justiça tentar confiscar os bens do teu pai, seria melhor que ele não possuísse nada em seu nome... Tens muito a ganhar nessa história...

O *sommelier* se aproxima da mesa, empurrando um carrinho de bebidas. Do balde de gelo, retira uma garrafa de champanhe, abrindo-a com destreza, sem espocar a rolha ou derramar a espuma. Serve Rodrigo e Edgar, volta a botar a garrafa no balde e se afasta, cedendo espaço para o garçom.

— Os senhores estão prontos? — pergunta com ar solene, sacando um bloco de papel do bolso.

Rodrigo começará com escargot enquanto Edgar comerá ostras. Depois pedirão os pratos principais. O garçom assente com um discreto gesto de cabeça, deixando os dois a sós.

— À usina de torrefação do Café Carvalho! — sugere Edgar, levantando a taça de champanhe para um brinde.

Rodrigo sorri, ergue sua taça contra a de Edgar, fazendo-as retinir no burburinho do restaurante.

Na rua de Bassano, o tilintar das taças de cristal ecoa à mesa do almoço, quase deserta, cercada por muito mais cadeiras do que convivas.

— À França! — brinda Carvalho, sorrindo.

— À Joaninha — responde Ana Maria.

A notícia acabou de chegar, mas Carvalho prefere guardá-la para si, dela não deixando exalar mais do que um brinde e um sorriso. Depois do casamento, a família chegara em casa, ouvindo, no vestíbulo, o tocar do telefone. Carvalho se apressou e, recebendo o aparelho de Yvonne, escutou, de seu advogado, a informação que tanto esperava. A ameaça de extradição fora, finalmente, afastada. Carvalho ganhara a causa na Corte de Cassação, que anulou a decisão anterior. Segundo a Justiça francesa, o barão, vítima de perseguição política no Brasil, pode e deve ficar na França pelo tempo que desejar. Pelo menos enquanto o governo brasileiro não insistir, recorrendo à última instância, o Conselho de Estado.

Bem-disposto, sentindo-se aliviado, Carvalho brinda aos recém-casados, lamentando, contudo, o baile, programado para aquela noite, após um jantar de gala, no castelo de Chantilly. Depois do almoço, só terão tempo para uma rápida sesta, antes de pegar o trem das cinco.

– Que maçada! – comenta Carvalho. – Não podiam ter feito a festa aqui em Paris?

– Exigência da noiva – responde Ana Maria. – Casamento de princesa, baile num castelo...

– Bem rastaquera – intromete-se Dodora.

– Talvez – comenta Ana Maria. – Por outro lado, vai ser uma ótima oportunidade para que tu conheças rapazes das melhores famílias francesas e brasileiras...

– Pouco me interessa – responde a filha.

– Melhor assim – riposta Carvalho. – Se abres mão do direito de escolha, escolheremos nós o teu futuro marido... Que achas?

Dodora engole sua resposta, empurrando com o garfo o feijão que, nesse sábado, Pepé fez especialmente para ela. Direito de escolha? Sua escolha é não casar, mas aquela opção não está no cardápio. Desde que voltou de Londres com a prima Eufrásia, teve tempo de sobra para refletir sobre o assunto, preenchendo dezenas de páginas no seu diário. No teatro inglês encontrara as pistas que procurava para elucidar as suas mais profundas dúvidas. Assistiu de tudo um pouco, do clássico ao moderno, de Shakespeare a Oscar Wilde, com a ajuda de Eufrásia, que lhe traduzia um ou outro diálogo que ela não entendia. No Scala, Dodora chorou em *Romeu e Julieta* sem se identificar, porém, com a desesperada heroína. Nas coisas do amor, preferiu o cinismo de Wilde: "Deve-se sempre estar apaixonado. É a melhor razão para não se casar". No final, "os homens se casam por cansaço, e as mulheres, por curiosidade", martelava o irlandês, escandalizando o público, fazendo rir Dodora e Eufrásia.

Sim, Dodora também é curiosa. Mas sua curiosidade é outra. Não se sente atraída pelas supostas delícias de uma vida conjugal monótona, onde há mais esforço do que prazer, dormindo, almoçando e jantando com a mesma pessoa para o resto da vida. Claro, como toda a gente, sente vontade de amar e ser amada. Acredita, no entanto, que haja um fosso abismal entre o amor e a vida conjugal, aquele jogo cujas regras são ditadas pelo homem e as concessões, feitas pelas mulheres. Seus próprios pais, por exemplo, nunca viveram um bom relacionamento. E fora do círculo familiar, Dodora jamais conheceu um matrimônio feliz. Acha entediante a vida das mulheres casadas, que vivem sob a sombra dos maridos, procurando algo, além da criação dos filhos, que lhes ofereça sentido à vida. Depois, os filhos crescem e as mulheres se tornam matronas carentes, agarrando-se a um papel de mãe que caducou, fazendo com que se sintam inúteis, deslocadas, como uma atriz que, no meio do palco, se esqueceu das suas falas. Não, muito obrigada. Dodora não tem a menor inclinação para ser a senhora do lar. Quer ser a senhora da sua própria vida. Uma vida plena, vivida através da sua realização pessoal, e não pela satisfação das convenções sociais que lhe são impostas. Que o diabo os carregue, o noivo, a grinalda, o vestido branco, o casamento, o baile para a sociedade, a mulher honesta que vive para a família. Honestidade, para Dodora, é outra coisa. É ser "inteira", como diz Eufrásia. Antes, achava que a prima era um pouco enigmática, falando sobre coisas que, a princípio, não conseguia entender. Mais tarde, nos longos passeios que fizeram pelas alamedas do Hyde Park, cobertas por folhas douradas, o raciocínio de Eufrásia ganhou luz própria, fez-se claro como um raio de sol atravessando aquele céu nublado do outono londrino. Sim, ser "inteira", Dodora finalmente compreendia, é não ter partes incompletas, insatisfeitas, frustradas pelo papel de mulher respeitável no seio da família e da sociedade. Ser "inteira" implica, ainda, ser transparente, sem faces veladas, sem mentir para si ou para os outros. Isso, na opinião de Eufrásia, e agora na de Dodora também, é o real significado da expressão "mulher honesta". A única maneira de se caminhar pela estrada da vida com integridade e plenitude. Senão, não valerá a pena.

Se, entretanto, essa honestidade choca-se, forçosamente, contra os valores vigentes, cabe às mulheres lutar pela igualdade de direitos com os homens. Naquele aspecto, Londres, novamente, surpreendeu Dodora.

– A França inventou a palavra "feminismo", mas foram as inglesas que o colocaram em prática – disse-lhe Eufrásia, sentando-se num banco do parque.

Depois, explicou que as inglesas estavam décadas à frente das francesas na luta pela igualdade de direitos entre mulheres e homens. Havia, claro, a Liga Francesa pelo Direito das Mulheres, mas só agora, em Paris, falava-se no lançamento de um jornal feminista, *La Fronde*, do qual Eufrásia pretendia participar como patrocinadora. E quem sabe Dodora não poderia publicar algo no jornal?

— Não vais comer o feijão? — pergunta Jovelino, que foi recolher os pratos, antes de trazer a sobremesa.

— Mais tarde — responde Dodora antes de se levantar, pedindo licença aos pais, não tem mais fome, não se sente bem-disposta.

Carvalho ainda esboça um comentário, mas Ana Maria toca-lhe a mão, pedindo-lhe com o olhar que a deixe partir.

Não perdem por esperar, pensa Dodora, subindo as escadas, voltando para o seu quarto. A conversa com Eufrásia não se limitara ao desabafo. Entre um passeio e outro, soluções foram especuladas, analisadas, testadas contra os mais diferentes argumentos. Como as folhas de uma árvore, todas esmaeciam, caindo por terra. Até que uma se sustentou, teimosa, verdejante no alto da copa. Dodora vislumbrou, então, uma saída. Ainda precisa, porém, convencer Eufrásia.

No dia seguinte, a prima Eufrásia chega ao palacete no final da tarde, quando Ana Maria e o barão estão na biblioteca. Ela suspirando, virando ruidosamente as páginas de um livro, tentando entender as angústias da madame Bovary; ele fumando um cigarro, sentado à escrivaninha, assinando uma pilha de convites para a inauguração da torrefação. São cartões brancos, impressos com letras rebuscadas e douradas, onde se lê os nomes dos excelentíssimos senhores deputados, senadores, ministros, enfim, aquela canalha que, infelizmente, ele ainda precisa adular.

— Que bom que chegaste — diz Ana Maria. — Perpétua vai ficar feliz em te ver.

— Por quê? — pergunta Eufrásia, sentando-se na poltrona oposta à de Ana Maria.

— Hoje é aniversário dela. Comprei um presente — responde, esticando o braço para alcançar a sineta que chama os criados.

– E Dodora?

– No quarto, emburrada, como sempre – responde Carvalho, suspirando, enquanto mete um convite dentro do envelope.

Alguém bate à porta, Jovelino entra, apresentando-se à patroa.

– Vá chamar Perpétua e Dodora. Preciso de todos aqui na biblioteca agora – diz Ana Maria.

Perpétua está na cozinha, guardando a louça, lavada e seca, que foi usada no almoço. Depois do baile de casamento, os patrões pernoitaram em Chantilly, só voltando para casa hoje, na hora do almoço. A criada, completando sessenta anos de vida, e mais de cinquenta a serviço da família, não muda de hábito: prefere não fazer alarde sobre o seu aniversário. Jovelino não o esquece, mas a patroa tem uma memória menos confiável. Ano sim, ano não, ela se lembra do aniversário dos empregados, ainda que, às vezes, confunda as datas, dando os parabéns para Perpétua no aniversário de Jovelino, ou vice-versa. Quando o marido a chama na cozinha, Perpétua se apruma, ajeitando o avental, mais por costume do que por desconfiar de algo especial nesse domingo. Vai ao encontro da patroa, perguntando-se se terá se esquecido de algo, ou se é dona Eufrásia que quer lhe pedir algum favor. Antes de girar a maçaneta da porta da biblioteca, ela recebe um abraço pelas costas e um beijo estalado na bochecha.

– Feliz aniversário, Pepé!

A criada agradece, beija e abraça Dodora, antes de entrar na biblioteca, reassumindo uma postura correta para atender os patrões.

– Perpétua, feliz aniversário – desejam-lhe Ana Maria e Carvalho, que não saem dos seus lugares, enquanto Eufrásia se levanta para cumprimentá-la.

Surpresa, Pepé diz muito-obrigada, sorrindo, esfregando as mãos, olhando com curiosidade, e um certo espanto, para um pacote do Bon Marché que Ana Maria passa para Dodora, que, por sua vez, o oferece a aniversariante.

Novamente Perpétua agradece, e não para de agradecer, dizendo que a patroa é muito boa, que não carecia de presente, que o importante é que ela se lembrou do seu aniversário, e nesse discurso, assim tosco, improvisado, vai desatando o nó do embrulho, desdobrando as folhas que embalam uma caixa de papelão e, abrindo a caixa, descobre, intrigada, o seu presente de sessenta anos: uma echarpe? Não. Um cachecol? Não. Um tecido, um pouco grosso demais para ser usado no pescoço, mas bonito de qualquer forma. Um tecido vermelho, com acabamento de crochê nas extremidades, e o anagrama do Bon Marché bordado com linha dourada, no centro da dobra.

– Ah... Panos de prato... – descobre Perpétua, analisando a peça, esticando-a com as duas mãos diante de seus olhos. – Que bonitos... Muito obrigada, patroa – diz, já com a voz sumida, travando na garganta o choro que os olhos não conseguem represar.

– Ah, Perpétua, não precisa chorar, né? – brinca Ana Maria. – É só uma lembrança. Agora, deixe de bobagem, e traga lá um café para a Eufrásia.

A empregada dobra os panos com carinho, guarda-os na caixa de papelão e, já de volta à cozinha, enche a chaleira de água para fazer o café. Enquanto a água esquenta, ela novamente retira os panos da caixa, agora os amassando, tentando reter uma nova lágrima. Depois, sai pela porta dos fundos e, lá fora, arrepiando-se de frio, levanta a tampa da lixeira, jogando os panos de prato bem no fundo do latão.

Capítulo 24

Tino equilibra-se no topo do andaime, instalado na esquina das ruas que delimitam o prédio da torrefação. A pouco mais de oito metros do chão, passa a ponta de uma corda pela roldana, enquanto um colega, lá embaixo, amarra com a outra ponta uma primeira caixa. Ouvindo o assovio, Tino começa a puxar a corda, vagarosamente, evitando que a caixa se choque contra as vigas do andaime. Sete caixas devem ser içadas, por etapas, até o final daquele dia. Parece pouco. Mas pesam muito. Cada caixa contém dez placas de cerâmica envidraçada, como enormes azulejos coloridos. Tino abre a primeira, retirando de dentro dela uma peça de cada vez. No verso, confere se assinalaram algo que possa ajudá-lo a entender a ordem daquele painel decorativo. Merda! Haviam se esquecido, na olaria, de numerar as peças. Sem indicações, precisa agora comparar cada azulejo com o desenho que recebeu do mestre de obras: um cafeeiro com quatro metros de altura, emoldurado por ombreiras de onde pende uma espécie de brasão. Para evitar equívocos, Tino terá que testar a junção dos azulejos, certificando-se de que formam um desenho coerente, antes de cimentá-los à parede. Um quebra-cabeça de sessenta e oito peças que exigirá muito mais esforço do que, simplesmente, juntar o ladrilho número um ao número dois, como seria o procedimento normal.

Mas na vida, ou, pelo menos, na sua vida, não há nada normal. E uma montagem de azulejos descasados não poderá ser pior do que o problema que agora, realmente, lhe quebra a cabeça. Quem diria? Leocádia Fragoso do Amaral está viva. Morando e trabalhando em Paris. Ali, a poucos quilômetros de onde ele agora incorpora o personagem de Louis Bardet, que nasceu por conta da desventura da menina somada às suas próprias trapalhadas. Imagine, Leocádia, a pequena Leo, puta no bordel da madame Fourchon!

– Eu não tinha outra alternativa – explicou, quando questionada por Tino, que a escutava observando o seu rosto cavado, os olhos fundos, os hematomas e picadas de agulha que sobejavam em seu braço.

Leocádia não fora raptada, como se concluiu em Ibirapiranga. Fugira de casa, como tantas outras adolescentes, enamoradas do homem errado. Agiu por si só, explicou a Tino, aceitando a sugestão do próprio noivo – Rodrigo Lopes Carvalho. Não queriam se casar. Nem ela com ele, nem ele com ela. O casamento, projeto acalentado por seus pais, selaria a união entre as famílias Jaguaraçu e Lopes Carvalho. Serviria para consolidar a posição do barão de Lopes Carvalho em Ibirapiranga, que incorporaria o dote da menina às suas propriedades. Jaguaraçu, por sua vez, veria perdoadas as suas dívidas, sendo infinitamente grato ao confrade e futuro parente. Enfim, um bom negócio para ambos os barões. Pena que não atendesse aos interesses do noivo, e muito menos da noiva.

Leocádia apaixonara-se por um Julião Monteiro, primo distante, rapaz sério, oficial do Exército. Hospedado na casa de uma irmã na Corte, Julião tinha as malas prontas para uma longa viagem à França. Passaria quatro anos estudando na Escola Politécnica em Paris. Queria ser engenheiro. Planejava, uma vez terminado o curso, voltar ao Brasil, abandonar a farda e trabalhar na construção de estradas de ferro. Tinha fama de inteligente e ambicioso. Além disso, era alto, moreno, com ombros largos e um sorriso que eclipsava o sol, derretendo o coração de uma legião de primas púberes. Leo, entre elas, estava segura de que era a preferida. Sentia no olhar do primo um certo interesse, flagrado em miradas que duravam uma fração de segundo além do normal. Em outros momentos, verdade fosse dita, o primo a tratava como se ela ainda fosse criança. Mas Leo via naquele carinho, na maneira como ele lhe apertava as bochechas, um desejo dissimulado, reprimido. Desejo animal, pressentia Leocádia, de homem viril, que queria, na verdade, apertá-la em seus braços, beijando-a na boca com sofreguidão. Estava convicta daquilo. Tivesse a oportunidade, declararia seu amor ao primo, certa de que seria correspondida. Assim lhe vaticinava o coração, que, disparado, fazia calar a incipiente voz da razão. Antes, porém, o mensageiro da desdita bateu à porta, despertando-a do sonho juvenil, para cair no pesadelo da realidade. Leo dizia adeus às ilusões vendo-se casada com Rodrigo Lopes Carvalho e sua cara bexiguenta.

Após derramar lágrimas o bastante para encher seis moringas, trancada em seu quarto por dias a fio, Leocádia recebeu a notícia que, mesmo lhe ferindo o orgulho, sarou seu desalento com um sopro de esperança. Através de uma secreta troca de bilhetes, com ajuda das criadas, a noiva descobriu, atônita, que Rodrigo tampouco a queria. Não que não fosse moça digna da sua devoção, explicava-lhe o noivo. Leocádia era, seguramente, a mais formosa ninfa do Vale. Se não fosse daquela vez, estaria casada, de certo, em menos de um ano. Merecia, contudo, um marido mais apropriado, alegava Rodrigo, expondo sua humildade perante tão bela criatura. Além do mais, confessava, seu coração de rapaz tinha outros interesses, compromissos assumidos com outra pessoa. Rodrigo, que já havia percebido o descontentamento da menina quando fora anunciada a união, propunha-lhe, então, um acordo. Que fizessem uma aliança, empenhando-se, cada um do seu lado, pela anulação do noivado.

Durante semanas negociaram com os pais. Leocádia, mais arredia, receava entrar em conflito direto com o barão de Jaguaraçu. Passada a fase do choque e do choro, abordou a mãe, quando a ocasião surgiu na sala de música. Leo dedilhava uma sonata ao piano, entremeando-a com frases soltas, dissolvendo sua argumentação, que Adelaide escutava sem levantar a cabeça do bordado. Ao cabo da partitura, fechou o piano, virou-se para a mãe, encerrando seu discurso com palavras abafadas, quase inaudíveis: "Preferiria não me casar com o Rodrigo...".

– Nesses assuntos, Leocádia, não há "preferir" – respondeu a mãe, pondo o bordado de lado. – A união da nossa família com o clã Lopes Carvalho só vai nos fazer bem, a todos nós! Cabe a ti, moça responsável, que sempre honrou teus pais, cumprir o teu papel.

— Mas eu não o amo — insistiu Leo, com os lábios trêmulos, a voz embargada.

— *Ainda* não o amas — frisou a mãe. — O amor vai chegar. O verdadeiro amor se constrói na vida cotidiana de um casal. Da rotina, da convivência surgem o entendimento, a tolerância e, às vezes, até a paixão. O resto são criancices, que dão e passam, como fogo em palha.

Perdida a primeira batalha, Leo partiu para a segunda sem o moral necessário para vencê-la. Encontrou o pai no salão, num fim de tarde, quando despachava o capataz, após fazer o balanço do dia.

— Ninguém te conhece melhor do que nós, os teus pais — alegou Jaguaraçu, sentado numa cadeira de balanço. — Não aceitaríamos a proposta do Lopes Carvalho se achássemos que o Rodrigo não pudesse ser um bom marido para ti. É um rapaz sério, distinto. Tenho certeza de que serás muito feliz ao lado dele.

Em carta a Rodrigo, que então voltara para a Corte, Leocádia expôs a situação. Do seu lado, a batalha estava perdida. Rendia-se, esmorecida, à vontade dos pais. Terminava a mensagem rogando aos céus que Rodrigo, por sua vez, tivesse sido mais persuasivo, que tivesse dobrado os seus pais, e que, por fim, pudesse lhe anunciar o rompimento do noivado. Não, não se importaria com os comentários que correriam pela cidade. Falariam em desonra, algo grave e secreto, descoberto pelo noivo. Lixava-se. Preferia a desgraça passageira do que uma vida inteira de infelicidade conjugal.

A resposta de Rodrigo não tardou. Chegou com a pressa das notícias ruins. O barão não mudara a sua posição. O compromisso fora assumido e os Lopes Carvalho não voltariam atrás, não fariam uma afronta tal à família Jaguaraçu. Seu filho e Leocádia estariam casados em menos de seis meses.

Rodrigo acatou a decisão do barão, mas não desistiu, como explicava à noiva. A questão urgia, porém, uma nova estratégia. Aparentemente, cedia. Concordava com o pai, deixando claro que, de fato, ele tinha razão. Rodrigo, o varão, responsável pela continuidade daquela dinastia, sobretudo após a morte do primogênito, cumpriria o papel que lhe fora imposto pela tradição. Sim, desposaria Leocádia pelo bem da família Lopes Carvalho.

Aquela era a primeira parte do plano. A segunda só dependeria dela. Rodrigo lhe oferecia a oportunidade de realizar todos os seus sonhos, de uma só vez. Conhecer Paris e reencontrar-se com o primo Julião, vivendo aquela história de amor na cidade mais romântica do mundo. Bastava que Leocádia aceitasse a sua proposta. Ele cuidaria de todo o resto.

– Que proposta? – perguntou Tino, sentado na beira da cama.

– A fuga! Rodrigo planejou tudo, nos mínimos detalhes – revelou. – Depois, tudo se passou como previsto. Bem que *tu* quase tenhas deitado tudo a perder...

– Eu?

– Foste a única pessoa a testemunhar a minha fuga. Quando me encontraste na igreja. Não te lembras?

Tino concordou com a cabeça, afastando-se discretamente para evitar o hálito de Leocádia, fermentado por café, cigarros e álcool num estômago provavelmente vazio.

– Naquela mesma noite fui para Entre-Rios – continuou, sentada na banqueta, recostando-se contra o toucador. – Peguei o trem da manhã para a Corte. Lá me encontrei com o Rodrigo, que pagou a minha passagem no primeiro vapor para a França. Ainda me deu bastante dinheiro, o suficiente para passar uns três meses em Paris. Chegando aqui, só me faltaria encontrar o Julião. Eu achava que essa seria a parte mais fácil da viagem. Mal sabia o que me esperava...

– Não o encontraste?

Leocádia disse que o vira uma única vez. Surpreendeu-o na saída da escola de engenharia. Esperava que o primo a abraçasse, a beijasse com o ardor do amor reencontrado. Mas Julião espantou-se. Não podia acreditar que a prima, uma criança, houvesse cometido tal insensatez. Disse que aquilo era um absurdo, que Leo deveria, imediatamente, voltar para o Brasil. Ele pagaria a sua passagem, enviando através da prima uma carta ao barão de Jaguaraçu. Precisava se explicar, dizer que não tinha nada a ver com aquele desatino.

Mas, primeiro, enviaria um telegrama a Ibirapiranga, avisando a família que Leo estava sã e salva em Paris, sob a sua proteção. Vendo os olhos marejados da menina, Julião suspirou, colocando a mão em seu ombro. Sem escolha, levou-a para casa, desistindo das aulas na parte da tarde. Morava num cortiço de estudantes no Quartier Latin, a poucos metros da escola. O apartamento tinha uma espécie de sala ou copa, onde Julião estudava e fazia as refeições, e um quarto, onde Leocádia viu uma cama desarrumada e roupas espalhadas pelo chão. Julião levava uma vida modesta naquele espaço exíguo, pouco iluminado, com uma latrina coletiva do lado de fora, no corredor. Sem perder um minuto, mostrou à prima onde havia mantimentos, panelas, louças e talheres sobre as prateleiras. Que almoçasse, comesse algo, se quisesse, enquanto ele iria aos correios enviar o telegrama. Não demoraria. Saiu, batendo a porta com violência, dando várias voltas à chave. Leocádia ainda ouviu seus passos descendo as escadas, antes de vê-lo, pela janela, atravessando a rua, apressado, sem olhar para os lados. Sem fome, a menina inspecionou o quarto, deitou-se na cama, sentindo o cheiro do primo nos lençóis. Chorou durante meia hora, mas logo se aprumou. Precisava economizar lágrimas para quando ele voltasse. Suplicaria por seu amor. Prometeria fazê-lo o homem mais feliz do mundo. Seria sua mulher, sua amante, sua escrava. Afinal, ele precisava compreender que para ela era tarde demais. A loucura estava feita. Leocádia não poderia voltar para casa. Por aquela paixão não passaria impune. Já previa a reação do pai, o escândalo, a vergonha da família em Ibirapiranga. Voltar ao Brasil estava fora de questão. Portanto, ou Julião a desposava ou Leocádia cometeria suicídio. Sim, suicídio. Não tinha outra saída. Ameaçaria se matar se Julião não a quisesse. Iria se jogar no rio Sena. Um final trágico para aquele amor incomensurável, desprezado pelo primo. Com o passar das horas, não conseguiu mais reter as lágrimas. Voltou a chorar, oprimida pelo fim da tarde, pela escuridão que engolia o quarto. Julião não voltava. Estava demorando. Queria puni-la, com certeza. Deixara-a só, trancada naquele apartamento, de castigo. No início da noite, a melancolia finalmente cedeu à fome. Leocádia se levantou, acendeu as luzes da casa, lavou o rosto na pia da cozinha, procurou algo para comer. Estudou as conservas sobre as prateleiras, como se soubesse cozinhar. Em casa, pouco entrava na cozinha, reservada às escravas sob a supervisão da mãe. Voltou atrás, encontrando, sobre a mesa da copa, um cesto com pão dormido, um pouco de queijo sob uma tampa de vidro e uma garrafa de vinho pela metade. Cortou o pão, serviu-se de queijo e, por que não, um pouco de vinho. Tinha idade o bastante para atravessar um oceano em busca do seu grande amor. Uma vez casada poderia, com certeza, beber à vontade. Um brinde ao matrimônio!

Na manhã seguinte, quando Leocádia despertou, um raio de sol avançava sobre o seu rosto, iluminando, no chão, a garrafa de vinho vazia e o seu par de sapatos. Depois da refeição improvisada, caíra na cama, dormindo doze horas, sem se dar conta. Agora, chamava por Julião, esperando que o primo já houvesse levantado. Não o vira chegar na noite anterior. Sem resposta, sentou-se na cama, chamou-o novamente, ouvindo o eco da sua voz no vazio do apartamento. Sobre a mesa da copa, encontrou migalhas de pão, o prato e os talheres sujos, tal como os deixara na noite anterior. Não havia sequer uma nota ou recado para ela. Se Julião dormira em casa, com certeza saíra cedo, deixando-a outra vez sozinha. Tentou abrir a porta, não conseguiu. Estava, como antes, trancada. Leocádia sentiu a manhã se arrastar na expectativa da volta do primo. Comeu outro pedaço de queijo, com uma fatia do pão cada vez mais duro. Sem poder acessar as latrinas no corredor do prédio, usou o penico de Julião, que, guardado sob a cama, já ameaçava transbordar. Julião, contudo, não voltou naquele dia, nem no dia seguinte.

– Como assim? – perguntou Tino. – Desapareceu?

– Não, Julião era um rapaz digno, tinha um bom caráter, muito diferente de Rodrigo – disse Leocádia, oferecendo um cigarro a Tino, que o recusou.

Após a segunda noite dormida na cama do primo, Leocádia levantou-se decidida. Pediria socorro. Primeiro bateu à porta uma, duas, três vezes, até que alguém a ouvisse. Gritou, esmurrou, chutou a porta, mas ninguém respondeu. Enfim, abriu a janela e, do primeiro andar, gritou para a rua. Chamou a atenção dos transeuntes que, passando a caminho do trabalho, não fizeram mais do que lançar um olhar curioso para o alto. Em frente à mercearia, do outro lado da rua, dois carroceiros gritaram de volta, achando divertido o desespero da menina. Só depois se deram conta de que ela não brincava. Entraram no prédio, subiram as escadas e arrombaram a porta. Leocádia agradeceu-lhes, explicando que o primo saíra e ela perdera sua chave. Em seguida, arrumou-se e saiu, sozinha, em busca de Julião na Escola Politécnica. No hall de entrada, encontrou um grupo de estudantes, a quem perguntou pelo primo. Os rapazes pareceram constrangidos. Olharam-se uns aos outros, questionando-se em silêncio o que deveriam dizer. O mais velho, com um cavanhaque cerrado, disse que Julião sofrera um acidente. Fora atropelado havia dois dias, quando atravessava o bulevar, a caminho da agência do correio.

– Está no hospital? – perguntou Leocádia, cobrindo a boca, arregalando os olhos.

– Não – respondeu o rapaz, baixando a cabeça, em tom grave. – Ele faleceu.

Dali em diante as coisas só pioraram, explicou Leo a Tino. A escola se encarregou de comunicar a morte à família de Julião, enquanto a legação brasileira organizava o translado do corpo para o Rio de Janeiro. Leocádia enviou um telegrama para Rodrigo, pedindo-lhe ajuda. Nos primeiros meses, Rodrigo lhe enviou dinheiro, dizendo que permanecesse no apartamento de Julião, enquanto ele mesmo não chegasse à França. Fora isso, proibia a Leocádia que lhe escrevesse. Não queria cartas, nem telegramas. Evitava-a a todo custo, deixando que ela assumisse a própria vida numa cidade estranha, onde não conhecia ninguém. Mais tarde, quando chegou a Paris, Rodrigo suspendeu o pagamento do aluguel, alegando que não tinha mais dinheiro. Pediu-lhe que deixasse o apartamento, prometendo acolhê-la na casa de uma amiga, uma inglesa muito gentil, que tomava conta de outras meninas. Foi assim que Leocádia passou a integrar o plantel da madame Hellewell, a cafetina preferida de Rodrigo. Do elegante salão à inglesa ao descaído bordel de Martine Fourchon, a trajetória de Leocádia declinou com o passar dos anos, sob o peso da sífilis, de incontáveis abortos e de uma paixão descoberta nos dias de folga e solidão – a morfina.

Tino ouviu toda aquela história, pensando, ao mesmo tempo, na sua vida em Paris, nas ocasiões em que, seguramente, teria passado a poucos metros de Leocádia numa rua, num café concerto, antes que, finalmente, o destino lhes marcasse aquele encontro da desgraça com o infortúnio. Perguntou, enfim, se Leocádia sabia por que *ele* estava em Paris. A mulher respondeu-lhe com um gesto de ombros, acompanhado por um beiço caído, desinteressado. Tino então lhe resumiu sua desventura: fugira de Ibirapiranga para escapar da morte por ter raptado Leocádia Fragoso do Amaral.

– Eu não tenho nada a ver com isso – respondeu Leocádia, acendendo outro cigarro, encolhendo ainda mais os ombros, como se Tino lhe imputasse alguma culpa.

– Mas podes me ajudar, não?

– De que modo? – perguntou, exalando para o alto a fumaça do cigarro.

– Preciso que tu me inocentes. Preciso que reveles a verdade. Só assim poderei voltar para casa... Não raptei, não matei ninguém... – disse, agitando-se, elevando a voz. – Só quero que contes toda a verdade a teus pais, à polícia, enfim, a toda a população de Ibirapiranga.

A resposta de Leocádia surpreendeu Tino. Não saiu em palavras, mas numa golfada de risos, uma gargalhada seca, como uma série de soluços.

– Depois de morta, queres que eu me torne puta? – perguntou, controlando-se. – Mais vale a reputação de vítima, santa Leocádia de Ibirapiranga, morta na flor da juventude, inocente, virginal...

– Se tu não me ajudares, eu mesmo me encarregarei de revelar o teu segredo em Ibirapiranga... – disse, apontando-lhe o dedo em riste.

– E quem vai acreditar em ti, Constantino? Será a tua palavra contra a de meu pai... Antes que pudesse suspeitar que tu falas a verdade, ele mentiria a si mesmo. Mandaria te pendurar numa árvore, linchar-te em praça pública, antes de admitir que sua filha se tornou mulher de maus costumes em Paris...

– Esquece os detalhes. Basta lhes informar que estás viva, que fugiu para Paris por conta própria... não precisas revelar nada sobre o teu ganha-pão.

– Talvez – consentiu Leocádia, baixando a cabeça. – Minha mãe, quem sabe, sente falta de mim. Por meu pai, eu não colocaria a mão no fogo... Por outro lado, estou me sentindo doente, talvez esteja grávida outra vez...

Sem ter mais argumentos, Tino a observava, calado, vacilando entre o ódio e a comiseração.

— Pensando melhor — continuou Leocádia —, acho que posso abrir mão do pouco de honra que me resta em Ibirapiranga. Mas, claro, não o faço por caridade...

— Como assim?

— Mil francos — sugeriu Leocádia.

— Estás doida? Não tenho esse dinheiro — respondeu Tino, franzindo o cenho, travando uma luta interna para não a sacudir em suas mãos ou abandonar a peleja, chispando porta afora. — Posso te ajudar de outra forma. Posso te tirar daqui. Ajudo-te a procurar trabalho, um lugar para morar, enfim, a começar uma vida nova.

— Tarde demais, Constantino — disse Leocádia, balançando a cabeça. — Mil francos. Estamos conversados. Mil francos por uma carta que te inocenta de todo e qualquer mal que tu pudesses ter cometido contra mim — disse, voltando-se para o toucador, de onde retirou uma fotografia encaixada na moldura do espelho. — Além da minha caligrafia e assinatura, ofereço-te ainda um retrato meu. Um pouco antigo, feito no primeiro ano em que trabalhei com a madame Hellewell. Assim, não restará dúvidas sobre a tua inocência em Ibirapiranga. Mil francos ou nada. É pegar ou largar.

Sob o lusco-fusco do entardecer, Tino desce do andaime para avaliar o resultado do seu trabalho. O quebra-cabeça está concluído. Por entre as vigas do andaime, entrevê um cafeeiro emoldurado por ombreiras ornamentais. Na parte mais baixa, o desenho de duas caixas de café, uma de cada lado, ilustra o produto final da usina: café torrado e embalado, pronto para a venda ao consumidor. No alto, vê-se a insígnia da empresa, oval, atravessada por um dístico em diagonal: CAFÉ CARVALHO.

Café Carvalho? Café Lopes Carvalho? Rodrigo Lopes Carvalho? Não, não pode ser. Tampouco pode terminar o expediente e voltar para casa com aquela dúvida lhe remoendo a cabeça. Afasta-se, relê a insígnia da empresa, esfrega as mãos sujas de cimento e corre. Dispara pela rua Gide, entra pelo portão da usina, desabalando escada acima até chegar ao primeiro andar, onde o engenheiro e o mestre de obras fecham o balanço da semana, debruçados sobre as plantas da obra, numa sala contígua à do barão.

– Pois não? – pergunta-lhe o engenheiro, mirando por cima dos óculos o operário que estancou à porta da sala.

– Algum problema, Bardet? – indaga o mestre de obras, percebendo que Tino, sem fôlego, não consegue responder.

– Carvalho – disse Tino, finalmente. – Café Carvalho, não?

– Sim... – responde o mestre de obras, receando que haja algum problema com o painel de azulejos. – Café Carvalho. Conseguiste terminar o painel?

– Sim... mas... que Carvalho?

– Como assim? O dono da torrefação, eu suponho – diz o mestre de obras, arqueando as sobrancelhas, procurando, ao mesmo tempo, a confirmação nos olhos do engenheiro.

– *Barão* de Lopes Carvalho – completa o engenheiro. – Algum problema? – pergunta, com secura, batendo ritmicamente a mesa com a ponta de um lápis.

– Não... Curiosidade – responde Tino, olhando para o chão, evitando encarar os dois homens. Pede desculpas pelo incômodo, volta às escadas, desce em direção ao térreo, tentando se adaptar à clareza que agora lhe ofusca a mente. Há mais de um ano trabalha na construção da usina de torrefação do barão de Lopes Carvalho, pai de Rodrigo, o noivo contrariado de Leocádia, de quem Tino comprará, naquele mesmo dia, a prova definitiva de que ele não tem nada a ver com aquele noivado malfadado...

Tino mete a mão direita no bolso, sentindo o maço de dinheiro que, há dois dias, carrega consigo. Conseguiu acumular mil francos, o equivalente a quatro meses do seu salário. Do penhor da rabeca e de um cordão de ouro que o padre Lalanne lhe dera, recebeu quatrocentos francos. Pirralho e Adriano complementaram o montante, emprestando-lhe trezentos cada um. Os quatrocentos francos já foram repassados a Leocádia, como primeira parte do pagamento. O restante, guardado em seu bolso, será entregue hoje à noite em troca da carta e da fotografia. Depois disso, Tino planeja partir dentro de duas semanas, no mais tardar. Assim, terá tempo suficiente para fazer as malas, despedir-se dos amigos e dessa cidade que, há oito anos, recebeu um garoto ingênuo e assustado que, agora, responde por Louis Bardet.

A primeira parte do pagamento de Leocádia foi feita numa das visitas habituais de Tino ao bordel da madame Fourchon. Não, Tino não se deitou com Leocádia, e não tem o menor desejo de fazê-lo. O pagamento foi feito de maneira desajeitada, planejada na última hora. A caminho do quarto com Aurélie, a novata de olhos estreitos, Tino esbarrou em Leocádia, que forçara o encontro casual. O envelope, contendo quatrocentos francos, caiu de uma mão, sendo recolhido por outra. Para a entrega da carta, porém, Leocádia pediu-lhe que a encontrasse em outro endereço. Preferia que Martine Fourchon não suspeitasse das suas artimanhas.

Às oito da noite Tino chega à rua Tholozé, em Montmartre, a pouca distância da favela do Maquis, onde ele mesmo já havia morado. Logo percebe uma movimentação estranha à porta do prédio no qual deve encontrar Leocádia. Três policiais saem atarefados do edifício, enquanto outros chegam a cavalo. Tino atravessa a rua e, no café em frente, senta-se para observar o que está acontecendo. Pode ser uma ocorrência qualquer, uma briga entre escroques, um gigolô que espanca uma prostituta, um bêbado num rompante de ira contra a humanidade. Uma hora mais tarde, quando só um policial resta à porta, um carro da prefeitura, pequeno, puxado por apenas um cavalo, estaciona em frente ao prédio. A portinhola se abre, dando passagem a um rapaz baixo, com um vasto bigode e uma cabeleira precocemente grisalha, carregando uma maleta preta, daquelas que Tino reconhece como mala de médico. Preocupado com o seu atraso para encontrar Leocádia, respira fundo, atravessa a rua, entra no prédio, seguindo os passos do médico escada acima. Pelo endereço que Leocádia lhe deu, Tino a encontrará no segundo andar, na porta da direita, no apartamento de uma Gertrude Schmidt. A porta, no entanto, está aberta. Por ela entrou o homem da prefeitura. Tino vacila, parado à soleira, tentando decidir se deve entrar ou voltar mais tarde. Varre com o olhar a sala do apartamento, pequena, pouco iluminada, com móveis modestos e vetustos. Um forte cheiro de éter parece vir da porta que dá acesso a um quarto. Tino entra, arrastando os passos, sentindo o coração aos pulos, a garganta seca e apertada. À porta do quarto, vê o médico, de costas, debruçado sobre o corpo de uma mulher nua, deitada no colchão sem lençol, sujo de sangue. O médico ergue-se e, olhando para Tino, pergunta-lhe se a conhecia. Tino se aproxima da cama, olha para o corpo, esquálido, rígido, com os lábios azulados e a fronte empalidecida.

— Sim. Leocádia... — balbucia.
— Sua namorada, parente? — insiste o médico.
— Não. Conhecida, apenas. Alguém que eu conhecia.
— A polícia vai precisar dessas informações. Caso contrário, será enterrada como indigente... Era francesa?
— Não. Brasileira — responde Tino, impacientando-se com o médico. — O que aconteceu com ela?
— Não se sabe ainda. Complicações de um aborto... ou uma overdose. Tudo é possível — diz, apontando para uma seringa espetada no braço arroxeado de Leocádia. — Depois a polícia pode informá-lo melhor. Eu faço apenas a coleta de material para a necrópsia.

Tino deixa o edifício, vira à direita, desce pela rua Drevet, sentindo que sua vida desliza ladeira abaixo.

Capítulo 25

Três dias depois de Tino ter cimentado o último azulejo no painel decorativo, Carvalho posta-se do outro lado da rua, na calçada oposta à do edifício da torrefação. Dali tem uma visão completa do prédio, com sua entrada principal à direita, na rua Gide, e sua fileira de janelões à esquerda, na rua de la Gare, correndo paralela à linha do trem. Apesar do frio intenso dessa manhã de inverno, o barão saiu de casa mais cedo, aparecendo na usina duas horas antes do horário previsto. Só às dez horas os convidados começarão a chegar para o evento que marcará a história da municipalidade de Levallois-Perret. A espera chegou ao fim. Inaugura-se, nesse sábado, 22 de fevereiro de 1896, a torrefação do Café Carvalho. O empreendimento que deverá coroar toda a trajetória capitalista da família Lopes Carvalho desde que o patriarca partira dos confins de Portugal, no início daquele século, para plantar a semente de um império familiar no Vale do Paraíba.

Sob a luz dourada dos primeiros raios do sol, que desponta na nesga azul entre o horizonte e um céu embruscado, Carvalho observa a imponência do edifício que mandara construir – a solidez das suas paredes, a austeridade das suas colunas, a sobriedade do seu telhado, quebrada, subitamente, pela elevação da grande cúpula de ardósia, sob a qual instalou o seu gabinete.

Apoiando-se na bengala, Carvalho atravessa a rua, abandonada àquela hora da manhã, acercando-se do painel de azulejos que idealizara, indicando aos artesões os mínimos detalhes da obra. Ali estão as ombreiras azuis sobre fundo amarelo, encerrando o cafeeiro quimérico, florido e, ao mesmo tempo, carregado de frutos. Sobre a copa do arbusto, a insígnia que concebeu para a empresa. Um escudo branco, com três estrelas vermelhas, na tonalidade da cereja do café, representando as três gerações da família Lopes Carvalho. No alto, a estrela do velho barão de Ibirapiranga. Embaixo, uma estrela para si e outra, ao lado, para Tonico. Sua homenagem ao filho, cuja ausência faz com que se sinta vazio, incompleto. Tonico, que deveria estar ali, ao lado do pai, para receber aquele legado, com a missão de manter o curso histórico da família. Na diagonal, entremeando as estrelas do escudo, a faixa onde se lê CAFÉ CARVALHO. O barão suspira diante do painel, sentindo a garganta apertada, os olhos úmidos, um tremor nos lábios. Deve ser o frio, pensa, sem querer encurtar o passeio pelo exterior do prédio. Levantando o olhar acima do painel de azulejos, aprecia o frontão, presidido pela cabeça de Hermes com seu pétaso alado. Logo abaixo, surge uma cabeça de fera, de cuja mandíbula pende um escudo com o monograma "CC", apoiado, por sua vez, sobre duas fartas cornucópias, pendentes da cimalha. Além, em ambas laterais do edifício, duas colunas terminam em capitéis que, lastreados por âncoras, sugerem variações sobre o mesmo tema. Está tudo dito. O deus do comércio, a força da fera, os símbolos da abundância e da estabilidade. Quando os jornalistas lhe perguntarem sobre o seu espírito empreendedor, o barão poupará palavras. Bastará lhes apontar o frontão ou os capitéis. Belas obras decorativas que captam com fidelidade a índole da família Lopes Carvalho.

"Mas Hermes também é o deus dos ladrões, não?", poderá perguntar um jornalista mais inconveniente, ignorado por Carvalho com um gesto de ombros. O barão prefere ver a divindade grega como o guardião das fronteiras, dos viajantes e do comércio, o que resume, numa só imagem, a saga da sua família.

Carvalho toma a rua Gide, caminhando lentamente até a entrada da torrefação, observando o portão vermelho, de quatro metros de altura por dois e meio de largura, enquadrado por um pórtico neoclássico. Aposta, num átimo de bom humor, que café algum produzido no Brasil passe por portas tão majestosas como essas. Cruza a soleira, cumprimenta o vigia, pedindo-lhe que, assim que os jornaleiros anunciem as manchetes pelas ruas, traga-lhe exemplares do *Figaro* e da *Gazette*. Está curioso para saber o que diz a imprensa sobre a inauguração da usina. Depois, sobe as escadas até o segundo andar, onde começa sua inspeção. Ali, sob o telhado em mansarda, serão armazenadas as sacas de café verde vindas de Santos. Por ora, há poucas sacas, empilhadas num canto, compradas no porto do Havre para o evento da inauguração. A primeira grande remessa, vinda do Brasil, só chegará, se tudo correr bem, na segunda-feira, quando a torrefação começará a funcionar de maneira parcial. Falta-lhe pessoal. Com a hesitação do engenheiro em lhe dar uma data precisa para a entrega do edifício, sempre alegando atrasos provocados pelo mau tempo ou por greves, que nunca ocorreram, Carvalho postergou a contratação da mão de obra até que soubesse, com certeza, quando poderia acender os fornos. Agora, no dia da inauguração, ainda não conta mais de cinco funcionários, gente com experiência em torrefações de pequeno porte, aliciada com alguns centavos a mais por um expediente de doze horas por dia. Para homens, mulheres e crianças, a usina oferece, ao todo, sessenta postos de trabalho. Aos homens caberá o grosso das operações: o transporte das sacas da estação de trem à torrefação, a armazenagem e a triagem do café no segundo andar, a operação dos fornos a altas temperaturas. Depois, as mulheres se encarregarão do empacotamento dos grãos torrados, numa linha de produção que começa com caixas de meio quilo, acondicionadas, por sua vez, em caixas maiores, enviadas aos varejistas de Paris e distribuidores nacionais. Aos moleques, três ou quatro no máximo, caberá a limpeza das latrinas turcas, que evitam a gazeta entre os empregados, a varredura dos pavimentos e todos os serviços gerais dentro e fora da usina.

  Carvalho desce as escadas, inspecionando agora o primeiro andar, onde se fará, de fato, a torrefação. Ali estão instalados os seis fornos de cobre, alimentados por ductos pelos quais passarão os grãos verdes desensacados e triados no andar superior. São máquinas modernas, custosas, mas, acima de tudo, confiáveis. Da sua eficiência depende a qualidade final do café, torrado sob o controle de termômetros e cronômetros de alta precisão. Um minuto além e os grãos estarão esturricados, perdendo os óleos essenciais que lhe dão o aroma único do café. Por isso, na aquisição do equipamento e dos fornos, importados da Holanda, Carvalho não fez economias. Comprou o que havia de melhor e mais moderno no mercado, planejando produzir quatro toneladas de café torrado por dia, vendido ao consumidor final por três francos o meio quilo.

Ainda no primeiro andar, ao lado dos escritórios da administração, está o seu gabinete, com grandes janelões voltados para a esquina da rua Gide com a rua de la Gare. O espaço não é grande, vinte metros quadrados, mas servirá bem ao seu propósito. Na verdade, Carvalho não se vê trabalhando ali. Trata-se, antes, de um espaço privado, onde instalou uma mesa para si, caso precise receber um comprador ou passar um dia na torrefação. O arquiteto previu ainda um anexo, onde Carvalho inspeciona o seu banheiro exclusivo, com todas as comodidades encontradas nas casas mais modernas. Pia, bidê e vaso sanitário de porcelana, espelhos, armários e uma banheira esmaltada. Só lamenta que o arquiteto não tenha previsto uma alcova, onde ele pudesse acolher Joséphine, caso, num arroubo de paixão, ela lhe fizesse uma visita surpresa na usina.

Carvalho contorna a mesa, senta-se na cadeira de mogno com assento, espaldar e braços forrados em couro. Na cabeceira, o monograma "CC", talhado pelo marceneiro, envolto em arabescos que sugerem os ramos de um cafeeiro. Carvalho tamborila sobre a mesa, imaginando o dia em que aqueles espaços estarão permeados pelo aroma do café torrado, pela agitação dos empregados. Falta pouco. Teme, porém, que não possa testemunhá-lo. Dentro de duas semanas o seu destino será selado. Seu processo, finalmente, chegou à última instância – o Conselho de Estado, presidido pelo próprio ministro da Justiça. A mais alta esfera jurídica da França, onde, em casos muito especiais, se endossam ou se revogam, definitivamente, as decisões da Corte de Cassação. Se o conselho se decidir pela extradição, Carvalho não terá mais a quem recorrer. Troca de favores, tráfico de influência, generosas contribuições a esse ou aquele partido estão, agora, fora de cogitação. "Já compramos todos os que estavam à venda", alertou seu advogado. "O estoque de corruptíveis, dentro do seu orçamento, está esgotado."

    Carvalho acha irônico que os dois processos cheguem ao fim quase simultaneamente. O processo de construção da torrefação e o processo, propriamente dito, que ele abriu em sua defesa. De certa maneira, independentemente da decisão do Conselho de Estado, acha que sai vitorioso daquela guerra jurídica. Com uma apertada margem de duas semanas, pode inaugurar a torrefação antes da sentença final. Conseguiu postergar por dezoito meses a sua partida, ganhando apenas duas batalhas. A primeira, mais discreta, embora custosa, foi a batalha da burocracia, na qual documentos foram perdidos, papéis extraviados, desacelerando o trâmite da extradição reivindicada pela República dos Estados Unidos do Brasil. Depois, na Corte de Apelação, o recurso interposto pelo advogado foi indeferido. Carvalho foi preso, sendo liberado por uma liminar, enquanto um novo recurso era apresentado na Corte de Cassação. Nela obteve sua segunda vitória, com alguma ajuda financeira, claro. Pena que o governo de Prudente de Morais, quem diria, tenha insistido no pedido de extradição, recorrendo à última instância, o Conselho de Estado, que colocará o ponto final naquele drama. Nova espera de meses para que o processo caminhasse pelos congestionados corredores da Justiça francesa. Ganhou tempo. Desta vez, no entanto, resigna-se, consciente de que a aposta ultrapassa o seu cacife. Quem sabe não termine tão mal, reflete, tentando relativizar a questão. Pelo menos, o seu legado está pronto, acabado, concretizado em paredes sólidas sob aquele telhado de ardósia. Antônio Lopes Carvalho imprimiu, apesar de todas as atribulações, a sua marca em Paris. Honra, com a inauguração da usina de torrefação, o denodo e a perseverança da sua família. Além disso, a empresa garantirá a Ana Maria e a Dodora um futuro tranquilo. Basta que encontrem um bom administrador. A demanda por café na França cresce de modo regular e contínuo. Com alguém competente à frente da usina, poderão cuidar das suas vidas sem se preocupar com dinheiro. Eufrásia, com certeza, poderá ajudá-los na contratação do homem certo.

Por outro lado, Carvalho receia seu solitário retorno ao Brasil. Sabe que os louros daquela relativa vitória na França serão macerados pela ultrajante volta ao Rio de Janeiro. Lá não haverá mais recursos. Haverá escândalo nos jornais. O barão de Lopes Carvalho, fazendeiro, capitalista e empresário, está de volta, algemado, sob a escolta de dois policiais. Troca a avenida des Champs-Élysées pelo cárcere, no quartel dos Barbonos. Com sorte, não será jogado às feras, dividindo seu espaço com ladrões e facínoras. É um barão do extinto Império. Merece o privilégio de uma cela individual, ainda que o conforto deixe a desejar. Um catre simples, com colchão e travesseiro de palha. Um espaço tão desolador quanto deve ter sido a cela do homem que, por pouco, não lhe evitou toda aquela humilhação. Sebastião Constantino do Rosário. Não tinha como se esquecer do nome. Onde foi parar o brasileiro anarquista, o bode expiatório poupado da guilhotina para salvá-lo da prisão? O ingrato fugiu sem cumprir a sua parte no trato. Saberia que havia um trato? Estaria ciente da sua sorte? Carvalho ignora. Só pode, agora, lamentar que o pulha tenha fugido, pondo a perder um plano tão complexo, brilhantemente arquitetado por seu advogado. Onde estará o bandido?

Se, ao menos, não houvesse desperdiçado tanto dinheiro com aquele detetive, pensa Carvalho, acendendo um cigarro. Fabrice Delcourt. Um abestado, realmente. Senão, um velhaco. Passou um ano em busca de Rosário, cobrando a Carvalho uma fortuna todos os meses, oferecendo-lhe relatórios vagos, duvidosos. Na melhor das hipóteses, descobria, sempre, onde Rosário *não* estava. Depois, além de não cumprir a sua missão, acabou sendo preso... E ainda teve o desplante de enviar um telegrama a Carvalho, pedindo que o cliente lhe pagasse a fiança! Não, não perderá mais dinheiro contratando detetives particulares, sujeitos que, na sua maioria, haviam sido expulsos da polícia por alcoolismo ou corrupção. Não há mais tempo. Seus dias estão contados. Para o bem ou para o mal, sua agonia está chegando ao fim.

Alguém bate à porta do gabinete, Carvalho manda que entre. A porta se abre para dar passagem ao vigia que, curvando-se perante o patrão, pede desculpas por incomodá-lo. Numa voz sumida, diz que os jornais já estão em circulação, colocando sobre a mesa do barão dois exemplares. Rápido,

Carvalho abre a *Gazette*, procurando algo sobre o grande evento do dia. Na página três encontra um artigo assinado pelo editor do jornal. Carvalho o lê, franzindo o cenho, sentindo a respiração acelerada, o coração em disparada. Em vez de dar destaque ao progresso econômico que significa a torrefação, o calhorda aproveita o gancho da inauguração para publicar um artigo que recapitula as desventuras do barão.

> *O rocambolesco folhetim da troca de foragidos entre o Brasil e a França parece chegar ao fim... No início de março, o Conselho de Estado baterá o martelo sobre o destino do barão de Lopes Carvalho, condenado por estelionato no Brasil... Tudo indica que a possível extradição do barão garantirá a volta de Paul Reclus, o anarquista envolvido no assassinato de Sadi-Carnot, detido há mais de um ano no Rio de Janeiro... Uma operação em tudo semelhante à extradição do empresário Motta Barroso, que permitiu o retorno à França de Benjamin Cahuzac, outro cúmplice do atentado ao presidente, também preso no Brasil... Ponto para o governo de Felix Fauré... Pena que a nova troca não seja tão vantajosa para os franceses, como esperneiam os deputados da oposição... Afinal, o barão brasileiro, amigo íntimo do prefeito Jacques Fournier, está investindo grandes somas no desenvolvimento econômico de Levallois-Perret (fala-se em quinhentos mil francos empregados na maior torrefação de café da Europa)... Segundo os lamentos que se escutam nas coxias do Ministério da Justiça, o próprio governo reconhece que a extradição de um anarquista brasileiro, Sebastião Constantino do Rosário, teria sido mais proveitosa para a França... O problema é que a polícia de Paris parece não ter entendido o recado... O criminoso, pronto para ser deportado, conseguiu escapar nas barbas do comissário Babel, nosso intrépido caçador de dinamitistas... Enfim, a França terá Reclus, mas a partida do barão deixará um gosto amargo no café do prefeito de Levallois-Perret... Sem barão, que fim levará a maior usina de torrefação da Europa?*

– Viste isto? – pergunta Pirralho, jogando o jornal sobre a mesa do Rat Mort, onde Tino está tomando o café da manhã.

Tino pega a *Gazette*, desdobra-a, encontrando o artigo assinalado por Pirralho. Corre os olhos pelo texto, lendo em diagonal, aprofundando-se apenas na linha que cita o seu nome. Depois, volta à primeira frase, relendo o artigo com mais calma, até o fim.

– Entendeste? – pergunta Pirralho, quando Tino levanta os olhos para encará-lo.

– Acho que sim...

– Tens duas semanas. É a tua última chance...

Tino não precisa de mais detalhes. Se o artigo está correto, a graça que lhe foi concedida faz, finalmente, sentido. Foi moeda de troca na extradição de um anarquista francês, preso no Rio de Janeiro. Mais tarde, com a sua fuga, a França recorreu à extradição de outro brasileiro – o barão de Lopes Carvalho, dono da torrefação do Café Carvalho, construída pelas mãos de Tino e dezenas de outros operários; pai de Rodrigo Lopes Carvalho, cujos planos estrambólicos contribuíram para que, agora, Tino viva na França sem poder voltar para casa.

Com a morte de Leocádia, Tino perdeu as esperanças. Jamais poderia retornar a Ibirapiranga. Num primeiro momento, ainda cogitou um encontro com Rodrigo. Mas, pensando melhor, concluiu que abordar Rodrigo, pedir-lhe que o inocentasse, confessando a sua participação no sumiço da menina, não fazia o menor sentido. O que Rodrigo teria a ganhar em troca de uma confissão que só lhe traria vergonha e dissabores? Nada!

Agora, porém, num sábado nublado de fevereiro, surge um raio de esperança. Não é Rodrigo quem deve ser abordado. Mas, sim, seu pai, o barão que, ameaçado de prisão, tem muito a perder, ou a ganhar. A ele, com certeza, Tino tem algo a oferecer. Está pronto para se entregar à Justiça, pronto para substituir o barão, sendo enviado para o Brasil, desde que leve consigo a mensagem redentora. Uma carta de Rodrigo, o noivo contrariado, que confesse a sua iniciativa na fuga de Leocádia para a França. Uma carta que exima Tino de toda e qualquer responsabilidade no desaparecimento da filha do barão de Jaguaraçu.

Mas que razão teria Rodrigo para fazer agora o que antes não teria feito? A liberdade do barão! A confissão do filho, de um crime menor, pouparia o pai da humilhação do regresso forçado. Em posse da carta, Tino, voluntariamente, se entregaria, confiante na sua absolvição perante a Justiça brasileira.

Tino não tem tempo a perder. Se ao *barão* interessa a sua extradição, se ao *governo francês* interessa a sua extradição, todos os elementos estão reunidos a seu favor. Precisa agir rapidamente, dando margem a Lopes Carvalho para que ele negocie com o governo francês. Que esse imbróglio jurídico possa andar algumas casas para trás. Que o governo, acuado pela oposição, ceda aos interesses da nação.

– Resta saber se o governo brasileiro estará de acordo... – argumenta Pirralho, alisando o bigode. – Afinal, se a França quer o anarquista, o Brasil quer o barão...

– Cabe à França negociar – responde Tino, argumentando que, para os franceses, mais vale um ricaço em Paris do que um anarquista brasileiro solto pelas ruas da cidade. Enfim, basta que o ministro se decida a favor do barão, deixando-o livre para ficar, e Tino livre para partir. Depois, se o governo brasileiro persistir na sua posição, a França ainda terá Lopes Carvalho na manga... pronto para ser extraditado, em último caso.

Agora, precisa abordar o barão, explicar-lhe a situação, oferecer-se para o substituir em troca da carta.

– Estás doido? – pergunta Pirralho. – Se apareces à frente do barão, ele manda prender-te! Tu és um foragido da Justiça. Não precisam dar-te carta alguma para que sejas algemado e embarcado no primeiro vapor para o Brasil...

– Essa é a grande questão – responde Tino, mirando o movimento das pessoas que passam à entrada do Rat Mort. – Como é que eu poderia me apresentar ao barão sem correr o risco de ser imediatamente preso? Como lhe explicar que sem carta não haverá substituição?

Afinal, Rodrigo e o barão poderiam tentar capturá-lo sem a obrigação de lhe fornecer uma carta tão vexaminosa para a família... E talvez isso explique aquele detetive particular que o procurava... Se Tino for denunciado pelos Lopes Carvalho, a polícia o prenderá, deportando-o imediatamente. Não, de modo algum. Tino precisa, realmente, ter muito cuidado.

Não poderá confrontar o barão, abordando-o pessoalmente. Precisa de um plano.

– Os senhores barões da boa-vida vão querer mais café, ou um conhaque? – pergunta Robert, jogando o pano de prato sobre os ombros, antes de se apoiar sobre a mesa.

– Café *e* conhaque. Para nós dois – responde Tino. Depois, virando-se para Pirralho: – Tens os dados?

– Para quê? – pergunta, olhando-o de soslaio.

– Tens ou não tens?

Pirralho se levanta, mete a mão no bolso, retirando dele o pequeno saco de veludo carmesim. Entrega-o a Tino, que o abre, colocando os dados sobre a mesa.

– Tenho uma ideia – diz, esfregando as mãos. – Mas, antes, quero consultar os teus dados para saber se eles a aprovam. O que achas?

– Não acho coisa alguma. Meus dados são mágicos! Nunca erram!

– Pois bem – diz Tino, antes de fechar os olhos, concentrando-se na questão, enquanto sacode os dados dentro das mãos fechadas em concha.

– Que queres saber? – indaga Pirralho.

– Não me interrompas. Primeiro faço a pergunta, em silêncio, logo te dou a resposta – diz, voltando a fechar os olhos, murmurando algo como se rezasse.

Joga os dados, que saltitam sobre a mesa, tilintando contra a xícara de café até caírem inertes, respondendo com o número seis e a cor amarela à velada questão de Tino.

– Aprovado! Mas com cautela – interpreta Pirralho, erguendo as sobrancelhas.

Capítulo 26

Refugiada na cozinha, Perpétua ouve os gritos que ecoam pelos cômodos e corredores vazios do palacete. Como a situação pôde chegar a esse ponto? Dodora sempre foi turrona, mas não deixava de ser doce, meiga, querida por todos. Nessa casa, contudo, tornou-se rebelde, desafiava a autoridade dos pais, não dava ouvidos a ninguém, com exceção de dona Eufrásia. Agora, na sala de música, engalfinha-se com a mãe numa disputa em que os berros se sobrepõem à razão. Meu Deus, questiona-se Perpétua, onde foi que o barão errou? Onde foi que dona Ana Maria falhou na educação de Dodora? Sempre fizeram tudo pela menina. Desde pequena teve tudo o que o dinheiro pode comprar. Nada lhe faltou. Talvez seja culpa dessa vida na França. País esquisito. Más influências de colegas, livros, ideias modernas demais. Quiçá seja o excesso de diversão, muito teatro, muitos concertos, enfim, essa vida na qual dona Eufrásia introduziu a menina. No Brasil, as moças não desrespeitam seus pais desse modo. Brigas, desacatos, imagine se uma filha pode levantar a voz contra a mãe… Dodora, a quem Perpétua ensinara a rezar, ajoelhando-se ao lado da cama antes de dormir, parece, agora, endemoniada. Sobretudo quando enfrenta os pais. Depois, quando Perpétua a encontra no quarto, a menina chora, vexada, fazendo promessas de revanche, dizendo que os pais verão do que ela será capaz.

"Então eu tenho idade para casar, mas não tenho idade para cuidar da minha própria vida... É isso?!", escuta Perpétua, acuada na cozinha, sem coragem de ir à sala de música, julgando que não lhe cabe intrometer-se naquela discussão entre mãe e filha. Se, pelo menos, Jovelino estivesse ali... mas foi à usina com o barão, só voltará mais tarde. E quando voltar, então, o céu desabará na rua de Bassano. Se, com a mãe, Dodora já não tem mais freios, imagine com o pai, de quem a menina se mantém afastada desde daquele rompante do patrão. Aquela bofetada despropositada, que botou tudo a perder, como se naquele instante Dodora houvesse morrido, permitindo que um espírito ruim tomasse conta do seu corpo. Não que ela, Perpétua, seja vítima daquela mudança. Pelo contrário, quanto mais a menina se desentende com os pais, mais consolo ela busca na criada, que, se não aprova as suas ideias, pelo menos não as critica. Agora, Perpétua sente-se no meio do fogo cruzado. Não gosta de ver a menina contrariada, mas sabe que dona Ana Maria não está errada. A Dodora já aconselhou centenas, milhares de vezes que seja paciente, que aja com moderação para dobrar os pais, alcançando o que quiser sem conflitos. Mas a situação parece ter chegado a um impasse. Como quando Dodora fez dez anos. Ainda moravam na Corte, no palacete da rua Santa Isabel. O barão organizou um baile para celebrar o aniversário da filha. Dona Ana Maria encomendou vestidos de cetim para ela e para a aniversariante. Dois vestidos cor-de-rosa, com anquinhas, corpete decotado em coração, mangas curtas, bufantes, enfim, duas peças idênticas, diferentes só no tamanho. Na última hora, porém, Dodora se recusou a usar uma roupa igual à da mãe. Queria vestir-se sozinha. Não queria formar um "par de jarros", disse. Preferia ficar à vontade, com um vestido azul, mais velho, mais confortável. Dona Ana Maria insistiu na roupa nova, em vão. Dodora se trancou no quarto, recusando-se a abrir a porta. Disse que não queria mais festa nenhuma. Ou usava o vestido que escolhera ou nunca mais sairia do quarto. Dona Ana Maria esmurrou a porta, gritou, chorou, até que cedeu, sob a intervenção do barão. Dodora demonstrou a sua força. Pela primeira vez, aos dez anos, venceu a mãe. Uma amostra do que Ana Maria enfrentaria nos anos seguintes, quando Dodora atravessou a puberdade e a adolescência, somando à obstinação inata a tempestade das transformações hormonais. É uma Lopes Carvalho, costuma dizer o patrão, com um meneio de cabeça, sinalizando uma certa preocupação misturada com uma ponta de orgulho.

De repente, o silêncio. Perpétua não ouve mais nada. Parece haver um intervalo no concerto discordante que se executa na sala de música. Um intervalo que, em vez de sossegar o seu coração, deixa-a ainda mais angustiada. Um silêncio denso, sufocante, que não cede espaço para o ar. Ninguém respira. Quiçá o barão tenha chegado, pensa, estranhando que ele e Jovelino tenham voltado tão cedo. Quiçá Dodora tenha subido para o quarto. Que sufoco, que vontade de pegar uma faca e rasgar aquele silêncio, saber o que está acontecendo, fazer alguma coisa para trazer a paz de volta à casa. Atenta, ouve passos que se aproximam da cozinha. Jovelino? Não. Yvonne, que volta dos quartos, onde foi recolher a roupa de cama.

– *Ça va barder...* – diz a francesa, apontando com um gesto de cabeça a sala de música.

– O barão chegou? – pergunta Perpétua, sem entender o que a francesa dizia.

– *Oui, le baron* – responde Yvonne, saindo da cozinha com a trouxa de lençóis.

Com a mão sobre o peito, Perpétua caminha na ponta dos pés pelo corredor que leva à frente do palacete. A meio caminho para, esticando o pescoço para escutar melhor. Ao longe, ouve a voz do barão, conversando, provavelmente, com a patroa. Perpétua apruma-se, alisa o avental com as mãos, ajeita a touca e o coque amarrado na nuca. Pronta, respira fundo e avança rumo à sala. Sente a necessidade de ser útil, oferecer algum apoio.

– Com licença – diz, encontrando Ana Maria prostrada no sofá e o barão de pé, andando de um lado para o outro. – Café?

Sem uma palavra, com apenas um gesto de cabeça, Carvalho responde que sim, enquanto Ana Maria responde que não.

– Jovelino não voltou? – pergunta Perpétua, vacilante, já girando o corpo para voltar à cozinha.

– Não. Foi procurar Rodrigo – responde o barão, em tom seco, despachando a criada.

Depois, Carvalho deixa-se cair na poltrona, abaixa a cabeça, batendo o pé ritmicamente. Que diabos fez para merecer tudo isso? Os problemas com a Justiça, aquela visita inesperada na torrefação, a patifaria de Rodrigo e, agora, Dodora que, no ápice da insolência, ameaça sair de casa para morar com a prima Eufrásia. Carvalho tem a sensação de que seu barco afunda sob a força de vagas sucessivas, que crescem em volume sem lhe dar respiro. Sem boia, sem sequer uma tábua flutuante na qual possa se apoiar, afoga-se sob o peso das adversidades. Prioridades! Precisa priorizar as questões, enfrentando-as como as ondas, uma de cada vez. Não, para Dodora, agora não tem mais tempo. Que vá morar com a prima. Que vá morar onde bem entender. Que vá para o raio que a parta! Está farto de tudo isso. Talvez seja melhor assim. Que a filha os deixe em paz por uns tempos. Que fique sob a proteção de Eufrásia. De qualquer modo, Carvalho ainda não sabe o que fará da família caso seja extraditado. *Caso*, não! Tem mais chance de passar, ele mesmo, pelo buraco de uma agulha do que ganhar a causa no Conselho de Estado. Portanto, preferindo que a família não volte ao Brasil, não passe pelo dissabor daquele retorno humilhante, vexaminoso, Carvalho já decidiu que Ana Maria e Dodora ficarão em Paris. Duvida, por outro lado, que a mulher possa controlar a filha. Com o passar dos anos, à medida que Dodora crescia, Ana Maria perdeu sua autoridade, sua capacidade de reagir. Soubera educar os filhos mais velhos, que sempre a respeitaram, mas, depois, por cansaço ou inépcia, não conseguiu dominar a caçula, caturra e audaciosa, que desde a infância a desafia.

– Eu vou me deitar. Não sei mais o que fazer.... Não estou me sentindo bem – diz Ana Maria, levantando-se do sofá. – Alguma novidade do advogado? – pergunta, antes de sair da sala.

– Não. Precisamos estar preparados para o pior – responde Carvalho, mantendo o olhar fixo nos arabescos do tapete persa.

– Voltaremos contigo – diz Ana Maria, segurando a maçaneta da porta.

– Vá descansar. Mais tarde falaremos sobre isso. E sobre Dodora também.

Preparando-se para uma eventual partida, Carvalho já relativiza. Dodora, na verdade, é um problema menor diante da avalanche de revelações surpreendentes que o soterrou naquela manhã. Segunda-feira, primeiro dia de trabalho na usina, ainda não eram onze horas quando o vigia veio lhe anunciar a presença de um "senhor muito distinto" que o procurava. Carvalho estava na área da torrefação, acompanhando o trabalho dos empregados que retiravam dos fornos os primeiros quilos de café torrado, cujo aroma já permeava todo o edifício. Pediu ao vigia que o visitante esperasse dez minutos e, só então, fosse levado ao seu gabinete. A princípio, imaginou que se tratasse de alguém da prefeitura, um auxiliar qualquer que lhe trouxesse algum documento ou notificação, algo para ser assinado, selado e carimbado, enfim, a burocracia francesa que, como uma peste incontrolável, contaminara Portugal e o Brasil havia décadas.

Quando o visitante entrou em seu gabinete, Carvalho surpreendeu-se com a contradição entre as vestes e o homem dentro delas. Portando jaquetão, colete e gravata-borboleta, o homem, baixo, com longos bigodes, cabelos desgrenhados que se rebelavam sob a cartola, apresentou-se, com um forte sotaque português, como o barão de Monchique, empresário açoriano muito interessado em torrefação de café. Disse que conhecia bem o Brasil, o visitara no tempo do Império, tinha amigos na Corte, ou melhor, no Distrito Federal, como agora chamavam o Rio de Janeiro; conhecia outros fazendeiros do Vale, gente que vinha de Ibirapiranga, entrando em detalhes que deixavam o barão cada vez menos confortável com aquela conversa arrastada, aparentemente sem propósito, que fazia um rodeio para chegar onde Carvalho não podia sequer imaginar. Depois, o visitante disse que, em Paris, conhecera um rapaz brasileiro muito gentil, que, infelizmente, por inexperiência ou ingenuidade, acabara por se envolver em política, ou melhor, na militância anarquista, aquela barbaridade, aqueles atentados, imagine, senhor barão, quase um menino, sendo cooptado por uma gangue de facínoras que espalhava o terror pela cidade. E, por mais incrível que pudesse lhe parecer, o rapaz era seu conterrâneo. De Ibirapiranga!

– Tem nome esse rapaz? – perguntou Carvalho, oferecendo-lhe uma caixa de charutos aberta, tentando escamotear o seu interesse.

– Sim! Chama-se Sebastião. Sebastião Constantino do Rosário – disse o açoriano, servindo-se da caixa. – Mais conhecido entre os seus como Tino – completou, rolando o charuto entre os dedos.

Carvalho sentiu a pontada no peito que o nome, já esperado, lhe provocava. Sem dizer nada, balançou a cabeça concordando, dando espaço para que o visitante avançasse na sua argumentação.

– Lamentavelmente – continuou o homem, percebendo a respiração ofegante do seu interlocutor –, esse Tino foi condenado à morte, tão novo, por cumplicidade num ataque anarquista. Por sorte, escapou miraculosamente da guilhotina, e da prisão. Agora, anda por aí, à solta, procurado pela polícia e, pelo que bem entendo, pelo senhor barão também...

– Quanto? – perguntou Carvalho, quebrando o decoro daquela conversa fiada, entre a chantagem e a corrupção, que ele tantas vezes ouvira de bocas diferentes em situações diversas.

– Nem um centavo, senhor barão – respondeu o outro, sorrindo, com o charuto agarrado entre os dentes. – A sua pergunta, na verdade, ofende-me. De qualquer modo, não posso culpá-lo. Digamos que me ofende involuntariamente, por ignorância. Sebastião Constantino do Rosário não está à venda. E mesmo que o estivesse, não seria eu o mensageiro de tal ignomínia – disse, observando em Carvalho a mandíbula cerrada que lhe alargava o maxilar, revelando uma tensão insuportável entre a curiosidade e a cautela. – O mais interessante – continuou –, quem sabe, uma dúvida que jamais passou pela cabeça do senhor barão, seria saber por que esse rapaz trocou a vida bucólica de Ibirapiranga pelo rebuliço parisiense.

Carvalho respirou fundo, sem dizer palavra, erguendo apenas uma sobrancelha.

– Não, senhor barão, não foi em busca de aventuras, e tampouco dinheiro ou mulheres. Tino refugiou-se na França porque, em Ibirapiranga, sentia que sua vida corria perigo. A verdade é que o seu *amigo*, se assim mo permite o barão, não se tornou foragido da Justiça quando chegou a Paris. Já o era no Brasil! Com uma diferença, no entanto, crucial. Fugia da Justiça brasileira por ser acusado de um crime que não cometeu. Com certeza, eu não preciso lhe falar sobre a dor e o sentimento de impotência que afligem um homem injustiçado pelas infernais maquinações da lei. O senhor barão sabe muito bem do que eu estou a falar... Um processo por estelionato, a fuga para Paris e o pedido de extradição... Imagino que a situação do senhor barão não seja das mais confortáveis...

– Eu ainda não percebo aonde o barão.... Perdão, como se chama?

– De Monchique! – respondeu, acendendo o charuto.

– Sim. Eu ainda não percebo aonde o barão de Monchique quer chegar – disse Carvalho, cruzando os braços, apoiando as costas no espaldar da cadeira.

– Paciência, senhor barão. Já estamos a chegar. Mas, antes, observe com que ironia o destino nos brinda. Se não lhe é possível desfazer a arbitrariedade que lhe foi cometida, sendo condenado, segundo nos consta, por lesar milhares de acionistas da sua empresa, eu posso, por outro lado, ajudá-lo a evitar a extradição! Como duas mãos que se lavam, temos a possibilidade de fazer justiça para Sebastião Constantino do Rosário e, ao mesmo tempo, podarmos os excessos da sua condenação. Para isso, basta-nos uma carta. Uma singela carta, que não passe de uma página, escrita com clareza e assinada embaixo.

– E o que se diria nessa carta? – perguntou Carvalho, sentindo-se agora mais confuso do que curioso.

– O senhor não diria nada. Rodrigo, seu filho, diria tudo. Contaria, tim-tim por tintim, como ofereceu a Leocádia Fragoso do Amaral que fugisse de Ibirapiranga para evitar que os dois se casassem. Contaria como organizou a viagem de Leocádia para Paris, pagando-lhe todas as despesas. Enfim, declararia a todos os interessados a inocência de Sebastião Constantino do Rosário no desaparecimento da miúda – concluiu, soltando uma baforada do charuto.

– Isso é um absurdo – desdenhou Carvalho.

– Um absurdo, realmente... mas, em se comprovando a veracidade dos fatos, numa conversa casual com o seu próprio filho, o senhor barão verá que só tem a ganhar. De posse dessa carta, nosso amigo Tino poderá, enfim, entregar-se às autoridades francesas, pronto para ser extraditado no lugar do senhor barão. Depois, caberia ao senhor a negociação, o quanto antes, com a

Justiça francesa. Tino tem as malas prontas para partir – completou o barão de Monchique, esquadrinhando a mesa em busca de um cinzeiro.

– Admitindo que tudo isso que o senhor me conta seja verdade... – disse Carvalho, empurrando-lhe um cinzeiro de prata. – Onde está Leocádia? Afinal, pelo que sei, até hoje não se tem notícias dela em Ibirapiranga.

– No cemitério de Montmartre, senhor barão – respondeu o português, batendo as cinzas do charuto.

Alguém bate à porta da sala de música, Carvalho responde que entre. Jovelino e Perpétua entram juntos, pedindo licença, desculpas, ele pela demora, ela pelo atraso do café. Escusa dizer que tardaram porque estavam na cozinha, atualizando um ao outro sobre os últimos acontecimentos, aqui e lá, em casa e na usina.

– Falei com Rodrigo – diz Jovelino. – Estava no banho. Mandou dizer que vai chegar aqui por volta das três da tarde – completa, antes de voltar a pedir licença, saindo da sala com Perpétua, que deixou a bandeja de café sob o abajur, ao lado do patrão.

Rodrigo. Como pôde ter um filho assim? Em que momento da vida Carvalho começou a perceber a má índole do garoto, a tendência para a preguiça, a desonestidade, a afetação? Em que momento da vida Carvalho perdeu a esperança de que o filho pudesse honrar o nome e a tradição da família Lopes Carvalho? Não se lembra. Mas sente que é coisa antiga. Que não é de agora. Que o desgosto com o filho começara antes mesmo da morte de Tonico. Portanto, não é porque Rodrigo não foi capaz de substituir o irmão à altura que Carvalho o despreza. Não, isso não seria justo. As pessoas são diferentes, nascem com naturezas distintas, com inclinações que, talvez, sejam incorrigíveis pela educação. Aí estão os criminosos para prová-lo. A sociedade os mete na cadeia e eles saem pior do que quando entraram. Salve a França, onde a pena de morte dá cabo dos elementos inúteis e nocivos à nação. No Brasil, deixaram-se levar pelas pieguices humanitárias do imperador, que comutava todas as sentenças de morte. Uma negligência imperdoável continuada, lamentavelmente, pelos republicanos. Sim, no caso de Rodrigo, há, seguramente, tendências inatas no seu comportamento transviado. Confirmando-se as revelações da manhã, não lhe caberá, contudo, a pena de morte. Merece outra, que, na opinião de Carvalho, será mais adequada. O banimento perpétuo do seio familiar. O expurgo do órgão canceroso daquele corpo adoentado. Que, definitivamente, a família se livre daquele que, até agora, só tem lhe trazido desgostos. Desde, pelo menos, os doze anos... Lembra-se Carvalho, achando que, talvez, tenha identificado uma data no horizonte do passado, para marcar, definitivamente, onde começou o desvio moral de Rodrigo. Foi quando roubou as joias da mãe para comprar um cavalo. Tonico, mais velho, já tinha o seu, presente do pai pelo seu aniversário de quinze anos. Um belo campolina, castanho-claro, que o filho montava para passear entre o Catete e Botafogo, quando não entrava pela rua São Clemente, indo até o Jardim Botânico. Rodrigo, por sua vez, não quis esperar. Queria um cavalo para acompanhar o irmão nas suas cavalgadas. Insistiu, mas o pai não cedeu. Ganharia o seu animal quando fizesse quinze anos, como o irmão. Carvalho era justo, imparcial, tratava todos os filhos do mesmo modo. Se presenteasse Rodrigo com um cavalo aos doze anos, estaria sendo injusto com Tonico, que soubera esperar sem se tornar impertinente. Ignorando a decisão do pai, Rodrigo encontrou uma solução: roubou braceletes e colares de Ana Maria, vendidos por uma pechincha, sabe Deus a quem, na rua do Ouvidor. Mais tarde, chegou em casa montado, apresentando a Jovelino o Pégaso, um pangaré de orelhas caídas, barrigudo e desferrado. Interrogado pelo pai, Rodrigo não titubeou: ganhara o cavalo de um amigo. Que amigo? Um amigo! Após meia hora de perguntas sem respostas convincentes, o interrogatório foi suspenso pelo grito de Ana Maria, que dera pela falta das joias na primeira gaveta do seu toucador. Na manhã seguinte, o pior: o dono de Cascudo, verdadeiro nome do pangaré, apareceu para reclamar o animal, roubado havia dias de sua casa na praia Formosa. Aquela foi, pelo que Carvalho pode se lembrar, a primeira vez em que Rodrigo passou das medidas. Evidenciava, através da sua atitude, um desvio de caráter, uma falha moral, que, então, Carvalho ainda tinha esperanças de corrigir. Em vão, suspira o barão, girando o corpo para servir-se do café trazido por Perpétua. Malgrado seu natural pessimismo, o salafrário saiu-lhe pior do que ele esperava. Agora, uma vez mais, caso se confirme o que ouviu naquela manhã, Rodrigo cruzou definitivamente a linha. Manchou o nome da família, não mais como um menino traquinas, que só lhes dava prejuízos materiais, mas como um cafajeste na idade adulta, plenamente consciente da sordidez do seu ato. Um biltre, safado, filho da puta, no sentido figurado da expressão. De uma vez por todas, será posto para fora a pontapés. Não do palacete, onde há muito não pisa, mas de toda a família. Será sumariamente deserdado, perdendo, inclusive, a sua parte na herança.

Antes, porém, a carta. Antes da punição que aliene Rodrigo de todo e qualquer contato com a família, Carvalho necessita da carta. Precisa ouvir em primeira mão a confissão. Que o pulha lhe diga a verdade. O que fez com Leocádia? Abandonou a menina em Paris? Que tudo seja confessado e registrado em carta a ser enviada a Ibirapiranga. É o preço que Carvalho está disposto a pagar. A desonra da família pela possibilidade, ainda que remota, de se livrar da extradição.

Levantando-se da poltrona, o barão vai à janela sobre o jardim dos fundos do palacete. Com a cabeça encostada no batente, respira fundo, embaçando o vidro, sentindo um descompasso no coração. Precisa se acalmar, a situação é delicada. Rodrigo poderá se recusar a escrever a carta. A negociação poderá levar tempo, quando tempo é tudo do que ele não dispõe.

Nova batida à porta, novas desculpas de Jovelino. Rodrigo chegará a qualquer momento. O barão o receberá aqui mesmo ou no seu escritório?

– Que espere quinze minutos. Depois, leve-o ao escritório – responde, afastando-se da janela, tateando com mãos trêmulas os bolsos da calça, procurando o seu estojo de cigarros.

Quinze minutos, pensa, caminhando pelo largo corredor, rumo à ala norte do palacete, que abriga a biblioteca e, ao lado, o seu escritório. É o tempo que o barão precisa para se acalmar, respirar fundo, preparar-se para aquela contenda que o colocará frente a frente com o homem, o mau caráter, o filho desgraçado, que, agora, tem em mãos a chave do seu destino.

Rodrigo bate de leve à porta, girando a maçaneta sem esperar pela resposta. Entra no escritório, dá boa-tarde ao pai, com um olhar distante, desinteressado.

– O senhor mandou me chamar?

– Precisamos conversar. Senta-te – diz, apontando com um gesto de cabeça uma poltrona diante da sua escrivaninha.

Rodrigo se senta, puxando as pernas da calça, revelando meias verdes que combinam com a sua gravata. Carvalho aspira um trago do cigarro encarando o filho, que, salvo a pele bexiguenta, parece-se cada vez mais com Ana Maria. Os mesmos olhos fundos, o mesmo nariz adunco e os mesmos fios de cabelos brancos, precoces, que lhe surgem nas têmporas. É lamentável que seu nêmesis possa ter herdado tantos traços da mulher honrada que ajudou Carvalho a fundar aquela família. Quanto investimento, quanto esforço para dar continuidade a uma estirpe única de grandes homens, fulminada por esse merda à sua frente.

Capítulo 27

Um jardineiro rega o canteiro de flores com uma mangueira que termina num cano de aproximadamente quarenta centímetros de comprimento. Usando um longo avental e um chapéu palheta que o protege do sol, o homem parece trabalhar com prazer, quiçá assoviando uma modinha, molhando aqui e ali as plantas sedentas numa quente tarde de verão, numa cidade qualquer, no interior da França. De repente, um moleque aparece, louro como um anjo endiabrado e, sem que o homem se dê conta, pisa na mangueira interrompendo a saída da água. Intrigado, o jardineiro sacode a mangueira, apontando-a para o seu próprio rosto, mirando dentro do cano, como se procurasse algo. O moleque, então, levanta o pé da mangueira, fazendo com que o jorro d'água atinja em cheio a cara do jardineiro.

A sala explode numa cacofonia de risadas, misturada à música que se acelera, enquanto o jardineiro corre atrás do moleque para puni-lo com palmadas. Só Tino não ri. A cena, admite, é engraçada, mas ele não consegue se concentrar nas imagens projetadas naquele pano branco, a última novidade de Paris, o cinematógrafo. Há semanas ouvia falar do sucesso da nova diversão atraindo gente de toda a parte, operários, comerciárias, funcionários públicos, que formam filas no bulevar des Capucines para assistir àquelas fotografias em movimento, apresentadas no subsolo do Grand Café. Enquanto as gargalhadas esmorecem, ecoadas por um último riso frouxo, e um espectador mais incrédulo certifica-se de que, realmente, não há atores atrás da tela, Tino se esforça para prestar atenção. Deixando-se levar pela curiosidade, tenta esquecer que, naquele instante, do outro lado da cidade, Pirralho põe em execução o plano que poderá recolocar a sua vida nos trilhos.

Agora, numa estação qualquer, os passageiros esperam pela chegada do trem que, ao longe, desponta na tela. Com a câmera posicionada paralelamente à estrada de ferro, o cinegrafista foca a locomotiva que se aproxima em direção aos espectadores. Trezentos, duzentos, cem metros e, num só movimento, todo o público sentado mais à frente se levanta, correndo pelas laterais da sala, como se a locomotiva o fosse atropelar. Hesitante, Tino se ergue da cadeira, mas, percebendo que o trem some pela parede sem machucar ninguém, volta a se sentar, achando, agora sim, graça dos outros espectadores. É o último filme da sessão, que durou pouco mais de quinze minutos, recheada de assombro e diversão, ao custo de um franco.

Pena que as sequências sejam tão curtas, pensa Tino, de volta ao bulevar des Capucines, varrido por um vento gélido que faz as pessoas andarem apressadas, curvadas, com o nariz metido em seus agasalhos. Tino enrola o cachecol no pescoço, acende um cigarro, caminhando em direção ao Rat Mort, onde deverá esperar pela volta de Pirralho. Se tudo houver corrido dentro do previsto, em breve Tino terá a sua carta de alforria. Ironicamente, estará livre para ser preso. Livre para se apresentar à polícia, confiante na sua extradição para o Brasil. Absurdamente, a ele coube o ônus da prova da sua inocência. Não cometeu crime algum, não tem mais nada a temer. Por obra do acaso, trabalhou na construção da usina de torrefação do barão de Lopes Carvalho, pai de um tal Rodrigo, que deveria ter se casado com Leocádia, princesinha de Ibirapiranga, morta num cortiço em Paris. Essa será a etapa mais difícil da sua volta. Se Rodrigo ainda não tem conhecimento da morte de Leocádia, acabará por sabê-lo pelo pai, informado, por sua vez, por Pirralho. Rodrigo, porém, não tem obrigação de ir tão longe nas suas revelações. Basta que confesse a sua iniciativa em ajudar Leocádia a fugir de Ibirapiranga. Obviamente, não estará interessado em assumir voluntariamente a responsabilidade indireta pela morte da filha do barão de Jaguaraçu. Afinal, a desgraça de Leocádia, levando aquela vida miserável, solitária, boiando em morfina, não foi mais do que o epílogo da tragédia começada havia anos no Vale, com um plano estapafúrdio para que dois filhos da aristocracia local se esquivassem de um casamento forçado, que perdoaria as dívidas de um pai, satisfazendo a ganância de outro. Mas Rodrigo não verá as coisas dessa maneira. Se aceitar escrever a carta, do que ainda não se tem garantia alguma, o fará, com certeza, da maneira mais sucinta possível. Forçado pelas circunstâncias, pela ânsia do pai em evitar a extradição, Rodrigo reconhecerá em três linhas a sua participação ativa naquela desventura juvenil, sem fornecer detalhes sobre as suas graves consequências. Caberá a Tino revelar, perante o barão de Jaguaraçu e sua família, que fim levou Leocádia Fragoso do Amaral. E agora? Onde está a menina? Se ele acaba de chegar de Paris, protegido por aquela carta que o inocenta através da assumida infâmia de Rodrigo Lopes Carvalho, ele bem lhes poderá dizer onde, afinal, está Leocádia! Morta, revelará Tino, entregando-lhes um relatório da polícia, um laudo da necrópsia ou simplesmente uma certidão de óbito. Ali não haverá carta que o salve. Independentemente da sua inocência, Tino, por tantos anos caluniado, praguejado por aquela gente, reaparecerá então como o imaculado e maldito mensageiro da desgraça. Sim, aquela será a parte mais difícil, em que Tino se sente arrolado entre os personagens de uma tragédia que não é a sua ou, pelo menos, jamais deveria ter sido.

Enfim, anseia pela volta, pela possibilidade de ser ele mesmo, sem disfarces, sem manobras. Habituou-se à vida em Paris, chegando a acreditar nas suas próprias mentiras. De tanto repeti-lo, tornou-se Louis Bardet. Agora, no entanto, quer testar-se no Brasil, voltar a ser o que era na cidade onde nasceu. A última carta que recebeu de Ibirapiranga não lhe trazia boas notícias. Noêmia andava doente. Dizia que um médico, em visita ao patrão, a examinara, apalpara, encostara o ouvido sobre o seu peito sem chegar à conclusão alguma. Sentia-se frequentemente cansada, com dores na perna mais curta. O médico disse-lhe que repousasse, mas a paciente não o escutava. Tinha muito o que fazer na casa, na plantação. O patrão, viúvo, não tinha quem o ajudasse no roçado. No final da tarde, quando dava por encerrado os trabalhos domésticos, Noêmia descia as escadas do solar, arrastando o seu passo lento e claudicante, para apanhar a enxada. Até o anoitecer trabalhava na horta, expurgando as ervas daninhas que cresciam entre as fileiras de feijão, couve e abóbora. O patrão não tinha dinheiro, nunca lhe pagara um centavo, mas era daquela horta, nas terras dele, que ela colhia o que comer. Por isso, não poderia abandoná-lo, descansando no seu canto, na antiga senzala, enquanto o homem trabalhava a terra para lhe encher a barriga. Não, senhor. De certo modo, pensa Tino, Noêmia, que se deixava escravizar a troco da sua sobrevivência, herdara as virtudes do padre Lalanne. Uma fé inquebrantável em Deus e nas bênçãos que Dele recebia quem vivia com a dignidade de um trabalho honesto e honrado.

— O homem, obra de Deus, realiza-se através da sua própria obra — dizia Lalanne.

— A mulher também! — emendava Noêmia, sendo ignorada pelo padre.

Se Lalanne partiu, deixando em Tino o vazio daquele pai postiço, que lhe dera uma educação rigorosa, mas cheia de cuidados, em que Tino aprendera de tudo um pouco, sempre em francês, Noêmia, por sua vez, não lhe faltará. Estará lá, com certeza, abrindo aquele sorriso franco num rosto redondo, iluminado pelos olhos vivos e curiosos, que se esbugalhavam para contar a Tino as histórias da sua infância. Histórias da mula sem cabeça, a mulher do padre, que fora castigada pelos Céus por ter tentado um servo do senhor, sendo transformada em besta maldita, cuspindo fogo pelo pescoço decepado, correndo à noite por sete freguesias. Tino a abraçava, então, temendo que Deus a transformasse também em mula.

— Deixa de asneiras, menino. Onde já se viu? E tu achas que eu sou mulher de padre? — perguntava, rindo, sapecando-lhe beijos no rosto.

Voltar a Ibirapiranga, recomeçar a vida na cidade, no Vale; brincar na Folia de Reis, nas festas de Santo Antônio e São João; sentir a modorra do tempo, parado em pleno ar, nas longas tardes de verão, antes que um temporal desabe, despertando a vida, lavando a alma, emanando do chão o aroma da terra molhada; reencontrar Torresmo e quem mais ainda morar em

Ibirapiranga; contar-lhes tudo o que viu, ouviu e aprendeu em Paris, aquela cidade onde as ruas fervilham com milhares de pessoas, cavalos, bicicletas, carros, ônibus e até automóveis! Onde não há barões, senhores da terra, mas capitalistas, senhores das máquinas; onde não há escravos, mas operários, que se organizam constantemente em luta por salários mais justos, jornadas menos longas, melhores condições de vida. Onde os mais radicais prenunciam o dia da redenção dos oprimidos, quando o mundo se transformará pela união do proletariado contra a cobiça, a exploração perpetrada pela burguesia. Enquanto aquele dia não chegar, conspiram, maquinam, plantam as sementes da revolução com bananas de dinamite. Ele mesmo, Tino, tomou parte naquilo. Jura por Deus, por aqueles olhos que os vermes de Ibirapiranga hão de comer. Foi um anarquista. Anarcoquê?, perguntará Torresmo, cruzando os braços, desdenhando das histórias do amigo.

    Daquilo e tudo o mais, Tino sentirá falta. Agora que a ideia da volta se faz presente, dominando furtivamente todo o seu espírito, dá-se conta de tudo o que abrirá mão, de tudo o que tem a perder. De repente, sente uma saudade prévia de Paris, de Pirralho e das noites em que tocaram juntos no Rat Mort. De Dolores, que partiu sem lhe dar notícias. Das caminhadas que fazia até as obras da basílica do Sacré-Coeur para admirar Paris à noite, estendendo-se por quilômetros em todas as direções, numa teia de luzes que acendia as nuvens mais baixas como globos iluminados. Depois, tenta se recompor, corrigir-se. Goza e sofre por antecipação, sem que nada ainda esteja confirmado. Não quer, como na fita do cinematógrafo, ser surpreendido pela ilusão, pelo que parece real, tão próximo e visível, quando não passa de imagem evanescente, como essas, de alegria e tristeza, que agora se projetam em sua mente. Precisa estar atento, desperto, olhando para todos os lados, antes que alguém o denuncie, que algo imprevisto aconteça e ele acabe preso novamente, sem a carta, sendo extraditado e jogado às feras em Ibirapiranga, pensa, entrando no Rat Mort, vazio a essa hora, fora um ou outro freguês que passa a tarde lendo jornal, aquecendo o corpo, bebericando um único café.

    – Salve! – diz Pirralho, sentado ao fundo da sala, diante de um copo de conhaque. – Pensei que não vinhas mais.

Tino tira o chapéu, desenrola o cachecol, despe o casaco, sentando-se à frente de Pirralho. Sente a garganta apertada, travando a pergunta que, presa no peito, faz-lhe o coração martelar descompassado.

– Estamos na reta final – anuncia Pirralho, percebendo a angústia de Tino. – É melhor pedir uma dose para ti – diz, erguendo a taça de conhaque.

Rodrigo fecha a porta, desce as escadas, deixando para trás o palacete da rua de Bassano. As ideias se amontoam em sua cabeça sem lhe dar tempo de organizá-las. Disputam espaço e prioridade na cadeia do seu pensamento, sem que ele possa impor a sua autoridade, estabelecer uma ordem. No que pensar primeiro? Na causa ou na consequência? Afinal, qual é a causa e qual é a consequência? E do quê? Os últimos anos da sua vida parecem ter chegado a um clímax, onde um problema soluciona outro, desde que ele esteja disposto a fazer uma concessão. Nada grave. Uma concessão simbólica que, melhor avaliada, talvez não faça diferença alguma em sua vida. A primeira questão, agora, é entender como o pai o soube. Sim, pode começar por ali. Quem o informou a respeito de Leocádia? Como a puta, que o chantageava há meses, pôde contar ao barão a sua história? Por que teria feito isso, se era regularmente paga? E por que, só agora, quando a chantagista já está morta, o pai o chamou? Isso não faz sentido. A não ser que o barão tenha sido posto a par de tudo após a sua morte... Quem sabe Leocádia tenha deixado instruções com alguém. Se algo lhe acontecesse, o barão de Lopes Carvalho deveria ser informado de todo aquele melodrama... Vagabunda! Deveria a ter matado ele mesmo. Durante nove anos infernizou a sua vida com lamúrias, ameaças e, por fim, a chantagem. Agora, depois de morta, volta a lhe atormentar a existência. É o cumprimento póstumo da sua eterna ameaça: revelar ao barão o plano concebido e executado por Rodrigo para que ela fugisse de Ibirapiranga. E o que quer o pai, tão pesaroso, tão "mortificado por aquela infâmia", diz ele, que deslustra toda a história de duas famílias honradas em Ibirapiranga? Uma carta. Seu único e singelo pedido. Uma carta de poucas linhas, que resuma um folhetim de mil páginas. Uma carta na qual Rodrigo revele toda a história de Leocádia para a família do barão de Jaguaraçu. Analisando friamente, que consequências poderá ter tal carta? Se Rodrigo a escrever, será prudente que passe alguns anos sem voltar a Ibirapiranga. Particularmente, não lhe parece uma grande perda. Há anos não pisa no Vale do Paraíba. Se para lá nunca mais voltasse, não teria do que se lamentar. Para o barão, contudo, a confissão do filho terá consequências mais pesadas, bem que, francamente, psicológicas, avalia Rodrigo. A carta, em primeiro lugar, livrará o pai da extradição. Usando-a como moeda de troca, o barão poderá passar o resto dos seus dias na Europa, permitindo-se obliterar aquele rincão abandonado no fundo do Vale. Perderá a história, a honra, o glorioso passado da sua dinastia, mas, em contrapartida, ganhará um futuro de liberdade no melhor lugar do mundo – Paris! Depois, mesmo pagando o preço que Rodrigo pede pela carta, ainda terá muito com o que viver os últimos anos da sua vida sem se preocupar com dinheiro. O preço? Coisa pouca. Algo que, finalmente, proporcione a Rodrigo uma fonte permanente de renda, sem jamais voltar a depender do pai. Em troca da carta, Rodrigo lhe pede a usina de torrefação do Café Carvalho. Daquela forma, abre mão do seu quinhão na herança do pai, trocando-o pelo controle total da torrefação que garantirá o seu futuro na França. Da herança, perde o capital acumulado pelo barão, os imóveis que restam no Rio de Janeiro e as terras desvalorizadas de Ibirapiranga, onde, em se plantando, nada mais dá.

– És um crápula! – disse Carvalho, apoiando-se na bengala para se levantar. – Não tens competência para administrar uma quitanda, quanto mais uma torrefação de café dessas proporções – continuou, caminhando para a janela, sentindo na mão direita a frieza do castão da bengala.

– Pouco importa. Para isso há administradores, gente capaz, que fará o serviço sem que eu precise estar presente. O senhor mesmo não planejava trabalhar...

– E o mais triste nessa história – emendou Carvalho, sem escutar o filho – é que eu não me surpreendo. Partindo de ti, Rodrigo, nada mais me choca, nada mais me espanta. Mesmo quando chegas ao píncaro da vileza, ou melhor dizendo, à mais profunda lama, chantageando o teu próprio pai, nem isso, imagina, nem isso me espanta!

– De modo algum! Não estou chantageando ninguém. Fazemos simplesmente uma troca de favores, negócio de família. O senhor me pede que eu me desonre diante de toda a população de Ibirapiranga para que o senhor escape das consequências das suas próprias falcatruas! Logo, o senhor precisa considerar a minha situação: faço a carta e nunca mais ponho os pés no Brasil. Ótimo! Mas e depois? Como é que eu vou me manter na França? – perguntou Rodrigo, olhando para a silhueta do pai na contraluz da janela. – Preciso de um negócio, um empreendimento, uma fonte de renda com a qual eu possa levar uma vida digna em Paris, uma cidade cara, onde não se pode ter um cavalo no Bois de Boulogne por menos de mil francos por mês.

Carvalho voltou a se sentar, tentando analisar com frieza a exigência do filho. Com as mãos cruzadas e os cotovelos apoiados sobre a escrivaninha, ergueu os indicadores unidos, pousando-os sobre os lábios. Era como se pedisse silêncio simultaneamente a Rodrigo e a si mesmo. Precisava meditar, engolir e digerir o discurso do filho, sua proposta imoral, baseada num jogo de interesses sórdidos, em que Rodrigo afetava a perda de uma honra que nunca tivera. Pedia-lhe, sem pudor algum, que Carvalho abrisse mão daquilo que até então o mantivera vivo. O projeto, o sonho, a construção da maior torrefação de café da Europa, coroando sete décadas de arrojo, trabalho e perseverança da família Lopes Carvalho. Agora que a usina estava pronta, que o aroma de café torrado dominava as ruas de Levallois-Perret, Carvalho era posto, por seu próprio filho, diante de uma encruzilhada deserta, no meio da noite, sem uma lanterna sequer. A bolsa ou a vida! A torrefação ou a extradição! A escolha era sua. Se não atendesse à exigência de Rodrigo, não teria a carta e, consequentemente, o seu processo, que já estava a meio caminho, cruzaria inexoravelmente a linha de chegada. Se, por outro lado, entrasse em acordo com Rodrigo, teria a carta com a qual compraria Sebastião Constantino do Rosário, seu fugidio bode expiatório, à espera da prisão. Suas chances de suspender a sua própria extradição aumentariam consideravelmente, embora não houvesse garantias. A vida era um cassino. Se abandonasse a mesa, reconheceria a derrota. Se insistisse na aposta, colocaria em jogo a última e mais valiosa de todas as suas fichas. Aquela que, no jogo da vida, Carvalho

considerava a ficha sagrada, que deveria ser preservada como uma relíquia no panteão dos Lopes Carvalho. Ali, sobre o veludo verde que forrava a mesa da roleta, ele colocaria em risco tudo pelo qual havia vivido naqueles últimos anos. Pior: mesmo ganhando a liberdade, perderia a ficha. Nunca ganharia mais do que um prêmio de consolação: a serena vida de um aposentado em Paris, que dormiria com tranquilidade, que passearia no Bois de Boulogne e no parque Monceau, que se submeteria às vontades da mulher, como um velho resignado. Um velho que poderia passar o resto dos seus dias repousando sobre os louros do passado, sem jamais temer a prisão no Brasil. A bolsa ou a vida! A vida. Ou o que sobrasse dela.

Capítulo 28

A locomotiva solta um longo apito, anunciando sua chegada a Vassouras. Tino desperta, percebendo que a paisagem de árvores, pastos e descampados desacelera à medida que o trem se aproxima da estação. Em pouco menos de uma hora estará em Entre-Rios. De lá, mais três horas em lombo de mula, chegará, enfim, a Ibirapiranga.

Três meses se passaram desde que se entregara à polícia em Paris, numa fria tarde de março, coberta por um céu de chumbo que pressagiava o pior. Por algum tempo chegou a pensar que cometera o maior e derradeiro erro da sua vida. Nada se passou como fora planejado. Primeiro, enfrentou a desconfiança do comissário Babel.

– Não me venhas com artimanhas, que eu te parto a cara! – ameaçou, quando Tino foi levado à sua sala pelo ordenança.

Depois, sua "recaptura" gerou debates entre os políticos. À direita, celebrava-se a prisão do anarquista atabalhoado, dinamitista incompetente, que perdera um dos seus camaradas, um cúmplice, no atentado à igreja da Madalena. Que fosse extraditado para o Brasil, urgentemente, para que a França pudesse receber e punir aquele que mal maior fizera, Paul Reclus, o anarquista francês, suspeito de envolvimento no assassinato do presidente Sadi-Carnot.

À esquerda, lamentavam que Tino fosse o extraditado, substituindo o barão de Lopes Carvalho. Alegavam que, dissimuladamente, a França dava cobertura a um escroque condenado pela Justiça brasileira que levava uma vida nababesca em Paris às custas dos incautos, ingênuos acionistas das suas empresas de fachada.

Embarricados atrás de suas posições ideológicas, os jornais refletiam o debate político, dividindo a opinião da população. De unânime só havia o desejo que Paul Reclus fosse enviado imediatamente para a França. O anarquista devia ser julgado. Mas quem seria entregue à Justiça brasileira em troca do suposto mentor do assassinato do presidente? A controvérsia pública e as negociações privadas arrastaram-se durante semanas, enquanto o governo e a oposição trocavam farpas na Assembleia Nacional. A decisão do Conselho de Estado foi adiada. Juristas e editorialistas debatiam a questão em virulentos artigos nos jornais. Ora Tino era comparado ao cordeiro sacrificado pelo Estado para salvar a pele do lobo capitalista; ora denunciado como vil anarquista, que tinha a sorte de ser extraditado em vez de perder a cabeça na guilhotina. Carvalho, em contrapartida, era retratado como o barão empreendedor, homem de proa nos negócios brasileiros, injustamente perseguido pela defunta ditadura militar; homem ilibado, que merecia a proteção da República, por tudo que fizera e ainda fazia pelo progresso da França. Senão, era visto como o capitalista inescrupuloso, que fora gastar em Paris tudo o que no Brasil havia roubado; um barão do café, nobre de origem ignominiosa, antigo senhor de escravos e, agora, estelionatário, condenado e foragido da Justiça. Que vergonha para a República, extraditar um jovem arrependido, que jamais ferira alguém, em vez daquele que a tantos levara à ruína financeira.

Antes mesmo que a composição pare na estação, os moleques precipitam-se pela plataforma, oferecendo aos passageiros os frutos da terra. Gritam, excitados, cabriolando ao lado das janelas do trem, pendurando-se aqui ou mais adiante para passar ao freguês a mariola, a goiabada, a marmelada caseira. Resfolegando, a locomotiva estanca, transpirando vapor, enquanto os meninos, esquálidos, vestidos em farrapos, já se empurram, disputando aos tapas a chance de subir nos vagões para negociar diretamente com os passageiros.

Então é isso o fim da escravidão, pensa Tino, observando o garoto de rosto escaveirado, de camisa rota e calças curtas, que lhe oferece, com olhar suplicante, uma bananada por um vintém, cinco por um tostão. De certo modo, não deixa de ser um avanço, ironiza, tirando uma moeda do bolso. De pequenos escravos, os moleques são agora pequenos trabalhadores. A Abolição lhes deu a liberdade, delegando-lhes a responsabilidade pelo seu próprio sustento. Tornaram-se escravos do próprio estômago. Sem terras para plantar, sem receber um centavo sequer dos fazendeiros ou do Estado, famílias libertas tiveram que buscar nas cidades o trabalho que já não existia. Abandonadas à própria sorte, resta-lhes agora improvisar, produzir algo que se possa trocar por dinheiro, ou morrer de fome, conclui, mordendo a bananada.

Em Paris não é diferente. Catando pó de café nas lixeiras de Montmartre, Tino trabalhou ao lado de crianças que, além da fome, lutavam contra o frio. Os farrapos que lhes cobriam eram mais grossos ou dispostos em camadas, mas, de resto, tinham no olhar uma expressão dura e fosca, reflexo do vazio que sentiam na barriga, a mesma expressão que Tino agora encontra no moleque que vende uma mariola à gorda de chapéu, sentada um pouco mais à frente.

Tino teve sorte. Muita sorte, conclui. Por pouco tempo trabalhou como trapeiro, revirando as lixeiras da cidade. O trabalho na torre, as empreitadas ocasionais e a construção da torrefação garantiram-lhe a sobrevivência. Depois, havia sempre Adriano e Pirralho. Não que dos amigos dependesse financeiramente. Atenderam-lhe outras necessidades. Fizeram a ponte entre Tino e a realidade cotidiana. Como se fossem os donos da casa, abriram-lhe desabusadamente as portas de Paris.

Pirralho, principalmente, gozava de uma daquelas vantagens raras no ser humano: era capaz de se adaptar a todo e qualquer ambiente, como um camaleão que se camufla mudando de cor. Fora dos Açores, era um estrangeiro em qualquer parte, sem jamais se dar conta daquilo. Pirralho não respeitava fronteiras, não entendia o conceito de nacionalidade. Não via na cara, na pele ou no sotaque de quem quer que fosse a sua origem. Via a sua humanidade. E nela mergulhava, garimpando em cada pessoa o melhor que se pudesse encontrar. Afinal, como ele sempre dizia, "ninguém é tão estúpido que não tenha nada a me ensinar".

Pena que a despedida tivesse sido torta, desajeitada, incompleta. Abraçaram-se quando Tino partiu, carregando uma pequena valise, rumo ao comissariado. Pirralho prometeu-lhe que, assim que tudo estivesse resolvido, o visitaria em sua cela, antes da partida para o Brasil. Jamais apareceu. Nos quase três meses que Tino passou no xadrez à espera de uma decisão, Pirralho não o visitou. Tino surpreendeu-se, decepcionou-se, tentou encontrar uma explicação. Passou dias praguejando o amigo, aquele tratante bem que podia ter aparecido, levando-lhe uns cigarros, nem que fosse para trocar somente dois dedos de prosa. Só o tempo permitiria a Tino a oportunidade da reflexão. Pirralho, talvez, não pudesse lhe dizer adeus. A experiência da despedida, acumulada em anos de viagens, pouco o ajudara na confecção de uma couraça que o protegesse dos alvoroços emocionais. Cada novo adeus esfolava-lhe a alma, com se dela ele descolasse uma parte de si mesmo nascida da relação com o outro. Verdade que seu espírito precisava ser renovado por aquelas viagens, pelos encontros e descobertas. Mas, bastava que as raízes começassem a despontar, Pirralho as ceifava, expondo outra vez a sensibilidade da sua alma nua, desprotegida, renascida. Era, então, hora de partir. Ali, contudo, os papéis haviam se invertido. Era Tino quem partia, e Pirralho, talvez, não estivesse pronto para arrancar as raízes da amizade que vingava, apesar das atribulações, dos percalços, das incertezas do caminho. Cabia a Tino compreender, perdoar o amigo que nos momentos mais difíceis não lhe faltara. Entender que toda pessoa tinha suas limitações, e que a expectativa era a maior inimiga da amizade.

Pirralho ficou para trás, assim como seu primo Adriano, o velho Robert, patrão do Rat Mort, os companheiros da luta anarquista, as meninas de Martine Fourchon, o milionário Henri de Toulouse-Lautrec – Anão, não! Um homem de pernas muito curtas! Apesar da distância, Tino ainda não sente a perda daquelas pessoas em sua vida. Como se, a qualquer momento, possa voltar e reencontrá-las. Não as perdeu. Estão lá, em Paris, à sua espera. Quem sabe um dia não voltará à França?

Por outro lado, a expectativa da chegada a Ibirapiranga o consome. Após reencontrar Noêmia, planeja ir à igreja. Não para rezar, mas para, dentro dela, sentir a presença do padre Lalanne. Tentar captar, no silêncio da nave, o eco dos seus passos quando andava pelos corredores laterais ruminando, falando sozinho, fazendo anotações para a grande reforma da igreja. Na homilia, Tino sentirá a sua presença na resposta dos fiéis às palavras do pároco. A invocação terá outra voz, mas o coro será o mesmo, sempre. *Sanctus, Sanctus, Sanctus, Dominus Deus Sabaoth. Pleni sunt cœli et terra gloria tua. Hosanna in excelsis. Benedictus qui venit in nomine Domini. Hosanna in excelsis.* Haverá, com certeza, um novo padre. Pelo menos foi o que Noêmia lhe disse por carta. Tino, porém, não perderá tempo com apresentações. A cidade é pequena. Mais cedo ou mais tarde o homem saberá da volta daquele que ali foi caçado como uma preá. Volta vivo e, principalmente, impoluto. Andará pela praça da Matriz de cara limpa, queixo erguido, um mulato, filho de escrava, sim, senhor. Mulato que viu o mundo, conheceu o passado e o futuro da opressão. Por isso, não terá medo de senhor algum, barão de coisa nenhuma. Nove anos se passaram. Nove anos de exílio, longe da família e do lugar que chamava de casa. Nove anos de estranhamento de si mesmo. Tempo no qual seu corpo de adolescente se desenvolveu, sua alma se afinou, sua cabeça mudou de rumo sob a pressão de um ambiente hostil, onde a maioria sobrevive sem baixar a guarda, numa luta constante contra os donos do poder. Aquela viagem à França, anunciada pelo destino e antecipada pela desventura, forçou-lhe a amadurecer em terra estranha. Diferentemente de um cafeeiro, que murcharia na Europa, Tino sente que suas raízes haviam se adaptado ao terreno, às variações climáticas de um território marcado pelo calor de agosto, pelo dourar das árvores em outubro, pelo frio da neve em janeiro. Nele, alcançou o verão da sua vida, ganhando peso, pelos na cara e por todo o corpo. Deixando o ar primaveril para trás, ganhou, acima de tudo, consciência do que fora, do que poderia ter sido e do que acabou sendo.

– Entre-Rios! Estação terminal! – grita um bilheteiro, passando pelo corredor do trem.

Carvalho abre a portinhola, preparando-se para saltar do landau, estacionado no bulevar de Courcelles, em frente à saída norte do parque Monceau. Sente o peso das pernas, um cansaço que o macera há dias, uma teimosa dor no braço esquerdo que começa a incomodá-lo. Apoia-se na bengala, empunhando o castão de prata cravejado de rubis e esmeraldas. Com a ajuda de Jovelino, salta do carro, pedindo a Nicolas que venha apanhá-los, naquele mesmo local, dentro de uma hora. O landau parte, Carvalho caminha em direção ao portão do parque, observando a saída das babás que trazem pela mão, ao colo, em carrinhos, as crianças da vizinhança, bebês rosados, meninos e meninas robustas, com toucas e laçarotes. Como é bom o parque Monceau na primavera. Sem cavalos, é o lugar ideal para um passeio a pé, afastado da poeira das ruas de Paris. Pena que não tenha netos para levar ao parque. Pena que Dodora tenha passado da idade de brincar nos jardins. Pena que Dodora tenha passado de todos os limites. Rebelde, destemperada, chegou ao cúmulo da arrogância naquele momento, justamente, tão delicado, quando o pai enfrentava a Justiça e o próprio filho. Dodora que, na infância, usava vestidos como aquele ali, daquela menina que corre adiante da babá, atormentando os pombos do parque. Dodora que, até os doze ou treze anos, fez a alegria da casa e do pai. Quantas vezes, após a morte de Tonico, o próprio Carvalho não chegou a considerá-la como sua substituta à frente dos negócios, em vez de Rodrigo? Não que o barão assim o desejasse. Idealizava para a filha caçula um lugar de destaque na sociedade, como mulher de um grande homem, mãe dedicada de uma numerosa família. Mas, perante a decepção e a desesperança, alimentadas pelo errático caráter de Rodrigo, Dodora, que sobre tudo emitia fortes opiniões, surgia, em seus devaneios, como a legítima herdeira da tradição dos Lopes Carvalho. Mas nem ela... Depois da morte de Tonico, a traição de Rodrigo e a rebeldia de Dodora cravaram-lhe no peito o golpe de misericórdia. Dos herdeiros, do futuro clã Lopes Carvalho, nada mais pode esperar. Nascidos em berços importados, criados sob os cuidados de babás francesas, educados nos melhores colégios, Rodrigo e Dodora, cada um à sua maneira, desperdiçaram o que a vida poderia ter lhes dado de melhor. Ainda jovens, entre a infância perfeita e a maturidade plena, abriram mão das posições de prestígio que a sociedade lhes reservara para, através de atos e palavras, renegarem a tradição familiar. Traindo, humilhando o próprio pai, como o fez Rodrigo; abandonando os seus, como o decidiu Dodora.

De quem terá a filha herdado aquele temperamento tão difícil? De onde tirou ideias tão estapafúrdias, como aquela de ser atriz, escrever peças teatrais? E pensar que a proximidade de Eufrásia, sempre tão presente, pareceu-lhes, a princípio, uma dádiva. A prima poderia introduzir Dodora na sociedade francesa com a segurança que Ana Maria não conseguia demonstrar. Equivocavam-se. Eufrásia havia muito morava na França. Tornara-se uma mulher independente, audaciosa, que desdenhava, aquela, sim, era a grande verdade, menosprezava a tradição das famílias brasileiras. No seu silêncio, nos seus ares superiores, Carvalho lê, agora, a impostura, o artifício, a vontade de alienar Dodora da sua família. Sim, Eufrásia, aquela é a grande culpada pelo desnorteio de Dodora. A prima de Ana Maria que, sem homem, nem prole, pagava com a solidão o preço da sua autonomia, do seu desajuste moral e social. Depois, roubou-lhes, insidiosamente, a filha. Perante o vazio criado pela saúde delicada de Ana Maria, com suas intermináveis enxaquecas, Eufrásia se apossou do coração da menina, abrindo-lhe portas que deveriam estar fechadas para jovens destinadas ao lar, à fundação de uma família.

– Não se preocupem – dizia Eufrásia, exprimindo uma calma insuportável. – Dodora pode ficar lá em casa até que as coisas se acalmem. Mais tarde ela vai decidir o que fazer.

Dodora partiu. Mudou-se para a casa da prima, sem mais nada querer ouvir dos pais. Carvalho, perseguido pela Justiça, lutando por sua sobrevivência, apunhalado pelo próprio filho, não encontrou forças para detê-la. O que poderia ter feito? Trancá-la em seu quarto? Amarrá-la ao pé da cama? Desterrá-la para o Brasil? Não, nada mais fazia sentido. Eufrásia ganhou a disputa da qual só tardiamente Carvalho se deu conta. Desde o começo, desde sempre, a prima quis a menina para si. O tempo. Agora, só o tempo poderá trazê-la de volta. Mas, então, Carvalho não estará mais interessado. Será tarde demais. Para si, Dodora, a filha tagarela e opinativa, a criança que a todos encantava, morreu no dia em que saiu do apartamento carregando suas malas.

– O sinhô barão não quer se sentar um pouco? – pergunta Jovelino, apontando para um banco do parque.

Carvalho assente com a cabeça, caminhando com dificuldade em direção a um assento da aleia principal. Jovelino senta-se a seu lado, tirando o lenço do bolso, inspirando fundo antes de começar a espirrar. Uma, duas, três vezes. Assoa o nariz, enxuga os olhos, dobra e guarda o lenço molhado, enquanto sente no rosto o calor suave do sol de primavera que se põe à direita. Ao longe, observa o coreto, vazio a essa hora da tarde, os meninos que correm sobre a grama e, mais além, muito acima das grades do parque, no alto de um prédio, o letreiro do que deu sentido, em Paris, à vida do barão. CAFÉ CARVALHO. Dessa distância parecem pequenas, quando, na verdade, devem ser letras enormes, cortadas em madeira ou metal, dispostas em intervalos regulares sobre o telhado de um edifício qualquer. E não é só ali. Em qualquer parte, por onde se passe em Paris, a marca Café Carvalho domina a paisagem multicolorida de cartazes, reclames, anúncios das mais variadas marcas de bebidas, chocolates, cafés. Sem contar a publicidade nos jornais, que Yvonne lê para Jovelino, sem saber como lhe explicar. Entre uma coluna e outra, pequenas notas alardeiam a qualidade do produto.

"Chega de café ruim e adulterado! Chegou o Café Carvalho. Pureza, aroma e sabor em embalagens seladas, à prova de contrafação."

"Falsifica-se café de mil maneiras: com aveia, cevada, chicória, e até café encontrado nas lixeiras! Não se deixe enganar. Café puro, sem misturas, é o Café Carvalho!"

Pena que nada daquilo pertença ao barão. E muito menos ao filho. Rodrigo perdeu a usina tão rapidamente quanto a ganhou de mão beijada do pai. No começo ainda se empolgou. Foi trabalhar, fez reuniões com os encarregados, contratou mais vendedores. Disse, agora, sim, sua vida estava encaminhada. Tomava o rumo da vitória pelo caminho do trabalho e da honestidade, como proclamava o brasão de armas dos Lopes Carvalho. Mas, passados alguns meses, foi esmorecendo, perdendo o ânimo, demonstrando, ao mesmo tempo, certo nervosismo, que Jovelino detectava no seu incessante roer de unhas, quando o visitava a mando de dona Ana Maria. Proibida de ver o filho, preocupada com a falta de notícias, a patroa enviava Jovelino ao seu apartamento sem que o barão soubesse. Quando o encontrava em casa, Jovelino era recebido à porta por um Rodrigo despenteado, trêmulo, ora abatido, ora muito excitado. Se conseguisse entrar no apartamento, inventando uma desculpa qualquer, uma echarpe que dona Ana Maria procurava, uma torta que trazia para Rodrigo, o criado contabilizava as roupas espalhadas pela sala, os móveis fora do lugar, os copos e garrafas vazias, vestígios de uma festa que, talvez, houvesse terminado pouco antes da sua chegada. Rodrigo, estirado sobre o divã, respondia-lhe com monossílabos, perguntava pela mãe – e ela vai bem? Depois, dizia a Jovelino que a tranquilizasse. Tudo estava sob controle.

E mesmo que lhe diga a verdade, pensa Rodrigo, não há nada que sua família possa fazer. Ou melhor, não há nada que sua mãe possa fazer. Seu pai, o barão de Lopes Carvalho, não moverá um dedo por ele. O negócio entre pai e filho foi concluído. Não há mais assuntos pendentes. Salvou-o a torrefação. Não mais como garantia de rendas futuras, mas de capital imediato, ali e agora, para saldar suas dívidas, livrá-lo daquele pulha do Silbowitz, que ameaçava lhe arruinar a reputação pelos jornais. Sem alternativa, vendeu tudo: a torrefação, o prédio, a marca Café Carvalho. Com o arrecadado, pagou o agiota, investindo o troco no hipódromo. Cavalos filhos da puta! Estavam todos mancomunados contra ele. Estrebuchavam na reta final, chegando em terceiro, quarto, quinto lugar. Sobra-lhe um pouco de sorte, contudo. A pedido de Dodora, Eufrásia não lhe cobra um centavo de aluguel.

Edgar, por sua vez, faz-lhe falta. Deixou Paris há poucas semanas. Voltou ao Brasil, discretamente, sem fazer alarde. Viajou com a mãe, que lhe dará cobertura em caso de novos problemas políticos. Resignado com o fim da monarquia brasileira, já não mais teme os republicanos. Aos poucos, o governo de Prudente se afasta dos excessos da ditadura de Floriano. Além do mais, os Prates têm cacife em São Paulo. Mantendo-se calado, Edgar poderá passar o resto de seus dias no parque Trianon, sem jamais ser incomodado.

Em Paris, despediram-se com um último jantar no Moulin Rouge. Edgar pagou a conta e, pela primeira vez, tocou no assunto:
– Tens o bastante para viver na França?
– O bastante para *sobreviver*, queres dizer.
Edgar tirou do bolso interno do paletó um livro de cheques.
– Fora de questão... – reagiu Rodrigo.
– Cala a boca. Não se trata de caridade. Faço-te um empréstimo. Paga-me quando puderes.
Rodrigo se calou, observando o amigo preencher o cheque. De repente, sentia que seu corpo se encolhia dentro das roupas. Não que se sentisse humilhado ou ultrajado pela generosidade de Edgar. Mas sentia-se pequeno, vulnerável, órfão. Como se, ao preencher o cheque, manipulando com destreza a caneta-tinteiro, Edgar assumisse um papel que ia muito além da amizade. Era o pai, o protetor, o amigo desinteressado que lhe salvava a pele, sabendo que ele, Rodrigo, poucas esperanças teria de pagar-lhe ou retribuir-lhe o favor.
– Volto daqui a seis meses. Tens aí o suficiente para viver até, quem sabe... conseguires um trabalho... – disse Edgar, escolhendo as palavras, como se temesse ofender o amigo.
– Trabalho é para pretos! – respondeu Rodrigo. – Tenho uma ideia melhor... Um investimento!

Jovelino suspira, oprimido pela melancolia do entardecer, pela sina dos Lopes Carvalho. Tem pena do patrão. Em poucos meses, seus cabelos se tornaram ralos, encanecidos. Sua postura, sempre altiva, cedeu com o peso do tempo, fazendo com que seus ombros se arqueassem, sua cabeça pendesse para a frente, forçando-o a levantar os olhos, agora apagados, quando alguém lhe dirige a palavra. Nasceram no mesmo ano, cresceram juntos no solar de Ibirapiranga. Um na cozinha, o outro no salão, na sala de jantar, na sala de música. Nos jardins, dividiram o palco da infância, com papéis que não se alternavam. O sinhozinho era o patrão, o cavaleiro, o herói. Jovelino, o escravo, o cavalo, o bandido. Carregou nas costas não somente o peso do companheiro, mas também suas culpas, quando Antônio, moleque, soltava as galinhas, assustava as vacas, destruía uma laranjeira para encarnar Napoleão, armado com frutas verdes, como balas de canhão. Depois, com a idade, Napoleão acreditou na sua fantasia. Incorporou o gesto, a postura, o orgulho precoce. Foi estudar na Europa, voltando para casa com a pompa e a responsabilidade de ser filho do barão de Ibirapiranga, herdeiro dos Lopes Carvalho, que já dava os seus primeiros passos na Corte, para onde planejava transferir a família. Já não tinha mais tempo, nem liberdade, para gracejos com Jovelino, que continuava na cozinha, agora casado com Perpétua. A vida do criado seguiria, como uma sombra, a trajetória do patrão. De besta, cobaia e bode expiatório, Jovelino passou a ser o mordomo, pajem e acompanhante do senhor barão de Lopes Carvalho em todas as circunstâncias nas quais a presença de um preto possa ser admitida. O que o exclui, certamente, de concertos, jantares, salões de baile. No mais, é como se o barão carregasse Jovelino como uma parte de si mesmo, ainda que se falem o mínimo necessário, quase sempre por iniciativa do criado. Carvalho responde-lhe com monossílabos, sem desfiar a prosa, sem encarar Jovelino, mantendo-se distante pelo "você", evitando o "tu" da infância que os igualava. Sim, aquele preto faz parte da sua vida, como a bengala com castão de prata, decorado com o cafeeiro de rubis e esmeraldas, que, agora, escapa-lhe das mãos, caindo no chão do parque.

– O sinhô barão não se sente bem? – pergunta Jovelino, sem obter resposta.

No cemitério de Ibirapiranga, Tino caminha entre as tumbas, dando-se conta de que aqui, pelo menos, pouco mudou. Os mortos de sempre continuam lá, confirmando a única coisa certa e absoluta na vida: a sua própria finitude. Ele poderia viajar, aprender uma miríade de coisas, participar de revoltas e revoluções. Seu futuro, revelado pelo oráculo da vida, estará, em todo o caso, garantido. Terminará os seus dias como qualquer uma daquelas pessoas, que um dia riram, amaram, gozaram alegrias, sofreram decepções, e que, agora, estão aqui, sob as lápides, naquele estado de decomposição eterna, em que ossos e carnes se misturavam à terra que lhes deu de comer. A terra retomando aquilo que lhe pertence, sempre, para emprestá-lo a outro, que, um dia, também lhe restituirá.

O mesmo não pode ser dito de Ibirapiranga. Ali parece não haver um ciclo, onde a vida toma de um para dar a outro. Ibirapiranga expirou para sempre, sem volta prevista pelos oráculos. Do vilarejo onde dona Glicéria organizava bailes e quermesses, onde a festa de Reis era celebrada com música e fogos de artifício, pouco sobrou. Ibirapiranga morreu sem ser enterrada. Tornou-se, como Noca lhe dissera em sua primeira carta, uma cidade fantasma, que arrastava pelas ruas as correntes do passado. Nelas, Tino cruza com uma ou outra alma que o cumprimenta sem o reconhecer. Em nove anos, Ibirapiranga parece ter retrocedido oito décadas. Dos barões, restam Jaguaraçu, sobrevivendo do rancor e da amargura pela filha morta, e Gomes Pinto, o patrão de Noêmia, que recebeu Tino no salão do seu solar, com paredes manchadas pela umidade, escadarias carcomidas pelo malhar do tempo, enquanto, lá fora, o capim-gordura grassa livre, vigoroso, onde antes se expandia o cafezal. Como se não dependessem do homem, os cafeeiros continuaram sua marcha rumo oeste, vale acima, avançando pelos domínios de São Paulo, deixando para trás quase um século de terras lavradas até a erosão e homens explorados até a morte.

    Ao lado de um túmulo recente, um monte de terra, simples e raso, Tino se abaixa para melhor ler o nome entalhado na cruz. *Noêmia de Jesus*. Foi o barão de Gomes Pinto quem lhe contou. Noêmia morrera. Havia pouco mais de um mês. Chegara a lhe falar de Tino. Dissera-lhe que, talvez, ele estivesse a caminho. Que voltava para casa. Noêmia estava radiante, disse Gomes Pinto. Tino ajoelha-se ao lado do túmulo, repousando a mão sobre a cruz. Sente no peito o vazio das conquistas inúteis. A vitória do matuto que saiu aos dezesseis anos de Ibirapiranga para atravessar o oceano rumo a Paris. Conseguiu escapar da injustiça que o perseguia, construiu uma torre, compreendeu a luta dos oprimidos, conheceu gente única, extraordinária, que lhe abriu portas jamais imaginadas. Cometeu erros, aprendeu lições, transformou-se. E tudo isso para quê?

    Era como nas brincadeiras de esconde-esconde na fazenda Santo Ovídio. Lembra-se da vez em que se escondeu tão bem, num recanto tão inusitado, que nenhum dos meninos pôde encontrá-lo. Após uma hora de espera, saiu do seu esconderijo como o grande vencedor daquela tarde. Pena que todos houvessem voltado para casa. O vencedor não foi reconhecido nem recebido por ninguém.

    Agora chegou a sua vez de voltar para casa. Só que a casa não existe mais. O retorno tão desejado, por tantos anos planejado, revela-se impossível. Como se toda viagem fosse uma ida sem volta, e cada volta não passasse de uma nova ida para o lugar original, transfigurado, inevitavelmente, pelo tempo. Dos resquícios de outrora, somente as lembranças que povoam a cabeça do viajante. Lembranças do Império do café, do fumo e da escravidão. Do Império extinto que, em sua agonia, tragara toda a vida do Vale.

O PONTO FINAL

GETÚLIO, FINALMENTE, CHEGOU AO RIO. Apossou-se do Catete como se para ele o palácio houvesse sido construído. Curioso ver a turba na rua, ouvir os tiros de espingarda que ainda pipocam, celebrando o triunfo da revolução. Parece-me que, agora, as coisas realmente tomarão outro rumo. Os jornais celebram o fim de uma era de corrupção na qual o "Congresso se transformou nesse antro de *profiteurs* acanalhados e subservientes que nada produziu de benéfico para a coletividade". Começa-se a construção de uma Pátria nova, como proclamou Getúlio no seu discurso de posse.

Nada como a maturidade para que possamos nos dar conta do caráter cíclico da história e da natureza humana. Corrompida e desgastada, desmoronou-se a Primeira República, que, em nome da moral e da probidade, derrubara a Monarquia, fazendo com que a nossa família se exilasse em Paris. Não que defendêssemos com lealdade súdita o imperador. Todavia, com a mudança do regime, as grandes transformações sociais, as oportunidades comerciais inéditas, meu pai, talvez, tivesse se desorientado, perdido suas medidas, ajudando a insuflar a bolha do Encilhamento, que resultou na quebra da bolsa em 1891.

Mas, agora, não quero mais falar sobre isso. O ponto final está colocado. Se você, meu leitor, chegou a esta página, você já conhece toda a história. E não imagine que a escrevi impunemente. Falar de mim mesma, bem que em terceira pessoa, ainda me constrange. Por outro lado, escrever sobre meus pais era um sonho que sempre acalentei. Sentia-me, contudo, tolhida pelo pudor. Era como se ao escrever sobre Ana Maria e o barão de Lopes Carvalho, eu os mirasse pelo buraco da fechadura, numa espécie de voyeurismo incestuoso.

    Como poderia descrever meu pai, falecido há décadas, sem o desrespeitar? Sem lhe dar a chance da resposta? Sem permitir que se defendesse, que se explicasse? Só agora, chegando à quinta década da minha própria vida, encontrei a força necessária para romper essa barreira. Só agora pude conversar com meu pai, que, magoado, morreu sem que pudéssemos nos despedir. Disse-lhe que, talvez, eu pudesse escrever um livro no qual ele não fosse, necessariamente, um vilão. Não, de modo algum. Vilões e heróis são para os folhetins romanescos. Não sei se o convenci. Mas tampouco me pareceu irritado. Espero que me perdoe, como peço desculpas, caso se sintam ofendidos, aqui ou no além, à minha mãe, a Rodrigo, Edgar, Jovelino e Perpétua, nomes fictícios, que mascaram meus parentes, amigos e empregados.

    Quanto aos personagens históricos, antes que o leitor me pergunte, tomei poucas liberdades. Mantive-os, com breves falas, como figurantes desse drama familiar. Foram homens e mulheres que, de um modo ou de outro, fizeram parte da nossa vida em Paris, onde compartilhávamos a experiência do exílio. Se a princesa Isabel só voltou ao Brasil depois de morta, o médico Hilário de Gouveia teve mais sorte. Foi o primeiro a retornar, assim que o governo de Prudente de Moraes o anistiou. Mais tarde, teve sua reputação finalmente restaurada. Hoje empresta seu nome, merecidamente, a uma rua, aqui perto da casa de Eufrásia, em Copacabana.

    Minha amada prima e protetora, Eufrásia Teixeira Leite, deixou-nos há dois meses, logo depois de completar oitenta anos. De volta ao Brasil, nunca se aposentou, gerindo sozinha seus negócios e investimentos. Pouco antes de sua morte, loteou boa parte de Copacabana, prevendo o crescimento do bairro. O futuro nos dirá se Eufrásia tinha razão.

    O empresário Antônio Pedro da Motta Barroso foi, de fato, extraditado para o Brasil, onde responderia pelo crime de estelionato na falência da Companhia Geral de Estradas de Ferro, um dos maiores escândalos do Encilhamento. Teve sorte também. Apesar da fuga, foi absolvido por unanimidade, retomando suas atividades empresariais e o título de *visconde* da Motta Barroso, concedido pelo rei de Portugal.

Alberto Santos Dumont, por outro lado, nunca pleiteou títulos de nobreza, apesar da sua vasta fortuna. Após aquele primeiro encontro com Rodrigo, esbarrou conosco mais de uma vez na Grande Cascade ou no Pré-Catelan, no almoço dos finais de semana. Somente anos mais tarde se tornaria o pioneiro da aviação. Pena que hoje esteja tão doente. Dizem que está internado numa clínica na França. Longe vai o tempo em que os franceses o reconheciam nas ruas, e lhe chamavam *Le Petit Santôs*. Foi seu momento de glória e celebridade, quando dividia sua mesa no Maxim's com a aristocracia parisiense.

Não sei dizer ao certo quando o Rat Mort fechou as portas, mas, enquanto estiveram abertas, elas permitiram ao café atrair uma clientela diversificada, que incluía operários, prostitutas, intelectuais e artistas, como Vasco Leão Pirralho, e Henri de Toulouse-Lautrec, o milionário de pernas curtas, que nos deixou belos testemunhos da Belle Époque nas suas telas e gravuras.

Em contrapartida, a usina de torrefação do Café Carvalho continua a funcionar até hoje, no mesmo endereço em Levallois-Perret. Nos mais de trinta anos que se passaram desde a sua inauguração, a torrefação fez com que o nome Carvalho se tornasse sinônimo de café em Paris – embora o café que se beba na cidade ainda seja o "mijo de gato" engolido pelo comissário Babel.

Babel, Murat, Fournier, personagens que saltaram da cena teatral para as páginas deste livro. Graças à Eufrásia, ingressei no conservatório, estudei dramaturgia e, após uma breve experiência no palco, descobri que tinha mais talento para moldar figuras humanas que para encarná-las. Agora, pela primeira vez, troco os diálogos teatrais pelo romance, essa grande mentira feita de pequenas verdades.

Despeço-me aqui, na esperança de que o leitor tenha aprovado este primeiro ensaio. Constantino deve chegar mais tarde, e eu ainda não comecei a arrumar as malas. Dentro de dois dias, voltamos para Paris.

Rio de Janeiro, 3 de novembro de 1930.
Isadora Antônia C. Lopes Carvalho

Nota do autor

Foi por acaso, pesquisando a comunidade brasileira em Paris no século XIX, que descobri a existência da usina de torrefação Cafés Carvalho (sim, no plural), cuja construção serviu de inspiração primeira para o argumento ficcional de *Cafeína*. A usina, de fato, foi construída por iniciativa de um barão brasileiro, falecido pouco antes da inauguração da torrefação, que só traria perdas financeiras à família.

Após o malfadado investimento, a Cafés Carvalho, adquirida por empresários franceses, consolidou-se na França como uma das mais populares marcas de café no início do século XX. Tombado pelo patrimônio histórico, o edifício da usina abriga hoje o Centro Cultural L'Escale, em Levallois-Perret, na região metropolitana de Paris.

Depois de ter traçado o esboço inicial de *Cafeína*, já na fase de pesquisa bibliográfica, quatro fontes se revelaram fundamentais, oferecendo dados e sustentação histórica à trama. Se o leitor tiver curiosidade, segue a lista:

Em *A fazenda de café escravocrata no Brasil,* de Orlando Valverde (Rio de Janeiro: Assessoria de Relações Públicas do Instituto Brasileiro do Café, 1973), eu conheci a técnica escravagista da produção de café desde o plantio até o seu beneficiamento.

Com *Barões do café e sistema agrário escravagista*, de João Fragoso (Rio de Janeiro: 7Letras, 2013), eu compreendi o modelo econômico, escravagista e predatório operado pelos cafeicultores do Vale do Paraíba durante o segundo reinado.

O encilhamento: anatomia de uma bolha brasileira, de Ney Carvalho (São Paulo: BOVESPA, 2004), revelou-me as causas e consequências da primeira quebra da Bolsa de Valores do Rio de Janeiro, que, em 1891, forçou a fuga de barões e empresários brasileiros para a França.

E, finalmente, com *Brazilians in France, 1822-1872: Doubly Outsiders*, do historiador americano Roderick J. Barman, eu pude entender melhor a aristocracia brasileira que vivia com um pé em Paris e outro no Rio de Janeiro no século XIX.

De resto, consultei obras sobre a história do anarquismo, da Torre Eiffel, dos bordéis franceses, além do meu próprio livro *A história do Brasil nas ruas de Paris*.

E se a curiosidade do leitor não se esgota aqui, na sua próxima viagem a Paris não deixe de visitar o edifício da torrefação Cafés Carvalho, perfeitamente preservado, com o seu painel de azulejos verde e amarelo, que tanto trabalho deu a Sebastião Constantino do Rosário. O endereço é Rue de la Gare, 25, em Levallois-Perret.

Agradecimentos

Da concepção do argumento ao lançamento do livro, passando por longos períodos de pesquisa, redação e revisão, *Cafeína* consumiu quatro anos de trabalho. Durante todo esse período, contei com a ajuda e opinião de diversos amigos que generosamente leram o manuscrito ou compartilharam comigo os seus conhecimentos.

A Sandra Callegari, agradeço o apoio prestado durante as pesquisas feitas na biblioteca da embaixada brasileira em Paris. Em Levallois-Perret, contei com a ajuda imprescindível de Xavier Théret, dos Arquivos Municipais, que me presenteou com as plantas da construção e toda a documentação histórica da usina de torrefação Cafés Carvalho. Agradeço ainda ao chorão, compositor e pesquisador Carlos Henrique Machado, que me ensinou tudo sobre as bandas de pretos das fazendas de café no Vale do Paraíba; a Sérgio Oyama Júnior, do blog "Orquídeas no Apê", que me apresentou a *Cattleya velutina*, "a mais rara orquídea do Vale"; e a Gabriela Vidal, que me revelou o requintado mundo do "café especial". A Sheila Vaz, Rogério Faria, Luiz Otávio Costa e Marco Antônio Guimarães, agradeço a hospedagem no Rio de Janeiro durante as pesquisas na Biblioteca Nacional.

Já na fase de redação, sou grato a Adriana Vidal e Nina Victor, que sofreram a primeira versão do manuscrito, ajudando-me a dar melhores contornos à trama. Rafaela Jaccoud, Suzana Veríssimo, Mônica Maia, Erika Campelo, Sérgio Rizzo e Christovam de Chevalier melhoraram a segunda versão com críticas, correções e sugestões, enquanto Carina Férnandez Grenno revisou as falas em espanhol e a professora Jane Adriana Castro traduziu para o latim o lema do brasão do barão de Lopes Carvalho. Na reta final, Bernard Chotil fez a revisão que faltava, repassando todas as palavras e expressões em francês.

Ao meu irmão Marcelo Torres Assumpção, agradeço o infalível apoio prático e moral sempre que precisei de livros, dados ou informações no Brasil.

A Luciana Villas-Boas, Anna Luiza Cardoso, Yasmin Ribeiro e Miguel Sader, da agência VB&M, meu muito obrigado por terem acreditado no projeto. A Leila Name, Izabel Aleixo e Natalie Lima, da editora LeYa Brasil, meu agradecimento por terem melhorado o manuscrito e apostado em *Cafeína*.

Por fim, minha eterna gratidão a Marie du Roy, minha âncora e companheira, cuja contribuição criativa e apoio incondicional poderiam lhe conferir o título de coautora desta obra.

Merci, Marie!

E antes que o leitor duvide...

Operárias na porta da Torrefação Cafés Carvalho, em Levallois-Perret

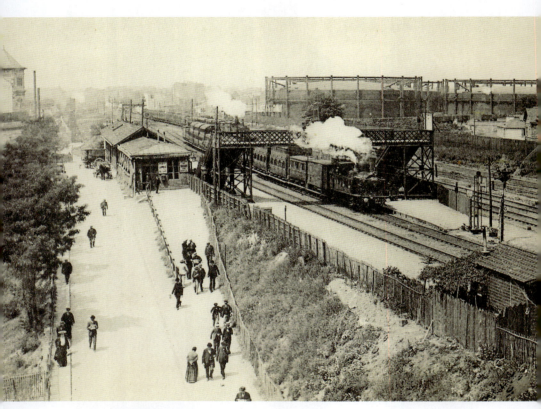

Estação de trem de Clichy-Levallois, em Levallois-Perret, final do século XIX

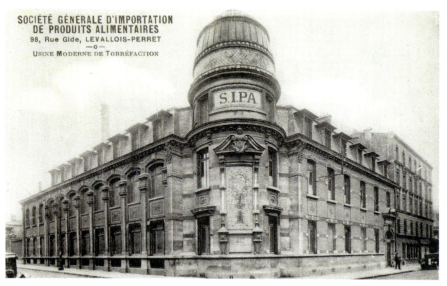

O edifício da torrefação em dois momentos: no alto, com os dizeres "Cafés Carvalho", no final do século XIX; acima, já adquirido pelos franceses proprietários da Société d'Importation de Produits Alimentaires, a SIPA

No alto de um edifício na praça de Clichy, um dos muitos
anúncios publicitários dos Cafés Carvalho em Paris

Muito além de Paris: no alto, publicidade **dos Cafés Carvalho** num bar na cidade de Vichy; acima, na comuna de **Cherbourg, região da** Normandia

No detalhe da fachada, painel de azulejos com o desenho de um cafeeiro

Resistindo ao tempo: atualmente, o prédio da antiga torrefação abriga o Centro Cultural L'Escale

Em www.leya.com.br você tem acesso a novidades e conteúdo exclusivo. Visite o site e faça seu cadastro!

A LeYa também está presente em:

facebook.com/leyabrasil

@leyabrasil

instagram.com/editoraleya

LeYa Brasil

ESTE LIVRO FOI COMPOSTO EM DANTE,
CORPO 11/15PT, PARA A EDITORA LEYA